文春文庫

手　紙

東野圭吾

目次

手紙

序章

その家を狙ったことに深い根拠はなかった。強いていえば、多少なりとも家の様子を知っていたことぐらいだ。しかし剛志《つよし》が犯行を決意した時、真っ先に頭に浮かんだのはそこに住む緒方という老婦人のことだった。見事な白髪を奇麗にセットし、品のいい身なりをしていた。

「御苦労様。若いのに、えらいわねえ」そういって小さな祝儀袋をくれた。後で見ると中には千円札が三枚入っていた。そんなにもらったのは、引っ越し屋の仕事を手伝うようになって初めてだった。

彼女の表情からは何の邪念も感じられなかった。皺《しわ》の一本一本にまで優しさが刻み込まれているような微笑《ほほえ》みだった。剛志がぺこりと頭を下げると、「こら、ちゃんとお礼をいわねえか」と先輩から叱られた。剛志が十九歳になったばかりの頃だから、四年前ということになる。

江東区木場には材木問屋が多い。江戸時代からそうで、木場という地名もそのことに由来しているらしい。緒方家に向かうトラックの中で、剛志は先輩から教えられた。緒方家もかつてはそうした問屋の一つで、緒方商店という屋号を持っていた。ただし本業のほうは殆《ほとん》ど形ばかりで、材木置き場に使われていた土地を別の目的に利用することで、緒方商店は収入を得ていたようだ。

「だから遊んでいても食うには困らないんだろうなあ、きっと」トラックの中で先輩は羨ましそうにいった。「駐車場だけじゃないぜ、アパートだとかマンションだとかも持ってるに違《ちげ》えねえよ。婆さん一人じゃ使いきれない金が、毎月がっぽがっぽ入ってくるってわけだ。だから息子がマイホームを欲しがったらさ、ぽんと金を出せたりするんだよ」

「息子さんの新居って、そのお婆さんが買ったんですか」剛志は驚いて訊《き》いた。

「知らねえけど、たぶんそうだよ。息子は店を継いでないっていってたからな。ふつうのサラリーマンじゃ、なかなか買えるもんじゃねえよ」

先輩が単に想像だけでしゃべっているのは明らかだった。しかし緒方家に着いた時、さほど的はずれでもないかもしれないと剛志は思った。和洋折衷の家屋だが、今時珍しい平屋だった。つまりそれだけ敷地をたっぷりと使っているわけだ。家の向かい側に月《つき》極《ぎめ》の駐車場があるが、そこの看板にも緒方商店の文字が入っていた。

南側には小さな家ならもう一軒建てられそうな広い庭があり、そこには仔牛ほどの白い犬が歩き回っていた。ピレニアンマウンテンドッグという種類だと老婦人が教えてくれた。犬は剛志たちの姿を見る前から、闘争心丸出しで吠《ほ》えだしていた。見知らぬ人間たちの侵入を、早くも察知していたのだろう。

「うるせえな、あのピレ公」簞笥《たんす》を緩衝用マットで包みながら先輩がこぼした。犬は犬小屋に繫《つな》がれていたが、剛志たちが作業をしている間中、吠えていた。

「だけどあんなやつがいるんなら、年寄りの独り暮らしでも安心かもな。ふだんは放し飼いなんだろ？　泥棒が塀を乗り越えたところで、がぶりとやられるぜ」別の先輩がいった。

その時の引っ越しは、同居していた長男一家の荷物だけを別の家に移すというものだった。長男は四十過ぎの痩せた男だった。無口で、引っ越しにも大して関心がないという顔をしていた。太った妻は終始浮き浮きした様子だった。立ち去る家のことより、ついに手に入れた新居のことだけを考えているように見えた。

「亭主はあれだな、嫁さんに押し切られた格好で、ここを出ることにしたんだな」例によって先輩が想像を働かせた。「ふつうなら、ここを建て替えれば済む話だ。だけどそれじゃあ婆さんも一緒に住むことになる。たぶんこの家の名義は婆さんになってるはずだからな。いわば息子一家は住まわせてもらってる立場だ。あのデブの嫁さんは、それがいやなんだよ。だから亭主にマイホームを買ってくれとせっついたわけだ。見ろよ、あの嫁さんの顔。自分の天下が来たって調子だぜ」先輩は口元を歪《ゆが》めて笑った。

荷物をすべて積み終えた後、剛志たちは老婦人に挨拶した。彼女は新居への引っ越しには立ち会わないことになっていた。

「しっかりがんばりなさいね」彼女は剛志にだけ特別に声をかけてくれた。一番若く、そして頼りなさそうに見えたからかもしれない。はい、と彼は頭を下げた。

それから一年ほどして、緒方家の近くで引っ越しがあった。休憩時間にコンビニで買った弁当を食べた後、剛志は一人で緒方家の前まで歩いていった。威厳を感じさせる石塀は一年前のままだったが、門まで近づいた時、ほんの少し違和感を抱いた。それが何なのかすぐにはわからなかったが、庭のほうに歩いているうちに気づいた。あの大きな犬の鳴き声が聞こえないのだ。

石塀のそばに立ち、庭を覗いてみた。犬小屋はそのままだったが、犬の姿はなかった。散歩にでも行っているのかと思った時、それが目に留まった。犬小屋のすぐ横に細長い木が立てられており、そこには青い首輪が巻かれていた。あのピレニアンマウンテンドッグがその首輪をつけていたことを剛志は思い出した。

長男家族に出ていかれ、愛犬に死なれたのでは、あの老婦人はさぞかし寂しい思いをしていることだろうと剛志は想像した。その時に彼の頭に浮かんだのはそのことだけだった。裕福な老女が独り暮らしをしているということについて、妄想にしろ、危険な考えなどかけらほども抱きはしなかった。実際その後の三年間、彼は彼女のことを思い出さなかった。もし現在のような窮地に陥っていなければ、一生思い出すことはなかったかもしれない。

その家のそばに彼は来ていた。塀に囲まれた和洋折衷の家はひっそりと佇《たたず》んでいた。風が冷たく感じられる季節になっていた。あと一か月もすれば、肩をすくめずに歩くのが辛くなるだろう。そして師走だ。正月だ。街は賑わい、人々は忙しく動き回るに違いない。仕事があるから動き回れる。金があるから浮かれられる。

今の俺にはそのどちらもない——。

クリスマスケーキを買う金が欲しいわけではない。正月に餅を食べたいわけでもない。剛志が欲しいのは、直貴《なおき》を安心させられる金だ。直貴が迷いなく大学に進もうという気持ちになれる金だ。

剛志は空想する。まずはまとまった金を銀行の定期預金にする。それを直貴に見せてやる。どうだ、おまえには黙ってたけど俺にはこれだけの蓄えがあるんだ、これだけあれば受験料だろうが入学金だろうが屁でもない、だからおまえは何も心配しなくていいんだ——そう弟にいってやりたい。

直貴が大学進学を半ば諦《あきら》めていることを剛志は知っている。隠れてアルバイトをしていることも知っている。就職活動をすれば兄が怒ることを知っているので正式に表明はしていないが、弟はこっそりと会社案内を集めている。

急がねば、と焦る。だが定期預金にする金がなかった。それを得る手段も失っていた。引っ越し屋の仕事は二か月前に辞めていた。腰と膝を痛めたことが直接の原因だった。元々正社員ではないから、営業の仕事に移してもらうことも叶わなかった。引っ越し屋以外に、家具運送の仕事もしていたが、そちらも契約を打ち切られた。

手先が不器用で物覚えが悪い。自信があるのは体力だけだ。だからそれを生かす仕事を選んだのだが、そのことが仇《あだ》になった。身体を壊したら、どこも雇ってくれない。先週まで働いていた仕出し屋も、配達の途中で激しい腰痛に襲われ、岡持をひっくり返したことが原因でクビになった。工事現場で働くことも、この身体ではままならない。右を見ても左を見ても八方ふさがりだった。

世の中全体が不景気だというが、自分以外の人間は皆裕福そうに剛志には見えた。安売り店が大はやりだというが、安売りだろうが何だろうが買える奴はいい。健康食品が人気なのは、結局のところ余裕があるからだと彼は思った。その余裕のうちの何分の一かでも自分たちに回してくれれば——。

貧しければ人のものを盗んでいいなどとは思っていない。しかしほかに手段が思いつかなかった。どんなに嘆いても祈っても金は湧いてこない。ならば自分の手で何とかするしかない。

老婦人の優しそうな顔が頭に浮かんだ。彼女は有り余る金を持っているという話だったから、少しぐらい盗まれたところで大した痛手ではないだろう。いや、仮に盗んだのが自分のような人間だと知ったら、許してくれそうな気もした。もちろん、知られるわけにはいかなかったが。

剛志はあたりを見回した。民家と小さな工場が混在しているような町だ。しかし商店は殆ど見当たらない。そのせいか道を歩いている人影はなかった。すぐそばに大きなマンションがいくつも建っているが、どれも皆太い幹線道路側に正面玄関があるので、それらの住人が裏通りに出てくることは少なそうだった。

アスファルトの路面に彼の短い影が落ちていた。正確な時刻はわからなかったが、たぶん午後三時頃だろうと見当をつけた。十分ほど前に入ったコンビニで、彼は時刻をたしかめていた。コンビニに入ったのは軍手を買うためだった。彼は実際にここへ来るまで、指紋のことにすら考えが及んでいなかったのだ。

現在緒方家が無人であることを彼は知っていた。コンビニの外にある公衆電話で、電話をかけてみたからだ。電話番号は、緒方家の向かいにある月極駐車場の看板に記されている。電話は繋がったが、聞こえてきたのは留守番電話のアナウンスだった。

剛志はゆっくりと緒方家の門に近づいていった。無論、躊躇《ためら》いはあった。門に達するまでの何秒かの間も、彼は自問自答していた。本当にこんなことをしていいのか。いいわけがない。だけどほかにどんな手がある。誰かから奪うしかないじゃないか。だったら、金の余ってる家から奪うしかない。でも捕まったらどうする。捕まるわけにはいかない。いや、この家に住んでるのはあのおばあさんだけだ。見つかったところで逃げれば済む。向こうは追ってこられない。捕まりっこないさ――。

小さな門扉《もんぴ》に鍵はついていなかった。扉を開けるとかすかに金属の擦《こす》れる音がした。それさえも彼には大音響に感じられた。思わずまた周囲に目を配る。見られている気配はなかった。

素早く門の内側に入り、身を屈《かが》めて玄関に近づいていった。褐色の扉は一枚の板から削り出されたもののようだった。それだけで百万円以上するものがあるということを、彼は人から聞いて知っていた。

軍手をはめた手で把手《とって》を握り、上についている金具を親指で下ろそうとした。だが下りなかった。やはり鍵がかかっている。しかしそれは予想していたことだった。

剛志は足音に注意しながら、家の北側に回った。庭のある南側のほうが作業はしやすいが、塀越しに人に見られるおそれがある。北側は塀と家屋との隙間《すきま》が狭いが、隣家の壁がすぐそばまで迫っていて、大きな音でも出さないかぎり誰かに気づかれるおそれは少ないように思われた。

そしてもう一つ、北側を選んだ大きな理由があった。そこに古い窓があったことを覚えていたのだ。ほかのところはすべてアルミサッシだが、そこだけは窓枠も桟《さん》も木だった。当然鍵はクレセント錠などではなく、昔ながらの差し込み錠だ。あの引っ越しの日、例の長男は母親に、あそこの窓は不格好だし不用心だからアルミサッシに替えたらどうかという意味のことをいっていた。するとあの品のいい老婦人は、仏壇のある部屋だけは洋風にしたくないのだと穏やかな顔で反論した。そのことが妙に印象に残っている。

問題の古い窓はあの時のままだった。それを見て剛志は安堵《あんど》の息を吐いた。アルミサッシの窓でもドライバー一本で分解して開ける自信はある。だが手間が全然違う。木は簡単に変形するが、アルミの場合はそうはいかない。

剛志は腰に巻いたベルトに差し込んであった二本のドライバーを取り出した。いくつかの工具を差し込めるこのベルトは、引っ越し屋時代に先輩から貰ったものだ。

二本のマイナスドライバーを、二枚の窓の下の隙間にそれぞれ差し込んだ。それだけで窓は差し込み錠で連結されたまま、下から二ミリほど浮いた。剛志は両手でドライバーの柄を持ち、梃子《てこ》の要領でゆっくりと窓を持ち上げた。下との隙間がさらに開いたことを確認し、慎重にそのまま前に押し出すようにした。連結された二枚の窓は、ごくわずかだが前に滑った。それでも剛志にとっては大きな進展だった。

ドライバーを差し込む位置を変えながら、彼は少しずつ窓をずらしていった。ガラスが入っているのだから、割ってしまえば話は早いのだが、それはしたくなかった。金を奪うこと以外にあの老婦人に迷惑をかけたくないという思いがある。また、彼女が盗難に気づくのを少しでも遅らせられればという計算もあった。

窓がようやく外れた。思ったよりも時間がかかってしまった。彼は窓を外の壁に立てかけ、靴を脱いで中に忍び込んだ。

そこは八畳の和室だった。床の間があり、その横に箪笥ほどの大きさの仏壇が立っている。前回の引っ越しで、この部屋に入った記憶が剛志にはなかった。畳は最近の家のものに比べて大きい。部屋全体に線香の匂いがしみついていた。

襖《ふすま》を開け、廊下に出た。右に行けば玄関、左はキッチンのはずだった。剛志は左に進んだ。キッチンと並んでダイニングがあり、南側の庭に面している。そこのガラス戸の鍵を外しておこうと考えたのだ。空き巣狙いはまず逃走経路を確保しておくという話を、どこかで聞いたことがあった。

キッチンとダイニングはそれぞれ六畳ほどあった。どこも奇麗に片づけられている。丸くて小さなダイニングテーブルの上に、天津《てんしん》甘栗の袋が載っていた。直貴の好物だということを彼は思い出していた。

ガラス戸を少し開けた後、彼は隣の部屋に入った。そこは居間になっていた。広さは二十畳以上あるだろう。一部が四畳半の畳敷きで、掘り炬燵《ごたつ》を使えるようになっていた。フローリングの部分には革張りのソファや大理石のテーブルが据えられている。とても老女一人が住んでいる家には見えなかった。

奥にはさらに襖がある。その向こうに和室があるということだ。その部屋のことは覚えている。長男夫婦が寝室として使っていた。

剛志はリビングボードの引き出しを開けてみた。しかし金目のものが入っている気配はなかった。彼は室内を見回した。調度品はどれも高価そうだし、壁に掛けられた絵にも値打ちがあるように見えた。だが彼が求めているのは現金だった。あるいは宝石だった。ポケットに入れて逃げられるものでなければならない。それに絵を売ったりしたら、一発で足がついてしまう。

夫婦が使っていた和室を見てみようか――そう思って足を踏み出したが、すぐに立ち止まった。老婦人が大切なものをしまいそうな場所に思い当たったからだ。

剛志は廊下に出て、仏壇のある部屋に戻った。仏壇には引き出しがいくつもついていた。それを順番に開けていった。蠟燭《ろうそく》、線香、古い写真といったものがぎっしりと詰まっている。

五番目に開けた引き出しに白い封筒が入っていた。それを手にした時、彼はどきりとした。その重みと厚さに、ある予感を抱いた。

おそるおそる中を覗き込み、息を呑んだ。一万円札が束になって入っていた。彼は軍手を外し、中の一枚を引き出した。まさに手の切れるような新札だった。厚みから推測すれば、百万円近くはありそうだ。

これだけあれば十分だった。ほかのものを物色する必要はない。彼は封筒をジャンパーのポケットにねじ込んだ。後は脱出するだけだ。窓を元に戻しておこうという気はなくしていた。

だが窓に手をかけた時、ふとあの天津甘栗のことを思い出した。あれを持って帰ってやったら、直貴はきっと喜ぶに違いない。

母子三人でデパートに行った帰り、初めて天津甘栗を買ってもらった。直貴はまだ小学校に上がったばかりだった。子供のくせに甘いものを好きではない弟が、あの時は嬉々として食べていた。栗もおいしかったのだろうが、皮むきが面白かったのかもしれない。

いい土産になる――剛志は再び廊下に出た。

足音をさほど気にすることもなく彼はキッチンを通ってダイニングに入った。テーブルの上に載った天津甘栗の袋を摑んだ。買ったばかりのものらしく、ぎっしりと中身が詰まっている感触がある。もう子供ではないのだから、甘栗と聞いても直貴は喜びを顔に出したりはしないだろう。実際、あの頃ほど嬉しくはないかもしれない。しかし直貴が黙々と栗の皮を剝《む》く姿を想像すると、それだけで剛志はわくわくした。その瞬間だけでも、昔の幸福だった頃に戻れそうな気がした。

甘栗の袋をポケットに突っ込んだ。右のポケットには甘栗、左のポケットには札束――物事がこれほどうまくいったことが今までにあっただろうか。

剛志はリビングを通って、仏壇の部屋に戻ろうと考えた。あのリビングには高価そうなものがいっぱいあったが、これ以上何かを盗む気はなかった。ただ、ここを立ち去る前にしておきたいことがあった。

リビングルームに行くと、彼は三人が楽に座れそうなソファの真ん中に腰を下ろした。茶色をした革張りのソファは、見かけよりもずっと柔らかく彼の身体を受け止めてくれた。彼は足を組み、大理石のセンターテーブルに載っているリモコンに手を伸ばした。テレビのリモコンだった。彼の正面には大型のワイドテレビが据えられている。こういったテレビを運んだことは何度もあったが、その画面をじっくりと見たことは一度もない。彼はリモコンのスイッチを押した。画面にワイドショーの番組が映った。よく見るが名前は知らない芸能リポーターが、元アイドル歌手の離婚を報じていた。剛志にとってどうでもいい内容だったが、大画面を独占しているという手応えを感じ、彼は満足した。チャンネルを替えてみる。料理番組も教育番組も、そして時代劇の再放送すらも新鮮に見えた。

リモコンのスイッチを押し、テレビ画面を消した時だった。すぐ横の襖がすっと開いた。その向こうには寝間着《ねまき》を着た老婦人が立っていた。

思いもよらぬことだったし、人の気配など全く感じていなかったから、剛志は一瞬事態が把握できなかった。彼女のほうもそうだったのかもしれない。彼に目を向けたまま、ぼんやりとした顔をしていた。

もちろんその空白は一、二秒間のことだった。剛志は立ち上がっていた。彼女は大きく目を見開き、後ずさりしながら何かを叫んだ。悲鳴だったのか、言葉だったのか、剛志には判断できなかった。いずれにせよ彼が取るべき道は一つだ。

彼はソファの背もたれを飛び越えた。その勢いのままダイニングに向かうつもりだった。こういう時のためにガラス戸を開けておいたのだ。

だがその時、剛志の腰に激痛が走った。瞬時にして下半身が痺《しび》れた。彼はその場に座り込んだ。走るどころか、足を動かすことさえできない。

老婦人のほうを振り返った。彼女は怯《おび》えた表情のまま立ち尽くしていた。それから何かを思い出したようにリビングボードに駆け寄ると、その上に置いてあったコードレスホンの子機を取り、再び和室に戻った。見かけの年齢からは考えられない素早さだった。襖がぴしゃりと閉じられるのを見て剛志は焦った。彼女は警察に通報するつもりなのだ。身体がこの状態では、すぐに捕まってしまう。何としてでも通報は阻止しなければならない。

気を失いそうな痛みに耐えながら、彼は懸命に立ち上がった。額から脂汗が流れた。

和室の襖を開けようとしたが、びくともしなかった。内側から心張り棒をかましてあるらしい。襖の向こうから家具を引きずるような音が聞こえてきた。剛志が部屋に入ろうとしているのを察知し、バリケードを作ろうとしているのだ。

「たすけてえ、どろぼう、どろぼう」老婦人が叫んでいる。

彼は襖に体当たりした。それは簡単に鴨居から外れたが、倒れはしなかった。もう一度当たると、襖と共に向こう側で何かが倒れた。茶簞笥のようだった。

老婦人は窓のそばに立ち、電話機の番号ボタンを押そうとしているところだった。その窓には格子が入っている。剛志は咆哮《ほうこう》をあげながら飛びかかっていった。

「ぎゃあ、たすけ――」

彼女の口を塞《ふさ》ぎ、電話機を払い落とした。だが彼女は渾身《こんしん》の力で抵抗してくる。腰の激痛と戦っている剛志には、たとえ相手が老女であっても、組み敷くのは大変だった。

指を嚙まれ、思わず手を引っ込めた。その隙に彼女は逃げようとした。彼は咄嗟《とっさ》に手を伸ばし、彼女の足首を摑んだ。腰の痛みは下半身から背中にまで広がり始めていた。

彼は顔を歪めた。だがこの手を離すわけにはいかない。

「誰か……だれかきてえ」

叫ぶ彼女を引き倒し、その口を塞ごうとした。だが抵抗が激しい。彼女は首を左右に振りながら悲鳴をあげ続ける。その喉の動きが剛志を追いつめた。

彼は腰のベルトに手をやっていた。そこからドライバーを抜くと、老婦人の喉に突き刺した。無我夢中で全身の力を込めたせいか、さほどの感触もなかったにもかかわらず、それは深々と入っていた。

びくんと大きく身体をのけぞらせた後、老婦人は全く動かなくなった。叫び声をあげた時の口のまま、表情も停止させている。

剛志はドライバーを引いた。ところがあれほどあっさりと刺さったのに、なかなか抜けなかった。まるで肉が絡みついてくるようだった。力を振り絞って引き抜くと、泡を含んだ血がぶくぶくと傷口からあふれ出た。

彼は呆然とした。自分のしたことが信じられなかった。だが目の前にいる老女が死んでいるのはたしかだった。彼は血のついたドライバーを見つめ、首を振った。あらゆる思考が混濁《こんだく》していた。早くここから逃げねばならないという結論を導き出すのにさえ、何秒間かを要した。皮肉なことにその間は腰の痛みを忘れていた。

ドライバーをベルトに戻し、剛志は立ち上がった。おそるおそる足を運んでみる。どちらかの足に重心を移すたびに、腰から背中にかけて電気が走った。それでも止まるわけにはいかない。這《は》うのとさほど変わらない速度でようやく玄関に達すると、靴下のまま外に出た。日はまだ高く、青空が広がっている。金木犀《きんもくせい》の香りがした。

塀の内側を北側に回り、靴を履いた。それだけで大仕事をやり遂げたような気になったが、本当の戦いはこれからだった。彼は工具用のベルトを外し、ジャンパーの内側に隠して門を出た。相変わらず人気《ひとけ》はない。幸い、先程の悲鳴を聞かれた様子もなさそうだ。

とにかくドライバーを処分せねばと思った。こんなものを持っている時に職務質問でもされたらアウトだ。川に捨てよう、と剛志は考えていた。この近くに川はたくさんある。

しかしそこまで歩いていけるかどうかが問題だった。これほどの痛みは初めてだった。電気が背筋を走るたびに失神しそうになる。ついに耐えかねて彼はしゃがみこんだ。急がねばと焦るが、足が動いてくれない。

「どうしたんですか」頭上で声がした。女の声だった。地面に影が落ちている。スカートの部分がゆらゆらと揺れた。

剛志は首を振った。声など出せそうになかった。

「どこか具合でも――」女が腰を屈め、剛志の顔を覗き込んできた。眼鏡をかけた中年女性だった。彼女は彼の顔を見るとなぜか表情を強張《こわば》らせ、足早に立ち去った。サンダルの音が遠ざかっていく。

剛志は歯を食いしばり、歩きだした。目の前に小さな橋がある。その下は川ではなく公園になっていた。それでも彼はそこを下りていった。どこか休めるところを求めていた。

元々は川だったのだろう、その公園は細長く伸びていた。剛志は身を潜められそうな場所を探した。コンクリート製の細長い土管のようなものがある。その中を通り抜けたりして子供たちは遊ぶのだろう。今は子供の姿もない。彼はそこまで行こうと思った。しかしもはや限界だった。脇の草むらに身を投げ出した。

軍手を外し、掌《てのひら》で額の汗をぬぐい、太い吐息をついた。それから自分の手に目をやった。掌に血がついているのを見て愕然とした。ドライバーを突き刺した時か、引き抜いた時かは不明だが、返り血を顔に受けていたのだ。先程の女の表情が蘇《よみがえ》った。

それから何分も経《た》たない頃、剛志は公園の端から近づいてくる人影に気づいた。二人組で、どちらも警官の格好をしていた。

剛志はジャンパーのポケットに触れた。札束の袋は入っていたが、天津甘栗の袋はなくなっていた。どこに落としたんだろうと彼は思った。

第一章

1

『前略　元気ですか。

こっちはなんとか元気にやっています。

おととい旋盤《せんばん》をつかう仕事にうつった。はじめてつかう機械だからちょっときんちょうしたけど、なれるとわりにうまくできる。うまく仕上がったときはすごくうれしいんだ。

おまえからの手紙、よんだ。高校だけでもぶじに卒業できてよかったと思う。ほんとは大学にもいってほしかった。大学にいかせたかったから、それで金がほしくてあんなことをやってしまい、それでおまえが大学にいけなくなったんだから、ほんとうにおれはバカだったよ。

おれのせいでおまえがつらい思いとかしてるんじゃないかと思う。アパートもおいだされて、たぶんすごくこまったんだろうな。おれはバカだ。死んだほうがましなくらいバカだ。なんべんいってもたりないよ。おれはバカだ。

バカだから、おれはここでまともな人間になれるようしゅぎょうするよ。まじめにやってれば、手紙なんかももっと出してよくなるそうだ。面会の回数だってふやしてもらえるかもしれない。

手紙にはかいてなかったけど、たぶん直貴は金のことで困ってるんだろうな。でもおれはなにもしてやれなくてとてもくやしい。仕事でがんばってくれとしかいえない。なさけないよ。

でもやっぱりがんばってほしい。それでできればやっぱり大学にいってほしい。もう今は学歴社会じゃないという人が多いけど、やっぱり学歴だよ。直貴はおれよりずっとあたまがいいから大学にいくべきなんだ。

でもはたらきながら勉強するのって、たいへんなんだろうな。おれのいってることは夢みたいなことなのかな。よくわからない。

とにかくおれはこっちでがんばるから直貴もまけないでがんばってくれ。

じゃあまた来月手紙を書くから。

武島剛志』

武島直貴様

兄から届いた手紙を、直貴はバスの最後部座席で読んだ。そこなら後ろから覗き込まれる心配がないからだ。バスは某自動車メーカーの工場に向かっていた。といっても彼はそこの社員ではない。彼が籍を置いているのはそこに出入りしているリサイクル会社だった。もっとも会社といっても名ばかりで、彼自身、町田にあるらしいという事務所に足を運んだことさえない。初出勤前に指定された場所が、その自動車メーカーの工場だったのだ。以来約二か月、土日を除いて通い続けている。手の皮はすっかり分厚くなり、元々は色白だった顔も真っ黒だ。

しかし仕事があるだけましだ、と思うようにしている。さらにこんなふうに後悔もする。もっと早くから自分も今みたいに働いていればよかったのだ、だったらこんなことにならずに済んだ——。

警察からの知らせが入った時、直貴は部屋で食事の支度を始めていた。料理は彼の仕事と決まっていた。兄に養ってもらっているのだから当然のことだった。自分では特に料理が上手だと思わなかったが、剛志はいつもうまいといって褒めてくれた。

「おまえと結婚する女は得だよなあ。料理の心配をしなくていいんだからさ。その点俺は、おまえに結婚されるとやばいぜ」剛志はよくこんな冗談をいった。

「兄貴が先に結婚すりゃいいじゃん」

「そりゃそのつもりだけどさ、順番が狂うってことはよくあるだろ。それとも俺が嫁さんを見つけるまで、おまえ、待ってくれるか」

「わかんないよ、そんな先のこと」

「だろ？　だからびびってるんだよ」

何度か繰り返されたやりとりだ。

電話をかけてきたのがどういう立場の人間なのか、直貴は今も知らない。わかっているのは深川警察署の人間だということだけだ。名乗ったのかもしれないが、記憶に残っていない。その後で知らされた事実があまりに衝撃的だったせいだ。

剛志が人を殺すなどということは全く信じられなかった。その疑いをかけられているだけで、何かの間違いだと思いたかった。実際、電話の相手にもそういった。喉が痛くなるほど大きな声でいった。

だが相手はゆっくりと、本人はすべて認めている、といった。落ち着いた声というより、冷酷な声に直貴には聞こえた。

何が何だかわからず、直貴は電話の相手に質問を投げかけた。どうして兄がそんなことをしたのか、いつどこでしたのか、誰を殺したのか。だが相手は何ひとつまともには答えてくれなかった。相手が伝えたいのは、武島剛志が強盗殺人の容疑で逮捕されたということと、その弟からも話を聞きたいから警察署まで来いということだけのようだった。

深川警察署の刑事課の隅で、直貴は二人の刑事からあれこれと質問を受けた。彼からの質問にはあまり答えてくれなかった。だから依然として直貴は、具体的にどういうことが起きたのかを把握できないままでいた。

刑事たちは剛志についてだけでなく、直貴のこともいろいろと尋ねてきた。これまでの生い立ち、ふだんの生活、剛志とはどんな話をしているか、そして進路について。犯行動機に関わることだからあんなにしつこく訊いてきたのだと直貴が理解したのは、それから何日か経ってからのことだ。

一通りの事情聴取が終わった後、直貴は剛志に会いたいと要望した。しかしそれは叶えられなかった。夜遅くになってから直貴は家に帰されたが、何をしていいかわからず、また眠れるわけもなく、絶望と混乱が渦巻く頭を抱えたまま夜を過ごした。

翌日は高校を休んだ。無断欠席だった。電話をかけるにしても、なんといえばいいのかわからなかったのだ。

一夜明けてもまだ信じられなかった。一睡もしていないが、悪い夢を見たとしか思えなかった。カーテンを閉じたままにし、直貴は両膝を抱えるようにして部屋の隅で小さくなっていた。そうしていれば時間が経つこともなく、単に悪い夢を見ただけだと信じ続けられるような気がした。

だが午後になると彼を現実に引き戻そうとする使者が訪れた。まず電話だった。警察からかもしれないと思って出てみると、かけてきたのは直貴の担任教師だった。梅村という四十代半ばの男性教師だ。国語を教えている。

「朝刊を見たんだけど、あれは、そのう」梅村はいい淀んだ。

「兄貴です」直貴はぶっきらぼうにいい放った。その瞬間、有形無形の自分を支えているすべてのものが消失してしまうのを直貴は感じた。

「そうか、やっぱり。名前に見覚えがあったし、弟と二人暮らしだと書いてあったから」

直貴が黙っていると、「今日は休むんだな」とわかりきったことを訊いてきた。

「休みます」

「うん。事務手続きは俺がやっとくから、登校する気になったら電話してくれ」

「わかりました」

「うん」

梅村教諭はまだ何かいいたそうだったが、結局そのまま電話を切った。被害者の遺族相手なら、慰めの言葉が思いついたのかもしれない。

それを皮切りに何本か電話が続いた。殆どがマスコミだった。皆、直貴の話が聞きたいようだった。会って取材したいという者もいた。今はそれどころじゃないと答えると、その場で質問を始めた。前日に警察で訊かれたような内容だった。失礼しますといって電話を切り、その後はマスコミだとわかると返事をせずに切ることにした。

電話の次にはドアホンが鳴りだした。出ないでいると激しくノックし始めた。それも無視すると今度は蹴ってきた。怒鳴り声も聞こえる。取材に応える義務がある、という意味のことだった。

気を紛らわせようと思い、テレビのスイッチを入れた。平日の昼間にどんな番組が流れているのか直貴は知らなかった。画面に現れたのは、閑静な住宅地の映像と、『独り暮らしの資産家女性殺される！』というテロップだった。さらに続いて、剛志の顔がアップになった。武島剛志容疑者と下につけられた白黒写真の彼は、直貴が見たこともないほど醜く、暗い表情をしていた。

2

剛志の犯行内容は、そうしたテレビや新聞によって知ることになった。独り暮らしの老女の家に侵入、現金百万円を奪ったが、逃走しようとしたところを家人に見つかり、警察に通報されそうになったので、持っていたドライバーで刺殺。だが腰に持病があったため、遠方まで逃げる前に、交番の警官に発見される。武島容疑者が緒方さん宅を狙ったのは、以前引っ越し会社に勤めていた頃に緒方さんの家に入ったことがあり、老人の独り暮らしで資産家だと知っていたからである——ニュースキャスターの口調も、新聞記事のニュアンスも、武島剛志を冷酷な殺人鬼のように表現していた。直貴としては、剛志とは全く繋がらないイメージだった。

だがそれらの報道に誤りは殆どなかった。唯一正確でなかった点といえば動機についてだった。多くのニュースや記事では、「仕事がなくなり、生活するお金に困って」という表現を使っていた。警察からさほど詳しい発表がなされなかったせいだろうと思われた。それに正確でないという程度で、間違っているわけではない。

しかし何度目かの事情聴取の際に捜査員から聞かされた「真の動機」は、槍のように直貴の中心を貫いた。弟の進学費用が欲しかったから、というのがそれだったのだ。

どうしてそんな馬鹿なことを、と思った。だが同時に、それならわかる、という気持ちもあった。あの兄がたとえ一瞬にせよ自分を見失ったのだとしたら、その原因は一つしかない。弟を守るため、だ。

「な、頼むから大学には行ってくれよ。このとおりだからさ」

剛志がそういって手刀を切る姿を直貴は何度も見ている。将来のことが話題に出るたびといっていい。

「そりゃ俺だって行きたいけどさ、金がないんじゃしょうがねえじゃんか」

「だからそれは俺が何とかするっていってるだろ。それに奨学金制度ってのもあるんだろ。そういうのをうまく使ってさ、後はおまえががんばって勉強してくれればいいんだ」

「兄貴の気持ちはうれしいけどさ、兄貴にばっかり苦労かけるのは俺だって嫌だぜ」

「何いってるんだ。俺のほうの苦労なんて大したことない。ただ他人様の引っ越し荷物だとか家具だとかを運んでりゃいいだけのことだ。なーんも考えずに、ただいわれたとおりにやってりゃいい。そうすれば給料を貰えるんだ。苦労するのはおまえだよ。世間の連中は予備校だとか家庭教師だとか、いろいろと味方がいるんだろうけど、おまえには誰もいねえもんな。一人でやらなきゃしょうがねえもんな。だけど何とかがんばってほしいんだよ。お袋も、おまえだけには大学に行ってほしいと思ってた。俺がこうだからさ。頭パアだからさ。だからさあ、一つ頼むよ」そしてまた手刀を切る。

剛志の異常ともいえる学歴コンプレックスには、多分に母親の影響があった。母親の加津子は夫の早死にを、学歴がなかったせいだと捉《とら》えていた。

直貴たちの父親が亡くなったのは、直貴が三歳の時だった。繊維製品を扱う某中小企業の社員だった父は、出来上がったばかりの試作品を取引先に届ける途中、居眠り運転で事故を起こし、そのまま死亡したのだった。加津子の話では、父はその前の三日間、殆ど不眠で現場に詰めていた。上司が取引先相手に出来そうもない約束を交わし、そのあおりを食った格好だったが、会社は何の償いもしてくれなかった。その上司は父よりも年下だったが、面倒臭いことは全部父に押しつけ、自分は定時になるとさっさと帰路につくという男だった。もちろんその男は何の責任にも問われなかった。

だから、と加津子は息子たちにいうのだった。

「あなたたちは大学に行かなきゃだめよ。これからは実力主義の世の中だなんていうけど、そんなのは絶対に嘘なんだから。騙されないでね。大学に行かないと、お嫁さんだって来てくれないんだから」

夫の死後、加津子はパートの仕事をいくつも掛け持ちして、息子たちを養ってくれた。直貴はよく覚えていないが、剛志によれば、水商売に身を置いていたこともあるらしい。かつての夫と同様、加津子もまた朝から晩まで働きづめだった。たぶんそのせいだろう。母子三人でゆっくりと食事をとった記憶が直貴にはあまりない。いつも剛志と二人きりの食卓だった。新聞配達のバイトをするといった剛志を、彼女は叱責した。そんな時間があるなら勉強しろというのだった。

「俺、頭がよくないし、勉強より働くほうがいいよ。俺がバイトすりゃあ、お袋だってもうちょっと楽ができるのにさ」剛志はよくそんなふうに直貴にこぼした。

頭がよくないのかどうかはわからなかったが、剛志が勉強をひどく苦手にしているのは事実らしかった。公立高校に進んだ彼だが、成績は芳《かんば》しくなかった。息子の学力向上だけを望んでいる加津子にとって、それは苛立《いらだ》たしいことだった。

「おかあさんが何のためにがんばってると思うの？　お願いだから、もっとしっかりしてちょうだい。勉強してちょうだい。できるでしょ？　やってくれるでしょ？」剛志を叱りながら、彼女は時には涙を浮かべた。

期待に応えられず、剛志は辛かったのだと思われる。彼は現実から逃避できる道を求めた。学校が終わった後もすぐには家に帰らず、繁華街をうろつくようになった。当然悪い仲間と遊ぶようにもなった。遊ぶには金がいる。

ある日加津子は警察から呼び出しを受けた。剛志が捕まったというのである。カツアゲをやろうとしていたところを補導員に見つかったのだ。未遂であったし、主犯格の少年と一緒にいただけということで剛志はすぐに帰されたが、加津子が受けた衝撃は並大抵のものではなかった。

不貞寝《ふてね》する剛志の横で、加津子は泣き続けていた。こんなことで将来を棒に振ったらどうするの、という意味のことを繰り返し、どうしてあたしを裏切れるのと問い続けた。剛志は何も答えなかった。答えられなかったのだろう。

その翌朝のことだった。直貴が起きていくと、玄関のところで加津子が倒れていた。傍らには割烹着《かっぽうぎ》を入れた手提げが転がっていた。その頃彼女はある会社の独身寮の食堂で働いていて、朝五時に家を出るのが日課だった。いつも通りに出かけようとして倒れたらしかった。

剛志をたたき起こし、救急車を呼んだ。すぐに救急隊員が来たが、その時すでに加津子の心臓は停止していた。一応病院に運ばれたが、彼女が目を覚ますことはなかった。医師が何やら説明してくれたが、全く頭に入ってこなかった。耳に残ったのは、「おかあさんは余程無理していたんじゃないのかなあ」という言葉だった。肉体的、さらに精神的な疲労が重なった末のことだろうというのだった。

顔に白い布がかぶせられた母の横で、直貴は兄に殴りかかった。おまえのせいだ、おまえが母さんを殺したんだ、馬鹿やろう、おまえこそ死んじまえ――。

剛志は抵抗しなかった。殴り続ける直貴も泣いていたし、殴られる剛志も泣いていた。

加津子が亡くなって間もなく、剛志は高校を中退した。彼はそれまで母が働いていたいくつかの職場に出向き、代わりに働かせてくれと懇願した。それらの雇用主は彼の頼みを無視することはできなかった。さすがに独身寮の食堂で加津子のように料理を作ることはできなかったが、代わりに彼は皿洗いをした。スーパーでレジを打つ代わりに倉庫で荷運びを行った。

言葉に出したことはないが、剛志は母親の代わりを務めようとしていた。弟を養い、大学まで行かせることが自分の義務だと心に決めたようだった。その決意が伝わってきたから、直貴はそれまで以上に勉学に励んだ。その地区では最も偏差値の高い公立高校に入れたのも、その努力の結果だった。

しかし大学進学となれば、金銭的負担がかなりのものであることは、直貴にもわかっていた。だから彼はバイトをして少しでも兄の負担を減らそうとしたが、剛志はそれを断固として許さなかった。

「おまえは勉強だけしてりゃいいんだ。余計なことは考えるな」そんなふうにいう口調は、どことなく加津子に似ていた。

だが剛志が無理をしていることは直貴の目にも明らかだった。身体を悪くした兄が、仕事探しに苦労していることを彼は知っていた。彼は密かに就職を考えていた。働きながらだって大学には行ける。いずれ兄にそう報告するつもりだった。

弟のその考えに、おそらく剛志は気づいていたのだろう。そんなことをさせるわけにはいかない。なんとしてでも金を作らねばならない。剛志が凶行に走るまでの心の動きが、直貴には手に取るようにわかった。

3

剛志の逮捕からちょうど一週間後、直貴は学校に行った。それまでの間、担任の梅村教諭が時々様子を見にきてくれた。といっても、上がり口に腰かけて煙草を一本吸って帰るだけだ。ただ、いつもコンビニの弁当やインスタント食品を持ってきてくれるのはありがたかった。家に殆ど金がなかったから、安物の食パンばかりをかじっていたのだ。

久しぶりに登校してみて驚いたのは、学校にも生徒たちにも何ひとつ変化がないということだった。以前と同じように笑い声に溢れ、誰もが幸せそうに見えた。

考えてみれば当然のことだ、と直貴は思った。凶悪な事件など連日のように起きている。一週間前に起きた強盗殺人のことなど、皆の記憶からは消えているのだ。たとえその犯人の弟が同じ高校の生徒だったとしても——。

直貴の顔を見て、クラスメートたちは緊張と困惑の混じった表情を浮かべた。彼が登校してくることなど予想もしていなかった顔だ。彼等でさえ事件のことを忘れようとしていたのだと直貴は悟った。

それでも何人かの仲間が彼のもとに寄ってきた。中でも最も親しい江上という男が最初に声をかけてきた。「少し落ち着いたのか」

直貴は江上を見上げ、すぐに目を伏せた。「まあまあ……かな」

「何か俺にできることあるかな」低い声でぼそぼそと訊いてくる。ラグビーの練習で大声を張り上げている時とは大違いだった。

直貴は小さくかぶりを振った。「いや、特にないよ。ありがとう」

「そうか」

いつも陽気な江上だが、さすがにそれ以上は言葉を繋げられないらしく、無言で直貴の席から離れた。ほかの者も彼に倣《なら》った。そっとしといてやろう、江上がそういっているのが聞こえた。皆も異論はないようだった。そのおかげで昼休みまで直貴は誰とも口をきかなくて済んだ。各科目の教師たちも彼の存在に気づいていたが、声をかけてくる者はいなかった。

昼休みになると梅村教諭がやってきて、生徒指導室に来るよう彼の耳元で囁《ささや》いた。それで行ってみると、梅村教諭のほかに学年主任と教頭が座っていた。

質問は主に梅村教諭が行った。その内容は、今後どうするつもりなのか、ということだった。意味がわからず、何度か問い直しているうちに趣旨が摑めてきた。要するに彼等は、直貴が今後も学校に通い続けられるかどうかを気にしているのだ。身寄りがないから働かねばならない。本校には定時制がないから、卒業証書を得るには転校するしかない。いずれにせよ今のまま通うことは難しいのではないか、と。

気遣っている口調ではあったが、別の気配も直貴は感じ取っていた。特に教頭は、明らかに彼が学校を去ることを願っていた。妙な噂が立って学校の名に傷がつくのを恐れているのかもしれなかった。あるいは、殺人犯の弟を学校としてどう扱っていくべきかという問題を持て余しているのかもしれなかった。

「学校は辞めません」直貴はきっぱりと明言した。「何とかして、この高校を卒業したいです。せっかく兄貴がここまで通わせてくれたんだから」

兄貴、という言葉に教師たちは微妙な反応を見せた。学年主任と教頭は、不快なものを耳にしたように視線をそらし、梅村教諭は直貴の目を見つめて頷《うなず》いた。

「武島がそう思うんなら、それが一番いい。授業料については、事務のほうと話し合ってみよう。ただ問題なのは、生活をどうしていくかってことだな」

「何とかします。学校が終わった後、働いてもいいわけだし」そこまでいってから直貴は教頭を見た。「夏休みと冬休み以外のバイトは禁止……でしたっけ」

「いや、それはまあ原則的にはね。しかし事情がある場合には特例は認められるよ」教頭は無表情のまま、仕方なさそうにいった。

梅村教諭からはもう一つ質問があった。進学についてだった。

「今の状況じゃあ受験どころじゃないと思うけど……」梅村教諭の言葉が尻すぼみになっていった。

「大学は諦めます」ここでも直貴は、はっきりといった。自分自身の未練を断ち切る意味もあった。「とりあえず諦めます。高校を卒業して、就職して、それからまた考えます」

三人の教師たちは揃って頷いた。

それから間もなくのことだった。学校から帰って、直貴がインスタントラーメンを作っていると、アパートの管理を任されている不動産屋がやってきた。鼻の下に髭《ひげ》を生やした太った男だった。男の用件は直貴にとっては唐突なものだった。いつ部屋を出ていくつもりなのか教えてほしいというのだ。

「いつ出ていくのかって……そんなこと決めてませんけど」

戸惑いながら直貴が答えると、不動産屋はもっと戸惑った顔を見せた。

「えっ、だけど、出ていくんでしょ」

「いいえ、別に考えてないです。どうして俺が出ていくんですか」

「だっておたくの兄さんさあ、あんなことになっちゃったじゃない」

直貴は返答に窮した。剛志の犯行に触れられると何もいえなくなる。黙ったまま、兄が罪を犯すと弟はアパートを出なきゃいけないのかと考えた。

「第一ほら、家賃。家賃を払えないでしょ。今だってたしか三か月分、たまってるんだよね。こっちだって鬼じゃないんだから、まだ学生のあんたに、いっぺんに全部払えとはいわないからさ、とりあえず部屋だけ明け渡してもらえないかな」不動産屋の口調は柔らかだったが、言葉の端々に毒が含まれていた。

「払います。家賃、払いますよ。たまってる分も、俺がこれから働いて」

直貴の答えに不動産屋は煩わしそうに顔をしかめた。

「そう簡単にいうけど、実際に払えるかい？　これだけたまってるんだよ」

そういって不動産屋が広げた計算書の数字を見て、直貴は暗い気持ちになった。

「いっておくけど、これは敷金を差し引いた額だからね。これだけの金を、急には用意できないでしょ」

直貴は俯《うつむ》くしかなかった。

「そういわれても、俺、ここを出たら行くところがないし」

「親戚とかいないわけ？　おたくの両親に兄弟とかいなかったの」

「いません。付き合いのある親戚もないんです」

「ふうん。まあ、付き合いがあったとしても、逃げるかもしれないな」不動産屋は独り言のように呟《つぶや》いた。「だけどねえ、こっちとしても家賃を払えない人をいつまでも置いとくわけにいかないんだ。うちは大家さんから管理を任されてる立場なんだからね。文句があるなら大家さんにいってくれないかな。さっきもちょっといったけど、滞納分については目をつぶってもらえるかもしれない。だからさ、出ていってもらえないかな。大体、あんた一人で住むには広すぎるだろ。これからは一人なんだから、もっと狭いところでいいじゃないか。何なら紹介してやってもいいよ」

いいたいことだけいうと、また連絡するからといって不動産屋は立ち去った。直貴はその場に座り込んだ。薬缶《やかん》の湯が沸いている。その音を聞きながらも、身体が動かない。

これからは一人なんだから――。

そのとおりなのだと思った。この時初めて気づいたわけではない。わかっていたことなのに、ずっと目をそらし続けてきたのだ。

自分はこれから一人なのだ。剛志は帰ってこない。いずれは帰ってくるかもしれないが、それは何年も先だ。いや、何十年も先ということもある。

直貴は自分の周りを見た。古い冷蔵庫、油だらけのガスコンロ、旧式の炊飯器、拾ってきたマンガ雑誌の並んだ本棚、染みだらけの天井、茶色く焼けた畳、剥がれた壁紙。何もかも兄と共有してきたものだ。

あの不動産屋のいうとおりかもしれないと思った。一人で住むには広すぎる。そして辛すぎる。

4

直貴が兄と会ったのは、事件からちょうど十日目のことだった。警察から連絡があったのだ。剛志が弟に会いたいといっているらしい。直貴は、逮捕された兄と会えるとは思っていなかったので、ずいぶんと驚いた。

警察署に出向くと、取調室に案内された。テレビなどでよく見る、ガラスで仕切られた部屋で会うのだろうと思っていた直貴は、少し意外だった。

狭く四角い部屋の中央に机が置かれており、それを挟むように剛志と刑事が座っていた。剛志の頬はこけ、顎《あご》は尖《とが》っていた。焦げ茶色だった顔は、たったの十日間で灰色になっていた。眉の下に濃い影ができていて、その奥の目は下を向いていた。直貴が入ってきたことに気づいているはずだったが、彼はなかなか弟を見ようとしなかった。四十過ぎと思われる五分刈りの刑事が、直貴に椅子を勧めた。彼はそこに腰掛け、俯いたままの兄を見つめた。兄はまだ動かなかった。

「おい、どうした」刑事がいった。「せっかく弟さんが来てくれたんじゃないか」

それでも剛志は黙っていた。声を発するきっかけを失っているように見えた。

「兄貴」直貴が呼びかけた。

剛志の身体がぴくりと動いた。呼びかけに、というより、聞き慣れた声を聞いて条件反射的に身体が反応したようだった。彼はわずかに顔を上げ、弟に目を向けた。だが目が合うと、また視線を床に落とした。

「直貴……」剛志の声はかすれていた。そのまま続けた。「すまん」

絶望感が改めて直貴の胸に迫ってきた。何もかもが悪夢ではなく現実なのだと再認識させられた。この十日間、必死で現実を受け止めようと努力してきたつもりだったが、やはり心のどこかで「何かの間違い」を期待していたのだ。だが直貴の中で、ほぼ壊れていた積み木の最後の一つが、ころりと音を立てて落ちた。

「なんでだよ」直貴は声を絞り出した。「なんでこんなこと……」

剛志は答えなかった。机に置いた左手が小刻みに震えていた。その爪は真っ黒だった。

「なんでだと弟さんが訊いてるぞ」刑事が剛志にいった。低い声だった。

剛志は吐息を一つつき、自分の顔をこすった。一度きつく瞼《まぶた》を閉じ、その後再び大きく息を吐いた。

「どうかしてた。俺、どうかしてたよ」それだけいうのが精一杯のように、彼はがっくりと首を折った。その肩が揺れていた。呻《うめ》き声が漏れている。その足元にぽたぽたと涙が落ちた。

直貴には兄に問い質《ただ》したいことが山のようにあった。責めたくもあった。だが何ひとつ言葉が出てこなかった。そばにいるだけで、兄の後悔や悲しみがテレパシーを受けるように伝わってくるからだった。

直貴が取調室を出ていかねばならない時刻になった。彼は兄にかけるべき言葉を探した。自分にしかいえない言葉があるはずだと思った。

「兄貴」ドアの前に立ってから彼はいった。「身体に気をつけろよな」

剛志が顔を上げた。はっとしたように目を見開いていた。仕切りのない空間で会えるのはこれが最後だと気づいた顔だった。

兄の顔を見た途端、直貴の感情が激しく波打った。胸にこみあげるものが、一気に彼の涙腺《るいせん》までも刺激した。こんなところで泣きたくない、という気持ちと共に、彼は言葉を放っていた。

「兄貴は馬鹿だっ。馬鹿なことしやがって」

弟が兄に殴りかかりそうに見えたらしく、刑事は直貴の前に立った。彼は心情を理解したように、直貴に黙って頷きかけた。俺たちの気持ちなど、おまえたちにはわからない。わかるわけがない、と思った。直貴は下を向き、奥歯を噛みしめた。

別の刑事が来て、彼を警察署の玄関まで送ってくれた。その刑事は歩きながら、剛志には何度か直貴との面会を勧めたが、なかなか彼が承諾しなかったのだと話してくれた。彼が決意したのは、明日から拘置所に移されるからだろうと刑事はいった。

警察署を出た後、直貴は駅には向かわず、あてもなく町中を歩き続けた。正直なところ、アパートに帰るのが嫌だった。帰れば、待ち受けている様々な問題と対峙《たいじ》しなければならないからだった。それらの問題のどれ一つとして、解決法が見当たらなかった。しかし誰も代わってはくれない。

歩くうちに、剛志が強盗を働いた家はどこだろうとふと思った。この近くのはずだった。緒方商店という名前だけは記憶していた。

コンビニの外に公衆電話があり、そばに電話帳が置いてあった。彼は緒方商店を探した。それはすぐに見つかった。住所を暗記してからコンビニに入った。道路地図帳で位置を確認すると、すぐそばだとわかった。

ポケットに両手を突っ込み、彼は歩きだした。その家を見たい気持ちと見たくない気持ちが振り子のように揺れていた。揺れながらも足はその方向を目指していた。角を曲がってその家が見える通りに出た途端、金縛りにあったように足が動かなくなった。あの家に違いないと確信した。平屋だけれど豪邸、広い庭、向かい側に駐車場――すべての条件を満たしていた。

そろりそろりと踏み出した。鼓動が速くなるのがわかった。ぴったりと閉じられた西洋風の門を見つめながら彼は進んだ。

不意に、被害者の葬式があったはずだと思い当たった。殺人事件の時は警察が解剖をするので葬儀は通常より遅くなる、という話を聞いたことがある。それにしても、もう済んでいるだろう。直貴は、自分も参列すべきだったのではと思った。剛志に代わって謝罪する必要があったのではないか。もちろん門前払いされただろうが、それでも来るべきだったのではないか。

直貴は、今まで被害者のことに殆ど考えが及んでいなかったことに気づいた。剛志がしたことに衝撃を受け、自分たちの未来はどうなるのか、ということにしか意識が向かなかった。こんな事態になり、自分は何と不運なのかと嘆いていただけだ。

今回の事件で最も不運なのは剛志に殺された老婦人だ。それは当たり前のことだ。ところがその当たり前のことを考えなかった。老いているからといって、殺されてもさほど不運ではない、などということはありえない。彼女にだって残りの人生があったはずなのだ。これだけの屋敷なのだから、金に苦労することもなく、悠々自適に暮らしていけたはずなのだ。たぶん孫もいるだろう。その孫の成長を楽しみにしていたに違いない。それを剛志が奪ったのだ。

今からでも遅くないのではないか、と直貴は思った。剛志が牢屋に入れられる以上、自分が詫びるしかない。土下座でも何でもするしかない。罵倒され、追い返されるに違いないが、ただひたすら頭を下げるのだ。そしてこちらの気持ちを伝えるのだ。遺族たちは犯人を憎んでいるだろう。その憎悪をほんのわずかでも和らげてもらいたい。そうすれば、もしかすると剛志の罪も少しは軽くなるかもしれない。

直貴は緒方家の門に近づいていった。口の中がからからに渇いていた。頭の中で手順を考えた。まずインターホンを鳴らし、武島剛志の弟です、と名乗る。相手は拒絶するだろう。帰ってくれといわれるだろう。それでもせめて一言だけお詫びをいいたいと頼み込むのだ。何度も何度もお願いするのだ。

門が近づいてきた。彼は深呼吸を一つした。

その時、玄関のドアが開いた。中から出てきたのは、中年の痩せた男だった。ワイシャツにネクタイを締め、その上から紺色のカーディガンを羽織っていた。男は小さな女の子の手を引いていた。手を引いて、門から出ようとしている。

亡くなった老婦人の息子と孫娘に違いない。

ちょうどよかった、とは直貴は思えなかった。父娘は笑っていた。だがその笑みには、肉親を不慮の災難で失った者が持つ独特の悲しみが含まれているようだった。そのオーラの強さは直貴の予想を超えていた。

立ち止まらねば、と思いつつ、彼の足は動き続けた。父娘がちらりと視線を向けてくる気配があった。しかし彼は目を合わせられなかった。父娘も彼に注目することなく、道に出てきた。

直貴は二人とすれ違った。緒方家の前を通りすぎた。

俺は逃げている、逃げてしまった――自己嫌悪を覚えながらも彼は歩き続けた。

5

フォークリフトで新しいパレットが運ばれてきた。運転者はそれを直貴たちのそばに置くと、「よろしく」と一言だけ声をかけて方向転換した。ぶっきらぼうな言い方だったが、声をかけてきただけましだ。大抵は、何もいわずに置いていく。それがおまえらの仕事なんだから、どうしてこっちが愛想よくしなきゃならないんだ、といわんばかりだ。

立野《たての》が木製パレットの中を覗き込んだ。

「モノは何？」直貴は訊いた。

「これはポンプだな。ディーゼルエンジンで使うやつだ」立野は眼鏡をちょっとずらしていった。直貴がかけているのは危険物から目を守る安全眼鏡だが、立野の眼鏡には度が入っている。老眼なのだ。

「じゃあ鉄のみかな」

「たぶんそうだな。見たところ、プラスチックもくっついてない」

「よかった。こいつを片づけるのに、まだ何時間もかかりそうだもんな」モーターの部品を手にし、直貴はいった。もう一方の手にはペンチが握られている。

「直が来てくれて助かったよ。俺一人じゃ、一日かかったって無理だ」立野は戻ってくると、直貴の隣で作業を始めた。

現在の作業内容は、モーターの部品から銅線だけを取り外すというものだ。立野によればモーターの正体は車のスターターらしい。銅線は当然、機械でぎっちりと巻かれている。手で外すのは容易ではない。そのモーターが三百個ほどある。朝から取りかかってようやく百個ほど片づけたが、先は長い。

「こんなこと、前は一人でやってたのかい」直貴は訊いた。

「そうだよ。一人で一日中、黙々とな。俺が何者か知っている奴らはそうでもないけど、初めてここにゴミを捨てに来る奴らからは気味悪そうに見られたぜ」立野はにやっと笑った。前歯が少し欠けている。しゃべりながらでも、彼の作業は手早い。同じ時間でも、直貴の倍近くはこなせる。歳は五十過ぎで、身体も大きくはないのだが、作業服を脱げば肩の筋肉が盛り上がっていることを直貴は知っている。

立野が「ゴミ」と呼んだのは、この自動車メーカーから出る、廃棄処分になった金属加工品のことだった。生産ラインで出る不良品や不用になった試作品、研究施設から出るテストピースなどだ。毎日膨大な量が、ここ廃棄処理場に運び込まれる。直貴たちの仕事は、それらをリサイクルしやすいように仕分けすることだった。というのは、一口に金属加工品といってもその材質は様々だからだ。大部分は鉄鋼材料だが、アルミや銅といった非鉄金属も混じっている。また、モーター部品のように、鉄鋼材料に非鉄が複雑に組み合わされているケースも少なくなかった。そういう時には直貴たちが手作業で取り外すのだ。プラスチックなどの樹脂が絡んでいる場合も、取り除いてやらねばならない。

最初にこの廃棄物の山を見た時、直貴は呆然と立ち尽くした。どこから手をつけていいのかさえわからなかった。すると立野がこんなことをいった。

「再生紙ってあるだろ。あれは古新聞から作るんだ。今じゃ、少々変な紙が混じってても平気らしいけど、前はチラシなんかでもまずかったらしい。だけど新聞を捨てる時、チラシまで分ける人間は少ないだろ。再生紙工場には、いろいろな紙が混じった古新聞の山がいくつもあるわけよ。そりゃあどでかい山だぜ。ちょっとした建物ぐらいある。それをさ、どうやって分けると思う」

わからなかったので、直貴は首を振った。

「おばちゃんが分けるんだよ」立野は欠けた前歯を見せて笑った。「機械とかは使わないぜ。パートのおばちゃんが新聞の束を解いて、チラシやら雑誌やらを取り除いていくんだ。砂漠の砂を数えるようなもんだ。みんなが便所で気分よくケツを拭いてるトイレットペーパーは、そういう作業があってこそ作られるんだよ。それに比べりゃ、鉄の仕分けなんてどうってことないさ」

たしかにそうかもしれなかったが、慣れるまでは大変だった。相手が金属だけに、怪我はしょっちゅうだった。そんな時でも訴えていくところがなかった。立野はいつも消毒液と絆創膏《ばんそうこう》を持っていて、「これで何とかしな」と貸してくれるのだった。

どうして自分はこんなことをしているんだろう、と直貴は時々思う。本来ならば、今頃は大学に通い、キャンパスライフを楽しみながら、将来に備えて勉強していたはずなのだ。理系科目が得意だったから、工学部に入り、最先端科学を研究する技術者になりたかった。会社は、たとえばここのような一流自動車メーカーだ。流体力学を駆使し、風の抵抗を受けにくいレースカーを作る。あるいは運転のすべてをコンピュータに任せられる夢のクルマを開発する。

想像はいくらでも膨らむが、ふと我に返った時、軍手をはめてペンチを握っている自分に気づく。目の前にあるのはコンピュータでも科学レポートでもない。彼が憧れた技術者たちの仕事の残り滓《かす》だ。それを仕分けして、また彼等が研究に使える材料に加工しやすくするのが今の直貴の仕事だった。

しかし無論、文句はいえなかった。今自分にできることはこれだけだと割り切るしかなかった。

剛志の身柄が東京拘置所に移監された後も、直貴が考えねばならなかった最大の難問は今後の生活をどうするかということだった。彼は高校に通いながら働ける場所を探した。コンビニやファミリーレストランの募集をいくつか見つけたので当たってみたが、いずれも断られた。保護者の欄を空白にしていたから、必ずその点を質《ただ》されるのだ。正直にいうと絶対にだめだろうと思い、適当に嘘を述べてみるが、不自然さは隠しようがなく、雇用主側から不審に思われるのを避けられなかった。それで一度、ガソリンスタンドの面接時に、本当のことを話してみることにした。もしかしたら自分の気の回しすぎで、兄の犯罪と自分とは切り離して考えてもらえるかもしれないと思ったのだ。だがそれはやはり甘かった。ガソリンスタンドの店長は、直貴の話を聞くや否や表情を強張《こわば》らせ、後は彼を早く追い払うことだけを考えていたようだ。

方針はまるで決まらず、時間だけが過ぎていった。金はなく、朝起きて真っ先に考えるのは、今日はどうやって空腹を満たそうかということだった。幸い、学校に行けば、昼食時に梅村教諭がコンビニの握り飯を持ってきてくれた。時には江上たちがパンをくれることもあった。屈辱的だったが、直貴はそれらを断れなかった。意地を張る気力も消失しつつあった。

ある日の放課後、直貴は駅前で一枚の張り紙を見つけた。『高給！　十八から二十二迄の男性　夜働ける方』と書いてあった。店の名前から、たぶん水商売なのだろうと彼は察した。どんな仕事をするのかは全く不明だったが、関心が湧いた。その張り紙には、どこか後ろ暗いところが感じられた。ならば、同様に後ろ暗いところのある自分でも雇ってくれるのではないだろうか。履歴書の保護者欄が空白でも、何もいわれないのではないか。

電話番号が書いてあった。メモしようと鞄を開けた時、後ろから声をかけられた。

「何をしてるんだ」

振り返るまでもなく、声でわかった。直貴は顔をしかめ、鞄を閉じた。

梅村教諭が隣に来て、直貴が今まで見ていたものに目を向けた。教諭は小さく唸《うな》った後、吐息をついた。直貴の肩に手を置いた。

「武島、ちょっと一緒に来い」

教諭は歩きだした。直貴は仕方なく後をついていった。

連れていかれたのは、エスニック料理の店だった。といっても大層なレストランではなく、辛い料理を出す洋風居酒屋といったところだ。客も学生が多いようだ。梅村教諭はそこで直貴に、夕食を御馳走してくれた。何もかもが辛かったが、新鮮で、何より夢のようにおいしかった。

「なあ、武島。ここで働かないか」

梅村教諭の言葉に、辛いスープを飲んでいた直貴はむせそうになった。

「俺が？　ここで働けるんですか」

「店長と知り合いなんだ。高校を卒業するまでの間だけ、アルバイトで雇ってもらえるよう頼んである。おまえさえよければ、だけど」

「俺はそりゃあ、文句ないですけど」

直貴は改めて店内を見回した。内装は洗練されているし、店全体に活気がある。たとえ短期間でも働ければいいと思った。しかもおいしいものに囲まれている。

「そうか。ただ、一つだけ条件がある。条件というより、俺とおまえとの約束だけど」

「何ですか」

梅村教諭は少し躊躇《ためら》いを見せてから口を開いた。

に話してある」

「兄さんのことは隠しておこう。おまえのことは、突然両親が亡くなった、というふう

その言葉に直貴は一瞬声をなくした。冷たい風が胸の中を通り過ぎたような気がした。教諭にしても、いいたくはないことだったのだろう、気まずそうに下を向いた。

「なあ、武島」梅村教諭は柔らかく笑いかけてきた。「嘘をつくのはいやだろうが、世の中には、隠しておいたほうがいいことってのはたくさんあるんだ。別に、この店の人間がおまえのことを変な目で見るとか、そういうことじゃないんだ。何というかな、ふつうの人間ってのは、刑事事件とか、そういうことに、あまり慣れてないってことだ。テレビだとか小説じゃあしょっちゅう出てくるけど、自分とは無関係だと信じてるんだよ。だからそういうことの関係者がそばにいると思うと、落ち着かないっていうか……」

「先生」教諭がしどろもどろに話すのを聞いていたくなくて直貴は口を挟んだ。「いいんです。わかってます。俺だって、殺人犯の家族って聞いたら、変な目で見ると思うし」

「いや、だからそういう意味じゃないんだけどな」

「わかってます。先生のいいたいことはよくわかってます。気を遣ってもらっちゃって悪いなとも思うし」

「いや、俺は別にいいんだけど」梅村教諭は生ビールのグラスに手を伸ばしたが、殆ど残っていなかった。底にこびりついている泡を啜《すす》った。

こういうことに慣れていかなければならないんだと直貴は思った。今まで自分の置かれていた状況とはまるで違う。何をするにも、どこへ行くにも、兄が強盗殺人犯であることを忘れてはならない。そしてこれまで自分たちがそうした人間を忌み嫌っていたように、兄は世間の人間から憎悪される存在になってしまったことを肝に銘じておくべきだ。これからは貧乏だからといって、両親がいないからといって、誰も同情などしてくれない。武島剛志の弟だとわかれば、皆、関わり合いになるのを避けるに違いない。

「どうだ、武島」梅村教諭がいった。「嫌だというなら無理にとはいわないが、働き口を見つけるのはなかなか大変だろう。卒業後の就職先が見つかるまで、ちょっとやってみないか。給料については、そう多くは出せないそうではあるんだけど」

腫れ物に触るような口調だった。この先生にしても、まさかこんな事態になるとは予想していなかっただろう。あと数か月で、教え子たちは無事に卒業していくはずだった。

教師って大変な仕事だなと直貴はふと思った。

「なあ、武島」

「いいです」直貴は答えた。「働かせてもらえるなら何だっていいです。今の俺は贅沢をいってられる立場じゃないから。とにかく金を稼がなきゃならないから」

そうか、といって教諭はまた空っぽのビールグラスに手を伸ばしかけたが、今度はすぐにその手を引っ込めた。

その場で店長に紹介された。店長は口髭を生やした、色黒の男性だった。梅村教諭とは同級生らしいが、ずいぶんと若く見えた。

「困ったことがあれば何でもいってくれ。といっても、給料を倍にしてくれとかいうのはなしだぞ」髭面の店長はそんな冗談をいって爽やかに笑った。いい人に見えた。

仕事は翌週から始まった。皿洗いでもさせられるのだろうと直貴は思っていたが、命じられた仕事は接客だった。注文を取り、厨房に知らせ、出来上がった料理を運ぶ。時にはレジ係もする。最初は料理名を覚えるのに苦労した。エスニック料理など、それまで全く縁がなかったからだ。客から料理の内容を尋ねられ、うまく答えられずに恥をかいたことも何度かあった。

それでも今の自分はこれをするしかないと思い、一所懸命にがんばった。店長からも、物覚えがいいほうだと褒められた。何よりうれしかったのは、とりあえず食べることに関しては困らなくなったことだ。途中で賄い食にありつけるし、店が終わった後、余り物を持って帰らせてもらえるからだ。もしかしたらそういう特典も考慮して、梅村教諭はこの仕事を紹介してくれたのかもしれなかった。

しかし生活費に困るという状況にはあまり変わりがなかった。給料をいくらか前払いしてもらえたが、それでアパートの家賃が払えるわけでもない。不動産屋からは三月末までと期限を切られていた。それを過ぎると法的措置を取るという。法的措置とはどういうものか直貴にはわからなかったが、自分に正当性がないことだけはわかっていた。稼いだ金は、その殆どが光熱費に消えた。電話は我慢することにした。どうせかける相手もいなかった。

年末になると店は繁盛した。学生やサラリーマンが忘年会のようなことをやりだした。直貴は頭にバンダナを巻き、冬だというのにTシャツ一枚で店内を駆け回った。酔っ払った客が食器を壊したり、料理を床にこぼしたりした。トイレが汚されることもしばしばだった。すべての雑用が直貴の仕事だった。Tシャツはいつも汗で濡れていた。

クリスマスが近づくと店もそれなりに模様替えすることになった。ツリーを置き、飾り付けをし、照明にも工夫が凝らされた。クリスマス用のメニューが作られ、BGMにもクリスマスソングが使われるようになった。直貴はサンタの赤い帽子をかぶって料理を運ぶことになった。一時ではあったが、久しぶりに楽しいという感覚を味わうことができた。

クリスマスイブには店長が皆にクリスマスプレゼントをくれた。恒例になっているらしい。「中身は期待しないように」と店長は髭面で笑った。

その夜電車で帰宅する途中、窓の外にきらきらと光る電飾が見えた。どこかのビルが催した、クリスマスイベント用のイルミネーションだった。他の乗客も気づいて歓声を上げた。彼等にしても幸せそうに見えた。

アパートに帰ってからプレゼントの箱を開けてみると、中にはサンタクロースの形をした置き時計が入っていた。カードも添えられていて、『メリークリスマス　くじけるな　自分を信じろ』と書いてあった。時計とカードを見ながら、店でもらってきたケーキを食べた。部屋の空気は冷えきっていた。乾燥しているせいか、やけに埃《ほこり》の臭いがした。頭の中ではクリスマスソングが響いていた。

なぜか涙が出た。

店は大晦日まで営業した。これには助かった。アパートにいてもすることがないからだ。それに腹もへってしまう。だから年明けの営業日までの四日間は辛かった。毎日、テレビばかり見ていた。あれほど面白いと思ったバラエティ番組がつまらなく思えてならなかった。好きだったタレントにも興味がなくなっていた。年末に給料を貰っていたので、何とか食事はできたが、餅を買う気にはなれなかった。おめでとうございます、という声や文字にやたら反応した。正月なんてなければいいのにと思い、テレビに殺人事件などの暗いニュースが流れると、少し興味を持って見入ったりした。その後で、自分はなんてちっぽけな人間だろうと思った。

拘置所で兄がどんなふうに毎日を送っているのか、直貴には全く不明だった。この頃はまだ剛志からの手紙は来なかったのだ。面会できることを直貴は知っていたが、会いに行く気にはなれなかった。どんな顔をして会い、どんな言葉をかければいいのか。それに剛志のほうも、どんな姿を晒《さら》せばいいのか困るに違いないと思った。

学校生活はつまらなかった。表面上、クラスメートの態度は元に戻ったように見える。だが彼等が直貴と深く関わるのを避けているのは確実だった。誰も彼に対しては怒らず、何かの用があった時でも、極力彼には頼まないようにしていた。どうせ間もなく入試が始まるから、三年生にとっては三学期なんてないも同然だ。彼等は卒業までの辛抱と割り切っているようだった。

二月に入ると授業もまともにはなかった。毎日のように入試があるからだった。早々に合格通知を手にした者にとっては、授業のない教室というのは天国のような空間だっただろう。

そんな浮かれた連中が、直貴が働く店にやってきたのは、二月末のことだった。

6

六人組だった。直貴と同じクラスなのは二人だけで、あとの四人は顔を知っているという程度で、話したこともなかった。

彼等がその店に来たのは偶然ではなかった。後でわかったことだが、梅村教諭から何かの時に、「エスニックが食いたくなったら行ってみてくれ」といわれたことがあるらしいのだ。ただしそれは直貴が働く前のことらしい。だから六人は、彼の顔を見て、ずいぶん驚いた様子だった。

驚きはしたが、だからといって帰ることもなかった。彼等は壁際の一番大きなテーブルに陣取り、注文を決める前からだべり始めた。六人は受験を終えており、後は卒業を待つだけという身分らしいことが、その会話の内容から窺《うかが》えた。

「あいつら、前にも来たことがあるんですか」水を入れたグラスをトレイに載せながら直貴は店長に小声で尋ねた。

「いや、ないと思うけどな。どうかしたのかい」

「同級生なんです。同じクラスなのは二人だけですけど」

「ふうん」店長は六人に目をやってから直貴にいった。「あんまり話したくないんなら、俺がオーダーを取りに行ってもいいよ」

「いえ、大丈夫です。俺がやります」直貴はあわてていった。彼等のテーブルに行くのは気が進まなかったが、彼等が店長と話すのはもっと望ましくなかった。万一、事件のことを漏らされたらまずい。

水を入れたグラスとメニューを持って、直貴は六人のところに行った。彼等は楽しそうに談笑していたが、一瞬だけ気まずそうに黙り込んだ。

「ここでバイトしてるなんて知らなかったな」クラスメートの一人がいった。「梅村の紹介？」

まあね、と直貴は答えた。そうか、とクラスメートは頷いた。

会話らしきものはこれだけだった。彼等はメニューを見ながら、自分たちで料理の話を始めた。御注文が決まりましたらお声をおかけください、と決まりどおりの台詞を口にし、直貴は一旦下がった。彼等がひそひそと何か話す気配が背中でしたが、内容は聞き取れなかった。もちろん想像はついた。

しばらくしてクラスメートが手を挙げたので、直貴は注文を取りに行った。彼等が注文したのは、安くて量がありそうな料理ばかりだった。途中、一人がある料理について質問した。キノコの中に椎茸は入っているかどうかというものだった。どうやら椎茸が嫌いらしい。入ってないと直貴は答え、ついでにどういったキノコが入っているのかを説明した。しかし彼にとっては椎茸ほどには関心がなかったらしく、あまりきちんと聞いていなかった。

料理を注文し終わった後で、中の一人がいった。「あと、それからビールを六つ」

「ビール……」直貴は相手の顔を見返していた。

「うん。生ビール六つ。とりあえずビールでいいよな」その彼は他の五人に訊いた。誰も異を唱えなかった。

　直貴は注文を復唱してから、それを厨房に伝えにいった。店長はその内容を一瞥《いちべつ》し、少し迷った様子を見せてから小さく頷いた。その時は何もいわなかった。

　夕食時だったせいで、客が続々と入ってきた。店内はいつもより混み始めた。寒いから皆、辛いものを食べたくなったのかもしれない。給料が出た直後ということもあっただろう。客の中には常連も少なくなかった。彼等のうちの何人かとは、直貴も言葉を交わしたことがあった。そんな客のそばを通る時には、向こうから声をかけてきたりする。それは彼にとって仕事中の楽しみの一つだった。

　六人組は相変わらず大声でしゃべっていた。他の客はカップルをはじめ二人組が殆どだったので、そこのテーブルだけが異空間のようだった。彼等のせいで店の雰囲気がいつもと違ったものになっていた。

　彼等はビールを何杯かおかわりした後、また直貴を呼んだ。ワインを飲みたいというのだった。だからどのワインがいいか薦めてくれという。

　わからない、と彼は答えた。「だって、俺、飲んだことないから」

「なんだよ、ワイン、飲んだことないのかよ」一人が馬鹿にするようにいった。かなり呂律《ろれつ》が怪しくなっていた。直貴は黙っていた。

「じゃあ、いいや。この一番安いやつにしとこう」どうやらリーダー格らしい男がいった。クラスメートではなかった。六人の中では最も偏差値の高い私立大学に合格したということを、直貴はそれまでの会話で知っていた。

直貴が奥に下がってボトルとワイングラスを並べていると、店長が近づいてきた。

「なんだ、彼等、ワインまで飲むのか」

直貴は黙って頷いた。自分が責められているような気がした。

店長は少し考え込んでいたようだが、ため息を一つつくと、首を捻《ひね》りながら厨房に戻っていった。

六人組はなかなか帰ろうとしなかった。ワインが入ったことで、ますます酔っ払い、声が大きくなった。他の客たちが明らかに迷惑そうにしているのが直貴にもわかった。

「今日はちょっとにぎやかだったね」支払いの時、そんなふうに皮肉る客もいた。すみません、と直貴は謝った。自分の同級生だとは口が裂けてもいえなかった。

六人組がけたたましく大笑いするのを耳にし、ついに直貴は彼等のテーブルに歩み寄った。

「ちょっと悪いんだけど」

なんだ、という顔を彼等はした。酒のせいで目がすわっている者もいた。

「もう少し静かにしてもらえないかな。他のお客さんに迷惑だから」

「なんだよ。客なんて大していないじゃねえか」

「みんな、うるさがって帰ったんだよ。ここは居酒屋じゃないんだから」

「がたがたいうなよ。俺たちだって客だろうが」

「それはわかってるけど」

後ろから人の来る気配がする。振り向くと店長だった。

「君たちさあ、大学に受かってはしゃぎたい気持ちはわかるけど、今日はこのへんにしておいたらどうかな。ずいぶん酔ってる人もいるみたいだし」

髭面の店長にいわれ、彼等は一瞬おとなしくなったが、すぐにそのこと自体を恥じるように、中の一人がうるせえなと吐き捨てた。

「別にいいじゃねえかよ。俺たちがどんだけ酔ったってよお」目を合わせるのは怖いのか、横を向きながらいった。

「本当はよくないんだよ。君たち未成年だろ。警察に見つかって注意されるのはうちなんだからね。だけど今日はお祝いらしいし、武島君の同級生だと聞いたから、特別に大目に見たんだよ。だけどちょっと羽目を外しすぎだなあ。これじゃあ、武島君に対しても失礼だろ」

「なんでこいつに失礼なわけ？」

「だって彼は家庭の事情があって大学に行けないんだよ。君たちのそんな姿を見なきゃならない彼の身にもなってやってよ」

まずい方向に話が転がり始めたと直貴が思った瞬間、リーダー格の男がいった。

「だって兄貴が殺人犯だもん、しょうがねえよ」

「何だって?」店長がそちらに顔を向けた。直貴は目を閉じたくなった。

「強盗殺人で、どっかの婆さん刺し殺しちゃったんだもん。その弟が平気な顔して大学に行ってたら、そっちのほうがおかしいんじゃないの」

店長が虚をつかれた表情で直貴を見た。彼は俯いた。

「もういいじゃないか」クラスメートの一人が腰を浮かした。「帰ろうぜ、そろそろ」

リーダー格の男もいいすぎたと思ったのか、何もいわずに席を立った。

店内には重苦しい空気が充満していた。客たちは会話をやめている。彼等が今のやりとりを耳にしていたのは確実だった。また直貴の様子から、高校生たちの話が嘘でないことも知ったはずだった。

店長は何もいわず、六人組が使っていたテーブルの上を片づけ始めた。

「あっ、俺がやります」直貴はいった。

「いいから、奥で休んでなさい」店長は直貴の顔を見ないでいった。

結局閉店まで直貴は奥にいた。厨房で皿洗いでも手伝おうかと思ったが、他の従業員も困惑している様子だったので、手を出さないでいたのだ。

閉店後、直貴が帰り支度をしていると店長から呼ばれた。店の一番隅にあるテーブルで二人は向かい合った。

「さっきの話、本当なのかな」店長が尋ねてきた。いいづらそうにしているのが直貴にもよくわかった。

彼は頷き、すみません、と小声で謝った。店長は低く唸り、腕組みをした。

「梅村が……梅村先生が気をきかせたのかなあ」

「世の中には隠しておいたほうがいいこともあるって……」直貴は俯いたままいった。

「隠しておいたほうが……ねえ」店長は髭に手をやった。「だけど隠し続けられることと、そうでないことがあるだろうが。まあ、短期間だから何とかなると思ったんだろうけどなあ」

この台詞が梅村教諭に向けられたものなのか、自分に対してのものなのかは直貴にはわからなかった。それでも彼は、すみません、ともう一度詫びた。

「どういう事情か、詳しい話してくれるかな」

はい、と返事してから、直貴は事件のあらましとその後の経過を話した。話が進むうちに店長の顔はますます曇っていった。聞き終えると、また唸り声をあげた。

「最初から話しておいてくれたら、何とでもなったのに。今日みたいなことにもならなかったんだ」相変わらず店長の苛立ちが誰に向けられているのかは不明だった。

「あのう……」直貴はおそるおそる顔を上げた。「やっぱりクビですか」

店長の顔が険しくなった。「誰もそんなことはいってないだろ」

「じゃあ、まだここに来ていいんですか」

当たり前だ、という答えを直貴は期待した。しかし店長は即答しなかった。

「とりあえず、ちょっと考えてみるよ。武島君はよくやってくれていると思うし、仕事ぶりに不満はないんだけど、嘘をつかれていたというのはどうもね。こういう仕事はお互いの信頼関係が大切だと思うんだ。そう思わないか」

思います、と直貴としては答えるしかない。だがそう答えながら、ちょっと違うんじゃないか、と疑問も抱いていた。店長のいっていることは正論だが、本質から少しずれているような気がした。だがそれを口にはできない。

とにかくしばらくは今のままで、ということでその日の話し合いは終わった。直貴の不安は消えなかった。

おそらく店長は、経営者としての本音と人間としての正義感の間で心が揺れていたのだろう。六人組が騒いでいた時、店内には常連客が何人かいたから、直貴の秘密については早晩知れ渡るに違いなく、それが店のイメージダウンに繋がることも容易に予測できた。しかし、だからといって簡単に切り捨ててしまえるほど店長は冷酷な神経の持ち主ではなかった。むしろ、その逆境に同情するタイプの人間だった。

結論が宙に浮いた状態で直貴は店に通い続けた。元々三月いっぱいまでという約束だったから、まともに働いてもあと一か月たらずだ。このまま何となく最後まで行くのかなと直貴も思った。

だが状況は間違いなく変わっていた。常連客は以前と変わりなく来てくれたが、彼等の店での口数は明らかに少なくなった。また気軽に従業員たちに声をかけ、そのまま談笑するという光景もなくなった。

こんなことがあった。ある日、二人の常連客が食事をしていた。アルコールが入っていたせいか、彼等は珍しく饒舌《じょうぜつ》だった。二人の話題は最初、政治やプロ野球のことばかりだった。しかし何かの拍子に、その日社会面に出ていた事件のことが話に上った。覚醒剤中毒の男が公園で子供を刺したという事件だった。

「全くひどい世の中だよなあ、何の罪もない子供が、頭のいかれた奴に殺されちまうんだもんなあ。ああいう奴は死刑にしちまえばいいんだ」一方の客がいった。

するともう一人の客が、急に声を落とし、あわてた様子でこういったのだ。

「やめろよ、ここじゃあ」

いわれたほうは一瞬どういうことかわからなかったようだ。だが目配せされ、すぐに理解した。彼は突然その話題を打ちきった。そして二人の会話はその後、まるで盛り上がらなかった。

直貴は自分の存在がいかに店にとって迷惑であるかを悟った。無論、客たちに悪気はない。彼等は彼等なりに気を遣い、誰もが気まずい思いをしなくて済むように努力しているのだ。あの店では殺人事件の話は御法度《ごはっと》だぜ、家族のことを楽しく話すのもなしだ、裁判とか推理小説の話もやめよう、従業員に声をかけるのも避けたほうがいい、『彼』にだけ声をかけないってのはおかしいからさ——。たぶん、もっといろいろなタブーをそれぞれが作りあげ、リラックスとはほど遠い状態でエスニック料理を食べていたのだ。

そんな店に誰が行きたいと思うだろう。自分がいれば、この店から客足が遠のいていくのは時間の問題だと直貴は思った。

三月に入って最初の金曜日、彼は店長に辞めると告げた。理由はいわなかった。その必要がないと思ったからだ。あるいは引き留められるかもしれないと思ったが、その種の言葉を店長は口にしなかった。

「結果的に君に嫌な思いをさせたことになったのなら、とても残念なんだけどね」

「嫌な思いなんてそんな……今まで雇ってもらえて感謝してます」

「これからはどうするんだ。仕事はあるのかい」

「当てはあります。大丈夫です」

「そうか。それならよかった」店長はほっとした顔で頷いた。いろいろな意味で安堵したに違いない。

大丈夫だと答えたが、じつは当てなど何もなかった。直貴は拾った新聞の求人広告を見て、片っ端から当たっていった。給料が貰えればどんな仕事でもよかった。

ようやく見つけた仕事は、ある会社の社員食堂の残飯を片づけるバイトだった。時間が短いわりに賃金はよかった。ただし残飯の臭いが身体にしみつくのには閉口した。

卒業後の就職先については、梅村教諭が探してくれているようだった。直貴の高校は殆どの者が進学するので、教諭は職探しにあまり慣れていないはずだったが、毎日のようにいくつかの会社に問い合わせてくれた。ただし教諭はいつも難しい顔をしていた。就職活動をするには遅すぎるうえに、直貴の境遇がネックになっていた。

剛志から手紙が届いたのは、直貴がそんなふうに日々を送っている時だった。卒業式を二日後に控えていた。拘置所から手紙が届くことは予想していなかったので、彼は少し驚いた。便箋と封筒の隅に、桜の形をした小さな青い印が押されていた。検閲印だと、その時の直貴はわからなかった。


『直貴元気ですか。おれはなんとか元気です。もうすぐ裁判があります。たぶん十五年ぐらい刑務所に入らないといけないと弁ご士さんにいわれました。しかたないです。

ほんとうはいろいろと話したいことがあるんだけど、話せなくてざんねんです。一度、面会にくる気はありませんか。たのみたいことや、いいたいことがあります。教えてほしいこともあります。たとえば高校の卒業はどうなったかとかです。すごく気になっています。おねがいします。　剛志』

7

モーター部品の解体に、思った以上に時間がかかった。終わったのは午後六時を過ぎた頃だ。日が長くなっているからよかったが、あと三十分もすれば暗くて手元が見えなくなるところだった。

「やけに手間取ったなあ。どうだ、直。飯でも食いに行くか」

立野が腰を叩きながら誘ってきたが、直貴は首を振った。

「俺、寮の食堂で食うから」

「そうか、じゃあまた明日な」そういうと立野は手を上げて歩きだした。

直貴は軍手をポケットに突っ込み、立野とは反対の方向に足を向けた。前に一度、立野と夕食を食べたことがある。やはり彼のほうから誘ってきたのだ。入ったのは駅の近くにある定食屋だ。決して上品な店ではなかったが、焼きたての魚や揚げたての唐揚げは、感激するほどおいしかった。ふんわりと炊かれた御飯を腹一杯食べたのも久しぶりだった。まだあまり親しくはなっていなかった立野が、優しさの権化のように見えた。

ところがいざ支払いの段になると、立野はきっちり自分が食べた分の料金だけをテーブルに置いた。てっきり奢《おご》ってもらえるものだと思っていた直貴はあわてた。自分の財布の中を覗いたが二百円足りなかった。仕方なくそのことを立野にいうと、「じゃあ、貸しだ」といって百円玉一つと五十円玉二つを直貴の掌に載せた。

その二百円は、翌日返した。もしかすると、「そんなのはもういいよ」といってくれるかもしれないと期待したが、立野は無言で頷いて受け取った。

それ以来、たとえ立野から誘われても、一緒には食べには行かないことを直貴は決めている。寮に帰れば、とてもおいしいとはいえないが、とりあえず一人前の定食を格安で食べられるのだ。立野と食べに行った時の出費は痛かった。あんなことさえしなければ、インスタントラーメンやスナック菓子をいくつか買えたのにと思う。

バス停には自動車メーカーの社員たちが並んでいた。彼等の後ろに直貴も並んだ。作業着を脱いでいるので、傍《はた》からだと彼も社員に見えるに違いなかった。そう思うと却《かえ》って惨めな気持ちになった。

今のリサイクル会社への就職が決まったのは三月末だ。やはり梅村教諭が探してきてくれたのだ。金銭面での条件はお世辞にもいいとはいえなかったが、決め手になったのは寮があることだった。といってもその会社が持っているわけではなく、自動車メーカーの季節労働者用の寮を借りているのだ。寮だから食事や風呂の心配もしなくていい。何より、アパートを出なければならない直貴にとって、住むところを確保できるというのは大きなメリットだった。

直貴は梅村教諭に一つだけ質問した。会社側は剛志の事件について知っているのか、ということだった。教諭は頷いた。

「家族のことを尋ねてこない会社はないからなあ」

「それでも雇ってもらえるんですね」

「まあ、面接次第だということだ」

面接といっても、梅村教諭と共に喫茶店で社長と会っただけのことだ。福本という中年男だった。背広は着ていたが、ネクタイはしていなかった。福本は剛志の事件のことをずけずけと訊いてきた。単なる興味本位のような口調だった。

採用はその場で決まった。福本は、相手先の会社にだけは迷惑をかけないでくれといった。向こうの社員と喧嘩でもしたら即刻クビだと明言した。

直貴はバスに乗っている間も、極力顔を上げないようにしていた。下手に誰かと目を合わせて、トラブルになるのが嫌だったからだ。

最初は混んでいたバスも、停留所に止まるたびに人が少なくなっていった。やがて空席ができるほどになったが、直貴は座ろうとはしなかった。

その視線に気づいたのは、間もなく直貴の降りる停留所に着くという頃だった。後ろから二番目の席に座っている若い女が、時折彼のほうを見るのだ。気のせいかと思ったが、どうもそうではないらしい。

　バスを降りる時、さりげなくそちらを見た。すると彼女と目が合った。彼と同い年ぐらいの娘だった。化粧気は全くなく、髪も短かった。彼女はすぐに目をそらした。

　バス停から寮に向かう途中も、直貴は何となく彼女のことを考えていた。どこかで見たことがあるような気もする。会っていたとしたら工場内だろう。なぜ彼女は自分を見ていたのだろうか。

　あるいは一目惚れでもされたのかなと思ったが、さほど嬉しくはなかった。彼女のことを魅力的だとは少しも思わなかったからだ。会社でも、きっと地味で目立たない存在だろうと彼は想像した。

　寮の食堂で一番安い定食を食べた後、部屋に帰った。部屋は3Kだが、直貴に与えられているのは四畳半の部屋だけだった。トイレはついているが、風呂はない。キッチンといっても名ばかりで、火が使えないから料理など出来なかった。

　あとの二部屋には季節労働者が入っていた。しかしあまり顔を合わせたことはなかった。一人は四十歳ぐらいで、もう一人は三十前後という感じだ。どちらも真っ黒に日焼けしている。ろくに言葉を交わしたことがなかったから、彼等の本業が何なのか、直貴は知らなかった。

　彼は自分の部屋に入ると、敷きっぱなしの布団の上で大の字になった。この瞬間から眠るまでが、一番幸せな時間だった。この時間だけは誰にも奪われたくない——。

不意に検察官の声が耳に蘇った。公判でのことだ。

「——というわけで被害者緒方敏江さんは、それまで苦労してきた分、残りの人生を悔いのないよう送ろうとしていたのです。いわば、緒方さんにとって、ようやく楽しい時間が始まったのです。しかるに被告人武島剛志は、あたかも緒方さんが不当に富を得たかのように思い込み、そういう人間からは金銭を奪っても許されて当然といった勝手な論理のもと、強盗を実行に移したわけです。また緒方さんに見つかり、警察に通報されそうになると、襖を壊してまで部屋に押し入り、持っていたドライバーで緒方さんを刺し殺しました。被害者がようやく手に入れた幸福な時間を、被告人武島剛志は、一瞬にして奪ったのです」

検察官の言葉だけだと、剛志がとんでもなく冷酷非情な強盗殺人犯であるかのように聞こえた。傍聴席からはすすり泣きが漏れていた。

求刑は無期懲役だった。直貴はよくわからなかったが、強盗殺人の場合、無期懲役か死刑が求刑されるのは当然らしい。

直貴自身が証言台に立ったこともある。情状証人として呼ばれたのだ。

「母が亡くなって以来、兄が働いて僕を養ってくれました。特別な技術を持っていない兄に出来ることは肉体労働だけでした。兄は朝も昼も夜も、身体を殆ど休めることなく働き続けました。兄の身体がボロボロなことは、歩けないほど腰が痛むことでもわかってもらえると思います。兄はもう肉体労働ができない状態でした。でも兄は、何とかして僕を大学に進ませなければならないと思ったのです。それが亡くなった母の望みでしたし、兄の唯一の目標だったからです。でも御存じの通り、大学に進むにはお金が必要です。兄はそのことで悩んでいました。事件当時、兄の頭の中はそのことでいっぱいだったと思います。僕は今、ものすごく後悔しています。もっと早く進学を諦め、これからどうやって生きていくかを兄と話し合えばよかったと思うからです。兄にあんなことをさせた原因は、僕にあります。苦労をすべて兄に押しつけてきた僕が悪いんです。これから僕は、兄と共に罪を償っていかなければならないと思います。ですからどうか、兄の刑については、情状酌量をお願いいたします」

8

直貴が初めて東京拘置所へ兄の面会に行ったのは、三月末だというのに朝から雪がちらつく寒い日だった。東武伊勢崎線小菅駅から歩いて数分のところに面会所はあった。同方向に歩いていく人は少なくなく、皆一様に浮かない顔をしていた。

面会受付で手続きをする時、『用件』の項目で少し迷った。考えた末、「今後の生活についての相談」とした。だが提出してから、そんなことを剛志に相談してもどうしようもないことに気づいた。

面会待合室で待つ間に、何を話そうかと直貴は考えた。壁には面会上の注意事項を書いた紙が貼られていたが、それによれば面会時間は三十分だった。そんな短時間では何も話せないような気もしたが、気まずく黙ったりしたら案外長く感じるのかもしれなかった。

待合室の一部に売店があった。差入品を買えるのだ。一人の女性がガラスケースの中を指差し、代金を払っていた。ケースの中のものに直接触れることはできないようだ。

直貴も近づいていき、どんなものが並んでいるのかを確かめた。果物や菓子といったものだった。剛志の好物を思い出そうとしたが、何ひとつ思いつかなかった。母親が生きていた頃から兄は好き嫌いをいったことがなく、おいしそうなものはいつも弟に譲ってくれたからだ。

裁判所で聞かされた剛志の犯行内容を思い出し、直貴は胸が詰まりそうになった。彼は現金を手にした後、さっさと逃げればいいものを、天津甘栗が欲しくてダイニングルームに戻ったのだ。そんなことをしなければ、たぶん捕まることもなかった。

面会番号を告げるアナウンスが流れた。直貴が持っている番号だった。

所持品検査を受けた後、面会所に入っていった。細長い廊下があり、ドアがいくつも並んでいる。直貴は指示された部屋に入った。狭い部屋で、椅子が三つ並んでいた。彼は真ん中の椅子に座った。正面にガラスで仕切られた部屋があり、ドアが見えた。

やがてそのドアが開き、看守に続いて剛志が入ってきた。相変わらずやつれて見えたが、顔色は悪くなかった。彼は弟を見て、頬を緩めた。ぎこちない笑いだった。

よう、と兄のほうから声をかけてきた。

やあ、と弟は応じた。二人が会話できるという事実に、不思議な感じがした。

「どうだい、そっちは」剛志が尋ねてきた。

「まあまあかな。兄貴のほうはどう？」

「何とかやってるよ。といっても、何をやってるのかって訊かれると困るけどさ」

へへへ、と剛志は笑った。力のない表情だった。

「わりと元気そうなんで安心した」直貴はいってみた。

「そうか。まあ、飯だけはしっかり食ってるからな」剛志は顎を撫でた。髭《ひげ》がうっすらと伸びていた。「高校は卒業したんだろ」

「この間、式はあったよ」

「そうか。おまえの卒業式に出たかったんだけどな。今度、写真を持ってきてくれよ」

直貴は首を振った。「俺、出なかった」

「えっ？」

「卒業式には行かなかったんだ」

「……そうか」剛志は目を伏せた。なぜだ、とは訊いてこなかった。代わりに小声で、すまんと呟いた。

「別にいいんだ、あんなものは。かったるいしさ。卒業式を休んだからって、卒業できないわけじゃないし」

「そうなのかな」

「当たり前だろ。卒業式の当日に風邪をひく奴だっているんだぜ」

そうか、と剛志は頷いた。

二人のやりとりを立ち会い看守が剛志の横で記録していた。しかしその手はあまり動いていなかった。それだけ内容の乏しい会話だということだ。

「それで、これから先のことは何か決まったのか」剛志が訊いてきた。

「仕事先は決まりそうだ。たぶんそこの寮に入ると思う」

「そうか、住むところがあるなら安心だ」剛志は安堵した顔を見せた。仕事のことよりも、そのことが気になっていたようだ。

「引っ越したら連絡するよ」

「そうしてくれると助かる。手紙を書けるからさ」そういってから剛志は一度下を向き、再び顔を上げた。何かを逡巡する目をしていた。「頼み、あるんだけどな」

「何だい」

「墓参りをするか、緒方さんの家に行くか、どっちかしてほしいんだ」

「ああ……」意味はすぐにわかった。「線香、あげてくるんだな」

「うん。本当は俺自身がやりたいんだけど、そういうわけにもいかないからさ。俺、毎晩、真似事だけはしてるんだ」

線香をあげる真似事って何だろうと思ったが、直貴は訊かなかった。

「わかった。そのうちに行くよ」

「悪いな。きっと、冷たい目で見られるだろうけど……」

「いいよ。俺、そんなことは我慢できるから」いいながら彼は自分を罵《のの》っていた。我慢できる？　家の前まで行きながら、家人の顔を見たら逃げ出したくせに。

「それから」剛志は唇を舐《な》めた。「大学はやっぱり駄目……かな」

直貴はため息をついた。

「いいよもう。兄貴はそんなこと考えなくていいよ」

「だけどさあ。せっかくおまえは成績もよかったのに……」

「そんなことだけが人生のすべてじゃないだろ。もう俺のことは心配しなくていい。兄貴は自分のことだけ考えてりゃいいんだ」

「そういわれても、俺はもうどうしようもないからなあ。真面目に刑期を終えることを考えるだけだし」剛志は頭を掻《か》いた。長く伸びたやや癖毛気味の髪が絡まっていた。「差入れだけど」直貴はいった。「何か欲しいものあるかな。食べたいものとか」

「そんな気を遣わなくていいよ。金、ないんだろ」

「差入れするぐらいの金はある。何かいってくれよ。兄貴の好きな物って何だっけ」

「本当にいいよ」

「いえって」やや強い口調で直貴はいった。

剛志は虚をつかれたように小さくのけぞった。「じゃあ、果物かな」

「果物……リンゴとか？」

「ああ、果物なら何でもいい。何でも好きだ。よくお袋がいってたのを覚えてないか。今時、他人の家の柿を盗もうとするのはおまえぐらいだって」

そんなことがあったような気もした。だが明確には思い出せなかった。

話題がなくなった。やっぱり三十分は自分たちにとっては長すぎると直貴は思った。

看守が時計を見た。まだ時間はたっぷり残っているはずだが、話がないのなら切り上げさせようと思っているのかもしれなかった。

「そろそろいいか」案の定、看守が剛志に訊いた。

どうする、という目で剛志は直貴を見た。直貴は答えなかったが、これをどう解釈したのか、剛志は看守に向かって頷いた。

じゃあと看守が立ち上がり、剛志のことも立たせた時、「兄貴」と直貴は呼びかけた。

「どうしてあんなことを覚えてたんだ」

「あんなこと？」

「甘栗だよ。天津甘栗のことなんか、どうして覚えてたんだ」

「あれか」剛志は立ったまま苦笑した。首の後ろを擦《さす》った。「どうしてって訊かれても困るんだよな。何となく覚えてて、あの時あれを見た時、何となく思い出しちゃったんだ。ああ、直貴が天津甘栗を好きだったなって」

直貴は首を振った。「違うよ、兄貴。思い違いしてるよ」

「えっ？」

「甘栗が好きだったのは母さんだよ。デパートの帰りに買った甘栗の皮を、俺たち二人が母さんのために剝いてやったんじゃないか。母さんの喜ぶ顔が見たくってさ」

ちょっとあんたたち、そんなに次々と皮を剝いてくれたって、母さんは食べきれないわよ――母親の嬉しそうな声。

「そうか」剛志は肩を落とした。「俺の勘違いか。俺、やっぱり間抜けだな」

「あんなこと……」直貴の目から涙がこぼれた。「忘れてりゃよかったのに」

第二章

1

『前略　元気ですか。

九月だっていうのに毎日暑いな。そっちはどうですか。屋外での仕事が多いといってたから、この炎天下じゃたいへんなんだろうな。リサイクルの仕事ってどういうことをするのかよくわからないけど、とにかくがんばってください。

おれは今、金属の彫刻みたいなことをやっている。いろいろなものを作るんだ。何かの看板みたいなものもあるし、動物の形をした置物もある。おれはあんまり手先が器用じゃないけど、そういうのは関係ないんだ。難しいことは全部機械がやってくれるからさ。おれたちはその機械をうまく使いこなせさえすればいいんだ。いろいろと覚えることが多くて大変だけど、うまくいった時は気持ちいいぜ。

本当は最近作った傑作を写真に撮って送ってやりたいんだけど、そういうことは許されてない。だから絵をかこうかとも思ったんだけど、この便箋には字しか書いちゃいけないことになってるんだ。絵をかきたい時にはまえもって許可をとっておかなきゃならない。でもめんどうだから、あきらめることにした。よく考えてみたらおれは絵も下手だから、うまく伝えられないにきまってたしな。

そういえば今度うちの雑居房に来たおじさんが手紙に絵をかいて、注意されてた。だけど看守さんにわけを話して、結局許してもらえたんだ。わけってのは、そのおじさんが手紙を出した相手は自分の娘で、その子の誕生日にクマの絵を送ってやりたかったってことだ。おれたちは外にいる家族に何もしてやれないからさ、せめて絵でもプレゼントしたいってことだよ。そのおじさん、ここに入るなり色鉛筆を買ってたからさ、よっぽど絵が好きなんだな。刑務所も別に鬼の集まりってわけじゃないから、クマの絵ならいいだろうってことで許したんだろう。でも特例だぞってくぎをさされてたよ。

おれたちはふつう月に一度しか手紙を出せないけど、もらうのはいくつもらってもいいわけだから、同じ部屋の中には何通ももらうやつがいる。結婚してすぐにつかまっちゃった奴がいて、そいつなんか奥さんからの手紙が届くと一日中にやにやしてやがるんだ。そいつだけじゃなく、女から手紙をもらった奴ってのは、一目見ればわかる。もう何度も何度も読み返してるからさ。読み返しては幸せそうな顔するんだ。そうして、一日も早く出たいってことをいうんだ。外に彼女を残してきた連中ってのは辛いと思うよ。奥さんがほかの男とできちゃってるんじゃないかってことを一日中心配してる奴もいる。そんなに心配するなら、最初っから悪いことなんかしなきゃいいのにな。まあおれにはそんなことをいう資格はないけどさ。とにかくおれにはそういう心配がないだけよかったと思うよ。

そういやこの間の手紙に、変な女の子から声をかけられたってことが書いてあったな。その子、おまえのことが好きなんじゃないのか。好きなタイプじゃないとか書いてあったけど、そんなことといわないで一回デートしたらどうだ。

変なことまで書いちゃったみたいだな。ところで緒方さんの墓参りには行ってくれたかい。おれとしては、わりと気になってるんだけどな。

また来月手紙書くよ。じゃあさようなら。

剛志』

武島直貴様

寮の郵便受けに入っていた手紙を、直貴は食堂で定食を食べながら読んだ。以前よりも格段に漢字が多く使われるようになっている。何通目かの手紙に、最近は辞書を使うようになったと書いてあったことを思い出した。文章の流れもずっとよくなっている。何度か書くうちに慣れてきたということだろう。こういう様子を見ていると、剛志が勉強を苦手にしていたというのは単なる勘違いではなかったのかと直貴は思ってしまう。単にその機会に恵まれなかっただけではないのか。

内容的には、女性のことに触れている点が直貴には意外だった。今までそんなことは一度もなかったからだ。だが二十三歳にもなる剛志が女性に無関心であるわけがない。そのことを改めて思い知り、ショックでもあった。

文中の『変な女の子』とは、バスで時々一緒になる娘のことだった。直貴のほうは無視していたのだが、先月、とうとう彼女から声をかけてきたのだ。バスの中ではなく、工場の食堂でだった。

「これ、食べへん?」突然横から声をかけられた。直貴は自分にかけられたとは思わず、カレーライスを食べる手を止めなかった。すると隣からタッパーウェアを差し出された。彼は驚いて横を見た。バスでよく会う顔がそこにはあった。

「よかったら、どうぞ」彼女は俯いたままタッパーウェアを軽く押した。中には皮を剝き、奇麗に切ったリンゴが入っていた。

「えっ、いいの?」

彼女は黙って頷いた。顔が少し赤らんでいた。

直貴はハンカチで手を拭いてからリンゴを摘《つま》んだ。口に入れるとほんの少し塩味がして、かみ砕くと甘さが広がった。おいしい、と彼は素直に感想を述べた。

「うちの会社やないんでしょう？」彼女の言葉には関西弁のアクセントが含まれていた。

「うん。宝リサイクルという会社」

「ふうん。あたしはポンプの製造一課で三班」

「そう」直貴は適当に相槌《あいづち》を打った。所属をいわれても彼にはわからない。

「いつも同じバスに乗ってるよね」

「あ、そうかな」気づいていないふりをした。

「歳はいくつ？」

「俺？　十九になったばっかりだけど」

「そしたら今年高校を卒業したの？　あたしと一緒やわ」そのことが嬉しいらしく、彼女は目を細めた。彼女の胸には『白石』と書いたネームプレートがついていた。

その後も直貴が入っている寮のことなどを彼女は質問してきた。彼はぼそぼそと答えた。彼女は不美人ではなかったが、積極的に話したいと思うほどの容姿の持ち主ではなかった。面倒だなという気持ちのほうが強かった。

チャイムが鳴ったのを機に彼は立ち上がった。リンゴをありがとう、といった。

「うん、またね」といって彼女は微笑んだ。直貴も笑顔を返しておいた。

しかし次の日から直貴は乗るバスを変えた。彼女のことは好きでも嫌いでもなかったが、車中で知り合いと必ず会うというのは何となく憂鬱だったのだ。工場でも、食堂に行く時間は極力ずらすようにした。おかげで、あれ以来彼女とは話していない。

そのことを直貴は剛志への手紙に書いたのだが、無神経なことをしてしまったのかもしれないと、兄からの手紙を読んで反省した。現在の剛志は、女性に接することすら皆無なのだ。そんな相手に対して書く内容ではなかった。剛志はおそらく弟のことを死ぬほど羨ましく思ったことだろう。人の気も知らないでと恨んだかもしれない。

直貴の知るかぎり、剛志にガールフレンドがいた気配はなかった。出会うチャンスもなかっただろうし、仮に好きな相手がいたとしても、弟を養っていかねばならないという義務感から、告白することさえ我慢したに違いなかった。

直貴が高校一年の時だった。学校で体調が悪くなり、早退したことがあった。彼はいつものようにアパートの鍵を外し、ドアを開けた。すると剛志があわてた様子でトイレに駆け込んでいった。床には彼のジーンズが脱ぎ捨ててあった。ジーンズの横には、どこかで拾ってきたと思われる官能雑誌があり、どぎついグラビア頁が開かれたままだった。

「急に帰ってくるなよ」パンツ一枚でトイレから出てきた兄は、へへへと笑った。

ごめんごめん、と弟は謝った。「ちょっと外に出てようか」

「いいよ、もう」

「もう終わったのかい」

「うるせえな」

顔を見合わせ、二人で笑った。

剛志は童貞だったに違いない。おそらくキスさえもしたことがないのではないか。

それが今後十五年続く。

そのことを思うと直貴は改めて胸が痛んだ。

2

部屋に戻ると、中が騒がしかった。直貴は首を傾《かし》げながらドアを開けた。沓脱《くつぬぎ》に、見たことのない靴が並んでいた。どれもかなり履き古されている。

六畳間の襖が開き、中の様子が見えた。知らない男が胡座《あぐら》をかき、笑っている。かなり酒も入っているようだ。その部屋には今月から若い男が入っていた。若いといっても、直貴よりはかなり年上だろう。髪を茶色に染めた、背の高い男だ。倉田という名字だけは知っていた。

直貴が自分の部屋に入ろうとすると、「よお」と声をかけられた。振り返ると倉田が顔を覗かせていた。

「連れと飲んでるところなんだ。付き合わないか」

「俺、未成年だから」

直貴がいうと、倉田は吹き出した。部屋の中からも笑い声があがる。

「そんなことを気にする奴がこの世にいるとは思わなかったなあ。こいつはびっくり」

馬鹿にされたようで不快だった。直貴は部屋の戸を開けた。

「待てよ」倉田が再び声をかけてきた。「せっかく同じ部屋になったんだからよ、ちょっとは付き合えよ。おまえだって、隣で騒がれちゃあ迷惑だろうが。それだったら、一緒になって騒いだほうが面白いだろうが」

迷惑だとわかっているなら騒ぐなといいたいところだった。しかしこれから毎日顔を合わせねばならない男と気まずい関係にはなりたくなかった。

「じゃあちょっとだけ」

倉田の部屋には三人の見知らぬ顔があった。全員季節労働者で、倉田とはこの寮で知り合ったのだという。各自、缶ビールやコップ酒を手にしていた。スナック菓子やつまみ類が真ん中に置かれている。

もちろん直貴も酒を飲んだことがないわけではない。剛志の給料が出た後などは、よくビールで祝杯を挙げたものだ。しかし剛志が逮捕されて以来、口にしたことはなかった。久しぶりに飲む缶ビールの味に、舌が軽く痺れた。

「どうせ短い付き合いだろうけど、ここにいる間は仲良くやろうぜ。季節だからって、小さくなってることたあねえよ。正社員の奴らにぺこぺこ頭を下げる必要もない。こっちはこっちで結束すりゃあいいんだ」酔いが進むと共に、倉田の怪気炎も激しくなった。「うん、考えてみれば気楽な立場だもんな。出世なんて関係ないかわりに、責任だってない。社員の奴らは不良品がちょこっと出るたびに青くなってるけど、こっちにしてみりゃ好都合だ。生産がどんなに止まろうが、時間さえ経ってくれれば金は貰える」一人が倉田の尻馬に乗った。

「そういうことさ。無事に期限だけ勤めりゃいいんだ。その後は、気に食わない野郎をぶん殴ろうがどうしようが自由ってわけだ」

倉田の言葉にほかの三人も笑った。全員呂律が怪しくなっていた。

「兄さんももっと飲みなよ。飲んで、腹の中のものをぶちまけりゃいいんだ」直貴の隣にいた男が、彼に無理矢理コップを持たせ、そこに日本酒を注いだ。直貴は仕方なく一口飲んだ。やけにアルコール臭い酒だった。

「そいつは季節じゃないよ」倉田がいった。「下請けの屑鉄業者だ」

「ふうん、そうなのか。ほかにもっといい仕事はなかったのかよ。高校じゃ、落ちこぼれか」そういってからその男は、けへへへと妙な笑い方をした。

直貴は立ち上がった。「じゃあ、俺、そろそろ寝ますから」

なんだよ付き合い悪いな、という声を無視し、彼は部屋を出ようとした。

「おっ、なんだい、これは。女からのラブレターか」

直貴はポケットを探った。剛志からの手紙がなくなっていることに気づいた。

隣の男が封筒を拾いあげていた。直貴は無言でそれを奪い返した。

「いいじゃねえか、照れなくたってよ。幸せなこった」倉田が口元を歪めて笑った。

「兄貴からだよ」

「兄貴？　見えすいた嘘つくなよ。俺にも弟はいるけど、手紙を書こうなんて思ったことは一度もないぜ」

「嘘じゃない」

「じゃあ見せてみろよ。中身は読まないからさ」倉田が手を出してきた。

直貴は少し考えてから訊いた。「本当に読まないかい」

「読まねえよ。そんなせこい嘘つかないって」

直貴はため息をついてから手紙を差し出した。倉田はすぐに封筒の裏を見た。

「ふうん、一応男の名前だな」

「兄貴だから当たり前だろ」

倉田の表情が少し変わった。笑みが一瞬消えたのだ。

「もういいだろ」直貴は封筒を取り戻した。そのまま部屋を出ていこうとした。

その時倉田がいった。「何をやったんだ」

「えっ？」

「兄貴だよ。何をやらかして捕まったんだ。ぶちこまれてんだろ」倉田は直貴の手元を顎でしゃくった。

ほかの三人の顔色が変わった。

直貴が答えないでいると、倉田は続けていった。

「その住所は千葉の刑務所だ。俺も昔、中にいる奴から手紙を貰ったから知ってるんだ。なあ、何をやったんだ。殺しかい？」

「何だっていいだろ。あんたには関係ないよ」

「いったって減らないだろうが。それとも、よっぽど格好の悪い罪なのか」

「婦女暴行とか」倉田の横にいた男がそういい、ぷっと笑ってから口元を押さえた。

倉田はその男を睨んでから、再び直貴を見上げた。「何をやったんだ」

直貴は大きく息を吸い、頬を膨らませるようにして吐き出した。

「強盗殺人だ」

倉田の隣にいる男の顔から笑みが消し飛んだ。さすがに倉田も驚いたらしく、すぐには口を開かなかった。

「そうか。そいつは派手なことやったな。無期かい」

「十五年」

「ふうん。初犯で、情状酌量の余地ありってことか」

「兄貴は殺す気なんかなかった。金を盗んだら、すぐに出ていくつもりだったんだ」

「ところが家の者に見つかって、かっとなって殺したってことだろ。よくある話だ」

「婆さんは奥で寝てたんだ。兄貴は身体が悪くてすぐには逃げられなかったから、婆さんが警察に通報するのをやめさせようとして」直貴はそこまでしゃべってから首を振った。こんな連中に話しても無駄だと思えてきたからだ。

「鈍《どん》くせえな」倉田がぼそっといった。

「何だって？」

「鈍くさいっていってるんだよ。強盗する根性があるなら、家に忍び込んだ後、誰かいないかどうかを最初に確かめりゃよかったんだ。婆さんは寝てたんだろ。だったら、先に殺しとけばよかった。そうすりゃ、ゆっくり金目のものを探せたし、のんびり逃げられたはずなんだ」

「兄貴は人殺しをする気なんかなかったっていってるだろ」

「だけど結局殺しちまってるじゃねえか。殺す気がないなら、さっさと逃げればいい。捕まったところで大したことにはならねえよ。殺す気なら、はじめに腹を据えて殺しとけってんだ。頭悪いんじゃねえのか」

倉田の最後の言葉に、直貴の全身がかっと熱くなった。

「誰のことをいってるんだ」

「おまえの兄貴だよ。ここがおかしいんじゃないかっていってるんだ」

倉田が自分の頭を指でつつくのを見て、直貴は飛びかかっていった。

3

翌日、直貴は仕事には行かなかった。会社から連絡があって、町田の事務所に呼ばれたのだ。三階建ての小さくて古いビルの二階が事務所だった。といっても、社長の福本と度の強い眼鏡をかけた中年の女性事務員がいるだけのことだ。

呼ばれた理由はわかっていた。寮で倉田と喧嘩したことが伝わったのだろう。殴り合っただけならよかったが、ガラス戸を割ってしまったのがまずかった。下の部屋に入っている人間が寮監に連絡し、騒ぎが大きくなってしまったのだ。

福本は喧嘩の理由を尋ねてこなかった。直貴の顔を見てまずいったことは、今度やったらクビだからな、ということだった。

「東西自動車の福祉課には俺から謝っておいた。ガラス代はおまえの給料から引く。それでいいな」

「どうも御迷惑をおかけしました」直貴は頭を下げた。

「それにしても派手にやったな。鏡で顔を見たか」

「すみません」

顔の左半分が腫れていることは、今朝鏡を見る前に自覚した。口の中も切れていて、じつはしゃべるのも億劫《おっくう》だった。

福本は椅子にもたれ、直貴の顔を見上げた。

「なあ武島、おまえ、これからどうするつもりなんだ」

何のことをいわれているのかわからず、直貴は黙って社長の顔を見返した。

「いつまでもうちみたいなところで働いてたって埒《らち》は明かんだろ。俺の立場でいうのも変だが、いい若いもんがやる仕事じゃない」

「でも、ほかには雇ってもらえるところがないし」

「そんなことをいってるんじゃないんだよ。今みたいにその日暮らしを続けてたって、何にもいいことはないといってるんだ。うちはな、どこにも行き場がなくて、先の見込みもないような人間が集まるところなんだよ。おまえと一緒に屑鉄集めをやってる立野な。あれは元はドサまわりの演歌歌手だった。レコードだって出したことがあるそうだ。ところが目が出なくて、結局はあのザマさ。若いうちに見切りをつけてりゃ、いくらでも生きていく道があっただろうによ。しかしまあ奴はいい。好きなことを納得するまでやった結果だからよ。だけどおまえはこれからじゃないか。いつまでもうちなんかで燻《くすぶ》ってどうするんだ。ああ？」

福本がこんなことをいいだすと思わなかったので直貴は意外な気がした。最初に紹介された時以来、まともに話したことさえなかったのだ。

どうする、と訊かれても直貴には答えようがなかった。今はただ生きていくだけで精一杯なのだ。

彼が答えないでいると、まあいい、と福本は蠅を追うように手を振った。

「一度ゆっくり考えてみることだな。今日は仕事に行かなくていい。というより、今日は寮で謹慎してろ。わかったな」

「わかりました」

すみませんでした、ともう一度頭を下げ、直貴は事務所を後にした。

寮に帰る途中、福本にいわれたことを反芻《はんすう》した。高校卒業以来、ずっと頭の隅に引っかかっていたことを指摘された思いだった。今のままでいいとは彼自身も思っていない。自分と同年代の若者が工場で働いている姿を目にし、焦りを覚えているのも事実だ。だがどうすれば今の状態から脱せるのかがわからなかった。

寮に戻ると玄関の沓脱に倉田の靴があった。いつも会社に履いていく靴だ。彼も今日は休んだらしい。あるいは、休むようにいわれたのかもしれない。

顔を合わせたくなかったので、直貴は自分の部屋に入った。トイレに立つ時には気をつけなきゃいけないと思った。

　そんなことを考えていると倉田の部屋の戸が開く音が聞こえた。そして直貴の部屋のドアがノックされた。「よう、俺だよ」

　直貴は身体を少し硬くし、ドアを二十センチほど開けた。目の上に絆創膏を貼った倉田が、顎を突き出すようにして立っていた。

「何だい」

　倉田は横を向いて、ふっと鼻から息を吐いた。

「そんな鬱陶《うっとう》しい面《つら》すんなよ。蒸し返そうってわけじゃねえんだからよ」

「じゃあ何？」

「おまえ、数学はどうだった」

「数学？　どうって？」

「成績だよ。いいほうだったか。それとも苦手だったか」

「別に……」直貴は首を捻った。突然次元の違う話題を出されて戸惑っていた。「苦手ってことはなかった。元々、理系の大学に行くつもりだったし」

「そうか」倉田が口の中で舌を動かすのが、頬の形でわかった。何か考えているようだ。

「それがどうかしたのかい」

「ああ、まあな」倉田は無精髭《ぶしょうひげ》の伸びた顎を指先で掻いた。「ちょっと時間ねえか」

「時間？　ないことはないけど……」

「だったら、こっちに来ねえか。頼みたいことがあるんだけどな」

「どういうこと？」

「来りゃあわかるよ」

直貴は少し考えた。倉田とはしばらく一緒に暮らさねばならないから、蟠《わだかま》りは早いうちに解消しておきたかった。たぶん倉田もそう思ってドアをノックしたのだろう。まさか何か企みがあるとも思えなかった。

「わかった」大きくドアを開いて部屋を出た。

当然のことだが倉田の部屋のガラス戸は割れたままだった。それを段ボールで補修してあった。謝ろうかと思ったが、その言葉が出てこなかった。

それより直貴の目についたのは、座卓の上に置いてあるものだった。高校生が使うような参考書が数冊と、開いたままのノートだ。筆記用具も出しっぱなしになっている。

直貴が倉田を見ると、彼は照れたように顔をしかめた。

「この歳になって、こんなことはしたくねえんだけどさ」

彼が座卓の前に座ったので、直貴も彼と向き合うように胡座をかいた。

「定時制にでも通ってるのかい」

直貴の問いに倉田は身体を揺すって笑った。

「そんなのんびりしたことはしてらんねえよ。今から高校に行ったら、また三年余分にかかっちまう。そうしたら三十過ぎだぜ」

「じゃあ……」

「大検だよ。知ってるだろ」

「ああ」直貴は頷いた。もちろん知っていた。大学入学資格検定のことだ。高校を出ていないものでも、それに受かれば大学を受験できる。

倉田は問題の中の一つを指差した。

「この問題に引っかかっちまってよ、解説を読んでも、どうもよくわからねえんだ」

直貴はその問題を読んだ。三角関数の問題だった。こういうことを勉強したのはずいぶん昔のような気がした。しかし解き方はすぐにわかった。

「どうだ？」

「うん、たぶんできると思う」

彼はシャープペンシルを借りて、倉田のノートに解答を書き込んでいった。数学は得意だった。こうして問題を解いていると懐かしい気持ちにもなった。習ったことを忘れていないことを実感し、嬉しくもあった。

「すげえな。合ってるよ」問題集の後ろの解答と見比べ、倉田は感嘆の声を上げた。

「よかった」直貴は安堵した。「高校、行かなかったのかい」

「高校の時に担任を殴っちまってよ、それで退学さ」

「どうして今さら大学に？」

「いいじゃねえか、そんなことはどうだって。それより、ここんところ教えてくれ」

直貴は倉田の隣に移動し、問題の解法について説明した。さほど難しいことをいっているわけでもなかったが、倉田は新たな発見をしたように、「すごいな、おまえ」を連発した。

その調子でいくつか問題を解いた後、ちょっと休憩といって倉田は煙草を吸い始めた。直貴はそばに放り出してあった男性週刊誌をぱらぱらと眺めた。

「いい天気だな」煙を吐きながら倉田が窓の外に目を向けた。「平日の昼間にのんびりしてるなんてことは何年ぶりかなあ。今までは暇がありゃあバイトしてたからな。人が働いている時に休んでるってのは気分いいぜ。だからといって今回みたいなことはもうこりごりだけどさ」

その言葉に直貴も笑い返した。

倉田は短くなった煙草を灰皿で揉み消してからいった。「ガキがいるんだ」

「えっ？」

「子供がいるんだよ。当たり前のことだけど女房もな。だけどバイトや臨時雇いばっかじゃ、養っていけねえだろ」

「それで大学に……」

「俺の歳じゃ、これから大学を出たところで大したところには就職できねえだろうけど、今よりはましだろうと思ってさ」

「そうなんだ」

「俺はよ、遠回りばっかりしてるんだ。あの時に担任を殴らなきゃ、高校だって出てた。高三だったんだぜ。笑うだろ。いやあ、退学になった後もさ、さっさとどっかの高校に潜り込むなり、大検を受けるなりしてりゃよかったんだ。ところが馬鹿だったからな、くだらねえ連中とつるむようになった。暴走族みたいなもんに入ったりもしてよ。挙げ句の果てにやっちまった」

何を、と訊く代わりに直貴は瞬《まばた》きした。

「喧嘩した勢いで相手を刺しちまった。それでぶちこまれた。千葉の刑務所さ」そういって倉田は、ふっと笑った。

「昨日の話……あんたのことだったのか」

「俺も手紙を書いたよ。付き合ってる女がいてさ、俺がいない間どうしてるのか気になって気になって仕方がなかった」

剛志からの手紙に書いてあったとおりだと直貴は思った。

「その人が奥さん？」

彼が訊くと倉田は手を振った。

「女房とは刑務所を出てから知り合った。あっちも年少あがりだからよ、お似合いのカップルってわけだ。だけど子供が出来た以上はよ、いつまでも夫婦で馬鹿やってらんねえわけよ。子供がかわいそうだからな」

直貴は男性週刊誌に目を落とした。しかしそれを見ているわけではなかった。

「おまえ、大学に行く気はなかったのか」倉田が訊いてきた。

「行きたかったよ。兄貴があんなことにならなきゃ行けたかもしれない」

直貴は自分たちに両親がいないことや、生活はすべて剛志が支えていたことなどを話した。倉田は二本目の煙草を吸いながら黙って聞いていた。

「おまえのこと、気の毒だと思うよ」倉田はいった。「なんだかんだいっても、俺の場合は自業自得だ。だけどおまえは自分が悪いわけじゃないもんな。とはいえ、やっぱり俺は納得できねえな」

「何が？」

「夢を捨てるってことがさ。ふつうの連中に比べりゃとんでもなくきつい道かもしれないけど、道がなくなっちまったわけではないと思うけどな」

そうかな、と直貴は呟いた。簡単にいってくれるなと心の中では反発していた。

「まあ、そういってる俺だって、いつ尻尾を巻くかはわかんねえわけだけどさ」倉田は部屋の隅に置いてあった鞄から、財布を出してきた。そこから一枚の写真を抜いた。

「二歳だよ。なかなかかわいいだろ。へばりそうになったら、この写真を見るわけよ」

法被《はっぴ》を着た若い女が、小さな子供を抱いている写真だった。

「奥さん？」

「ああ。居酒屋でバイトしてる。俺の稼ぎだけじゃ苦しいからな」

「いい奥さんだね」

倉田は照れたように苦笑した。

「最後に頼りにできるのはやっぱり家族だよ。家族がいればがんばれる」写真をしまってから、彼は直貴を見た。「面会には行ってやってるのかい？」

「いや……」

「一度も？」

「千葉に移ってからはね」

「よくねえな」倉田は首を振った。「あの中にいる者にとってはさ、誰かが会いにきてくれるってことが何よりの楽しみなんだ。家族のいる者は特にな。その分だと、手紙の返事もろくに書いてないんじゃねえのか」

まさにそのとおりだったので直貴は俯いた。

「恨んでんのかい、兄貴のこと」

「まあ、恨む気持ちはあるだろうな。それが人間ってもんさ。だけど兄貴のことを見捨ててない。だからゆうべも俺のことを殴った。違うかい」

「そんなことはない」

直貴はかぶりを振った。「わかんないな」

「兄貴のために喧嘩する馬力があるなら、手紙ぐらい書いてやれよ。しつこいようだけど、あの中は本当に寂しいんだ。気が狂いそうなほどさ」倉田は真剣な目をしていった。

直貴が彼に勉強を教えてやったのは、結局その日が最初で最後になった。いやその後は話をすることさえなかった。倉田は夜勤が多く、直貴とはいつもすれ違いだったのだ。そして二週間ほどが経ったある日、直貴が寮に帰ると倉田の荷物はなくなっていた。寮監室に行って尋ねると、単に就業期間が経過したというだけのことらしい。直貴はがっかりした。一度倉田に刑務所内のことをゆっくり教えてもらいたいと思っていたからだ。

部屋に戻り、トイレに行こうとした。するとドアの前に本が何冊か縛って置いてあった。見るとそれは高校の参考書だった。倉田が使っていたものらしい。忘れていったのか、捨てるつもりで置いたままになっているのか、見ただけではわからなかった。気になったのは、倉田はこれがなくて困っていないのか、ということだった。

もしかしたら取りに戻ってくるかもしれないと思い、そのままにしておいた。だが何日経っても倉田は現れなかった。どうやら忘れていったわけではないようだ。

やがて次の入居者がやってきた。しかも二人だったので、空いていた部屋は全部埋まった。どちらも四十歳前後で、九州から来ていた。ある時そのうちの一人が直貴の部屋をノックした。トイレの前に置いてある本をどかしてくれないかというのだった。自分のものではないといいかけたが、その言葉を呑み込んで彼は本を自分の部屋に運んだ。何となく捨てられるのが嫌だったのだ。

彼は本を束ねてある紐を鋏《はさみ》で切り、一番上の本を手に取った。日本史の参考書だった。高校二年の時に習ったことを思い出し、ぱらぱらと頁をめくった。ところどころ倉田の手によってアンダーラインが引かれていた。

英語、数学、国語等々、参考書は一通り揃っていた。殆どの頁に倉田の勉強の痕跡があった。夜勤生活をしながら、休日も返上して努力していたことが窺えた。そうして直貴ははっとした。自分なんかよりも倉田のほうが余程苦しいのではないか。彼には守らなくてはならないものがある。

しかし直貴は首を振った。持っていた参考書をほうりだした。

倉田は大人だ。自分より十歳近くも年上だ。その分社会で生きていく術《すべ》を心得ている。だからこそ出来ることなのだ。今の自分は生きていくことだけで精一杯だ。それに自分には、彼の妻のように支えてくれる人間もいない。

道がなくなっちまったわけではないと思うけどな——倉田の言葉が不意に蘇った。それを振り払うように直貴は参考書の山を崩した。あんたに何がわかる。

その時、参考書の下から薄い冊子が見えた。参考書や問題集ではないようだ。

彼はそれを手に取った。『部報』という題名がついている。それだけでは何の冊子かはわからなかった。しかし表紙の下にはこう印刷されていた。

帝都大学通信教育部——。

4

『前略　元気ですか。

この前は手紙をありがとう。直貴から手紙をもらうのは久しぶりだったから、うれしかったよ。

だけど中に書いてあることを読んで、もっとうれしくなった。夢じゃないかと思ったぐらいだよ。こんなことをいったらおこるかもしれないけど、おれを喜ばせようと思ってうそを書いたんじゃないかとうたがったぐらいだ。

でも本当なんだよな。直貴は大学に行くんだよな。

通信教育部って聞いても、正直いうとおれにはよくわからない。通信教育って聞くと、すぐに空手とかを連想してしまう。中学の時にいたんだよ。通信教育で空手を習ってたやつ。あれはたぶんインチキだったと思うんだけど、直貴がいってるのは、そんな変なやつじゃないよな。ちゃんとした大学だよな。

そういうのがあるとは知らなかった。受験しなくていいってのが助かるじゃないか。直貴は今、すごく忙しいから、とても受験勉強なんかする時間がないものな。

働きながら大学に通えるってのもいいな。自分の都合に合わせて、いろいろと勉強できるわけなんだろ。それなら会社が休みの時なんかに、がばっとまとめてやれるわけだ。

でもおれが一番うれしいのは、直貴がそういう気になってくれたことだよ。おれがこんなことになったせいで、何もかもだめになって、きっと落ち込んでたと思うからさ。よく決心してくれたと思うよ。

おれには何もできないけどさ、せめて応援させてもらうよ。おれの応援なんか屁の役にも立たないと思うけどな。

最近かなり寒くなってきた。身体だけには気をつけてくれ。身体を悪くしちゃあ元も子もないからさ。

おれのほうは何とかやってるよ。機械の扱いにはすっかり慣れた。ちょっと面白くなってきたところかな。

また手紙を書くよ。直貴は忙しいだろうから、無理して返事を書くことはないぞ。

『武島直貴様

追伸　緒方さんとこの墓参り、どうなったかな』

剛志

変わらない日々が続いた。朝起きて工場に行き、廃棄物を処理して帰る。食堂で食事を済ませ、風呂に入った後は、一時間だけテレビを見る。その後は倉田が置いていった高校の参考書や問題集で勉強した。忘れていたことも多かったが、一年前までは必死で学んだ内容だけに、記憶に焼き付け直すのにあまり時間はかからない。

大学の通信教育部に入るのに入試はない。書類選考だけだ。それでも直貴が高校での勉強をやり直しているのは、かつての学力を取り戻したいからだった。そのうえで大学生になり、高度な知識を上乗せしていきたかった。

倉田がなぜ帝都大学通信教育部の冊子を置いていったのかはわからない。ふつうに考えれば、大検合格後に入学しようと思い、資料として持っていた、ということになる。しかし直貴は、倉田には別の意図があったように思えてならなかった。彼はもしかしたら、将来に絶望していた直貴に、世の中にはこういう方法もあるということを教えたくて、わざと残していったのではないだろうか。参考書の中に紛れ込ませておいたのは一種の賭けだ。もし直貴がもう高校の勉強などには無関心であったなら、束ねられた参考書をわざわざ取り出してみることもなく、あの冊子に気づくこともなかった。それならそれで仕方がない、と倉田は考えたのではないだろうか。だがもし直貴の中に、もう一度勉強し直してみようという気持ちが残っていれば、あの参考書をそのまま捨てるわけがない。きっと読み直すに違いない。そしてあの冊子に気づく――。

考えすぎかもしれない、とも思う。今となってはわからないことだが、直貴は倉田の好意だったと解釈することにした。倉田は直貴の苦悩を理解できる、初めての人間だったからだ。

倉田が残していった『部報』という冊子の中に葉書が一枚ついていた。入学案内の請求用葉書だった。直貴はそれを丁寧に切り取った。入学案内送付宛名欄に名前を書き込む時、心地よい緊張を感じた。入学、という言葉を見るだけで軽い興奮を覚えた。

間もなく送られてきた入学案内の頁を、どきどきしながらめくった。昔、ある連載マンガの最終回を本屋で立ち読みする時、息が荒くなるのを抑えるのに苦労したものだが、あの時とは比較にならないぐらい心が騒いだ。

通信教育部のシステムはさほど複雑ではない。基本的には大学から送られてくる教材を使って各自が勉強し、その成果をレポート等の形で大学に送れば、それに対して添削等の指導を受けられるのだ。それを繰り返すことでいくつかの単位を修得していく。無論、在宅学習だけでは不十分なので、ある一定数の単位についてはスクーリングと呼ばれる面接授業を受けなければならない。しかしカリキュラムの選択肢はたくさんあり、時間のない人間でも、プログラムの組み方次第で受講は可能になる。

入学形態は正科生と科目履修生の二通りがある。学士を取得できるのは正科生だ。直貴はその部分を食い入るように読んだ。学士。諦めていた言葉。

入学資格に問題はない。必要書類も揃えられるだろう。書類選考とあるが、おそらく検討材料は内申書とみた。それについては問題があるとは思えない。

彼が目を留めたのは次の一文だった。

必要に応じて面接を行います――。

必要に応じてとはどういうことか。家族に犯罪者がいた場合はどうなるのか。

直貴は首を振った。受刑者の家族だから大学に入れないなどということがあるはずがない。そのことを気にしたこと自体、剛志に申し訳なく思った。

それよりも気になるのは費用のことだった。選考費も含め、入学するには十数万円かかる。それだけではない。スクーリングを受けるたびに別途費用がかかるようだ。

何とかしてやるさ――。

大学に行くには金が必要だ。そんなことはわかりきっている。それを兄頼みにしてきた。兄は責任を感じ、追いつめられてあんな犯罪に走った。

自分が情けないから悲劇を呼んだのだ、と直貴は思った。大学に行くのは自分だ。だからその金は自分が稼がねばならない。一年前にすべきだったことを、今度こそやり遂げるのだ。

十二月に入ったある日、直貴は久しぶりに高校を訪れた。学校の中の風景は一年前とまるで変わらなかった。変わったのは生徒の顔ぶれだけだ。

彼の顔を見て梅村教諭は、痩せたなあ、といった。だがすぐにこう付け足した。「だけど、顔色はよさそうじゃないか。元気でやってるのか」

なんとか、と直貴は答えた。そしていろいろと世話になったことについて改めて礼を述べた後、進学のことを切り出した。梅村は意外そうにかつての教え子を見返した。

「通信か。たしかにそういう道はある」

「先生は、当然前から知ってたんですよね」

「知ってたよ。だけどあの頃の武島には、とてもじゃないけど勧められなかった。そんな状況じゃなかったからな」

直貴は頷いた。生きていく術を見つけるだけで精一杯だったのだ。

「ただ、通信だと学部がかぎられてくるぞ。武島は工学部志望だったと思うが……」

通信教育部を置いている大学はいくつかあるが、理系の学部は殆どない。工学部となると皆無だ。

「わかってます。俺、経済学部に行きます」

「経済か。それならいいかもな。じゃあ、内申書は用意しておくから」梅村は直貴の肩を叩き、がんばれよ、といった。

高校からの帰りに渋谷に出た。街は華やいだ表情の若者で溢れていた。ショーウインドウにはクリスマスの飾りが並んでいる。

去年とは大違いだと直貴は思った。去年の今頃は、クリスマスなんかなければいいのにと思っていたのだ。今は自分の心が浮き立っているのを感じられる。真っ暗な洞窟の中を彷徨《さまよ》い続け、ようやくかすかな光を見つけたような気がした。ほかには何の希望もない。ならば、その糸のような光の筋を辿《たど》っていくしかない。

5

年の暮れから会社が休みに入った。寮からは次々に人が消えていったが、直貴だけは残っていた。幸い、寮の食堂や風呂は閉鎖されなかった。

クリスマスも大晦日も正月も、彼はたった一人で過ごした。そのことは去年とさほど変わらなかったが、気分は全く違っていた。彼には目標があった。それを達成するために、時間の許すかぎり勉強し、本や新聞を読んだ。心はすでに大学生だった。

もう一つ違うことがあった。クリスマスにはカードが、そして正月には年賀状が届いたのだ。どちらも差出人は同じだった。白石由実子《ゆみこ》とある。それを見た瞬間には、誰なのかわからなかった。だが若い女性らしい丸い字を見ているうちに思い出した。時折バスで顔を合わせた娘だ。いつだったか、リンゴをくれた娘だ。

彼女とは最近会っていなかった。バスで乗り合わせないからだ。昼休みに見かけることもない。どうしてるのかな、とクリスマスカードを受け取った時に思った。

サンタとトナカイの絵のついたクリスマスカードには、『メリークリスマス　君はどこで過ごすのかな?』と、鏡餅の絵のついた年賀状には、『あけましておめでとうございます　いい年になるといいね　おたがいがんばろうね』と書いてあっただけだった。どちらにも彼女の住所が書かれていたが、直貴は返事を出さないでおいた。彼女のことは何も知らないし、格別親しくしたいとも思っていなかったからだ。

それにしても、一体どうやって住所を調べたのだろうと直貴は思った。

内申書をもらうため、何度か高校に行く必要があった。時にはかつての級友と会うこともあった。彼等は浪人の身なのだ。中には声をかけてくれる者もいたが、大抵の場合は避けられた。自分が嫌われているわけではないということを直貴は理解していた。彼等は今大切な時期だ。たとえほんのわずかでも厄介事に巻き込まれるおそれがあるものには、近づかないようにするのが当然かもしれなかった。

二月になると本格的に各大学の入試が始まった。直貴がそれに関する記事やニュースを目にする機会も多くなったが、今年は劣等感や虚無感を抱かずに済んだ。それどころか、浪人した連中の戦績を知りたくて、暇を見つけては高校に行ってみるほどだった。

白石由実子が彼の前に姿を見せたのは、仕事を終えてバス停に向かっている時だった。後ろから追いついたらしい彼女は、直貴の背中をぽんと叩いてきた。

「年賀状届いた？」相変わらずの関西弁で訊いてきた。丸い頬にニキビがひとつ。

「ああ、ありがとう」

返事を書かなかった理由を考えていると、彼女は彼の肘のあたりを摑んできた。

「ちょっと、こっち。こっち来て」ぐいぐいと引っ張る。

脇道に入り、さらに電柱の陰まで連れていかれた。

「何だよ、一体」

直貴が訊くと、じゃーん、といって彼女はダッフルコートの下からブルーの紙袋を取り出してきた。ピンクのシールで口を留めてある。

「はい、これ」直貴のほうに差し出した。

何なのかはすぐにわかった。今日がバレンタインデーだということは、思い出したくなくても、テレビ等がうるさいほど教えてくれる。自分には無関係だと思い、考えないようにしていた。白石由実子のことは忘れていた。

「俺に？」

「うん」彼女は大きく頷くと、じゃあね、といって歩きだした。

「ちょっと待って。どうして俺の住所を知ってたんだ」

彼女はくるりと振り返り、にっこり笑った。

「季節さん用の寮に入ってるって、前にいうてたやん」

「そうだけど、部屋の番号まではいわなかっただろ」

するると彼女は首を傾げてみせた。

「さあ、一体どうやってわかったんでしょう？　今度までに考えといて」

バイバイ、といって手を振り、再び歩きだした。その後ろ姿を見送りながら、俺のことを尾行でもしたのかな、と直貴は考えた。あるいは寮監室まで行って尋ねたか。どちらにしてもちょっと面倒臭いな、と思いながら紙袋に目を落とした。

寮に帰ってから紙袋を開けた。中身は手編みの手袋とチョコレートだった。カードが入っていて、『これさえあればドアノブでバチッとくることもないよ』と書いてあった。直貴は、はっとした。冬になり、ドアノブを触るたびに静電気で驚く、ということが頻繁にある。彼女がそのことを知っているということは、やはり彼をつけてこの部屋の近くまで来たということだ。

手袋はブルーの毛糸で編まれていた。彼女の好きな色なのかもしれない。はめてみると彼の手にぴったりだった。編み方も上手だ。

いいものをもらったと思う半面、やっぱり少し面倒臭いというのが本音だった。

高校時代、一度だけ女の子と付き合ったことがある。二年生の時だ。相手はクラスメートで、肌が驚くほどに白い小柄な娘だった。身体があまり丈夫なほうではなく、いつも教室で本ばかり読んでいた。その本を貸してもらったのが、交際のきっかけだった。女性探偵が活躍するアメリカのハードボイルド小説だった。自分があまり活発に動けないから、逆にそういう話に引かれたのかもしれない。女性主人公の話をする時には、彼女の色素の薄い目がきらきらと輝いていた。その時だけは能弁だった。

交際といっても、大したことはしていなかった。ただ一緒に下校したり、帰りに図書館に寄ったりするだけだ。たぶん彼女の家庭もさほど裕福ではなかったのだろう。金のかかる遊びを提案されたことは一度もなかった。

初めてキスしたのは、図書館からの帰りに公園に寄った時だ。木枯らしが吹く寒い夕方だった。彼女が身体を寄せてきたので、そのまま抱きしめて唇を合わせた。彼女は全く抵抗しなかった。

しかしそこから先に発展することはなかった。無論直貴には欲求があった。だがそれを果たすきっかけがなかった。また彼女には、そういうことを求めにくい雰囲気が漂っていた。

三年生になってクラスが分かれると、ごく自然に二人の関係も消滅していった。廊下で会った時などに、どちらからともなく笑いかける程度だ。彼女がほかの男子と交際を始めたのかどうかは知らなかった。

剛志の事件のことは彼女の耳にも入っているはずだった。それを聞いた時、彼女はどう感じただろう。直貴のことを気の毒に思っただろうか。まさか何も感じなかったということはあるまい。

やはり、交際を続けてなくてよかったと胸を撫で下ろしただろうな――直貴はそう思った。そんなことを考えたのは事件以来初めてだった。

十日ほど経った頃、工場の食堂で白石由実子と会った。前と同じように隣にやってきたのだ。

「なんで手袋つけへんの？」そう訊いてきた。

「だって会社ではつけられないよ。仕事をする時には軍手をはめてるし」

彼女は首を振った。

「行き帰りにはめたらええやないの。せっかくあげたのに」

どうやら直貴が出社してくるところを目撃したらしい。

「今度寒い日があったら使うよ」

「嘘。そんな気ないくせに」由実子は上目遣いで睨んでから、にっこりした。「ねえ、今度映画見に行かへん？　あたし、見たい映画があるんやけど」

直貴はカレーライスの最後の一口を食べ終え、スプーンを皿に入れた。

「悪いけど、俺、遊んでる暇がないんだよ。親もいないし、いろいろと大変なんだ」

「そんなん、あたしも一緒やで。親は生きてるけど、離れて暮らしてるし、何も手助けしてもろてないし」

「おまけに」直貴は一呼吸置いてから続けた。「兄貴はムショに入ってるんだ」

その瞬間、由実子の顔から笑みが飛んだ。

教えたくはなかったが、この娘には話しておいたほうがいいと直貴は思った。どこを気に入ったのかは不明だが、彼女が彼と親しくしたがっているのはたしかだった。それはそれで悪い気のすることではなかったが、彼女の無邪気さは直貴にとって苦痛だった。自分のことをふつうの男だと思っているから、こんなふうに接してくるのだろうと思えた。

「嘘じゃないぜ」放心したような由実子の顔を見つめて彼は続けた。「殺人罪で捕まったんだ。強盗殺人だ。ばあさんを殺したんだよ」

いい放つと、痛い奥歯をわざと押すような快感があった。しかし同時に自己嫌悪にも包まれた。俺はこの子にこんなことを告げて、一体どうしようというのだろう。

由実子は返す言葉が見つからない様子で、彼の胸のあたりを見つめていた。直貴は汚れた食器の載ったトレイを両手で持って立ち上がった。食器の返却口に向かったが、彼女が追ってくる気配はなかった。

これで彼女が話しかけてくることもないだろう——。

だがそう思うと、なぜか一抹の寂しさがあった。

三月末、必要書類を帝都大学通信教育部に送った。後は結果を待つだけだった。送付書類の中に、剛志に触れたものはなかった。それでも何らかの経緯で大学側に判明し、そのことを問題視されるのではないかと気が気でなかった。

しかしそれは杞憂《きゆう》に終わった。四月に入ったある日、入学許可証が送られてきた。直貴はその日のうちに入学金その他を払い込みに行った。数か月かかって貯めた金だ。銀行を出た後は、全身の力が抜けた気がした。

間もなく大学から届いた教材や資料は、久々に彼を幸福な気分にさせた。自分の顔写真が貼られた学生証を何度も眺めた。

大学に通うことは、三月中に会社には伝えてあった。もし難色を示されたら退職する覚悟だったが、社長の福本はあっさりと認めてくれた。

「よく決心したじゃないか。特別なことをしてやるわけにはいかんが、便宜を図れる時にはできるだけのことはしてやるよ」さらにこう付け加えた。「やり始めた以上は逃げだすんじゃないぜ。どうして通信教育部に入試がないか考えてみろ。誰でも入れるが、誰もが卒業できるわけじゃないってことだ。ふつうの学生みたいに遊んじゃいられないぜ」

わかっています、と直貴は答えた。

四月半ばから本格的に大学生活が始まった。仕事が終わった後、寮で課題をこなし、それを大学に送る。添削結果が送られてきた日は、夜遅くまで復習に励んだ。勉強できる喜び、その結果が評価される喜びを、生まれて初めて知った気がした。

それ以上に直貴を興奮させたのは夜間スクーリングだった。週に何度かは大学へ出向き、実際の講義を受けるのだ。階段教室の細長い机は、彼の目には新鮮に映った。中学や高校の教室とは違う雰囲気があった。一方、講師が黒板にチョークで何か書く音は懐かしかった。そこに書かれた内容は、何もかもが貴重に思えた。

スクーリングには、いろいろな人間が来ていた。ふつうの学生と変わらない若者がいるかと思えば、背広姿のサラリーマンもいた。主婦らしき中年女性もいる。自分はどんなふうに見えているだろうと直貴は思った。

寺尾祐輔《ゆうすけ》は長い髪を後ろで縛っていた。いつも黒っぽい服を着ていて、時にはサングラスをかけていた。サングラスを外した顔は、美しく整っていた。直貴は、役者かモデルなのかなと想像していた。いずれにしても自分とは無縁の人物だろうと思った。とっつきにくかったし、彼が誰かと話しているのを目にしたこともなかった。ただ、女の子たちが彼を見て、かっこいいと囁いているのを聞いたことはあった。

だから寺尾祐輔が話しかけてきた時にはひどく驚いた。自分に声をかけられたのだと気づくのに少し遅れたぐらいだ。

その時寺尾祐輔は直貴の後ろに座っていた。彼はカリキュラムの選択方法について質問してきたのだ。近くには直貴以外に誰もいなかった。

「えっ、俺？」直貴は振り返り、親指で自分の胸を指した。

「そう。おたくに尋ねたんだけど、悪かったかな」抑揚のない口調だ。寺尾祐輔はこの時もサングラスをかけていたので、表情がわかりづらかった。

「いや、そんなことはないけど……ええと、何だっけ？」

寺尾祐輔は質問を繰り返した。大して難しいことではなく、スクーリングの手引きという冊子を読めば済む内容だった。寺尾祐輔はあまり熱心な学生ではないようだった。後に直貴は、どうしてあの時自分に尋ねたのかと訊いてみたことがある。寺尾祐輔の答えは明快だった。

「あの時教室を見渡して、おたくが一番頭が良さそうに見えたからさ」

選択したカリキュラムが似ているせいか、彼とはしばしばスクーリングで顔を合わせた。やがて毎回会うようになった。偶然ではない。カリキュラムを組むのが面倒だといって、寺尾のほうが直貴の選択をそっくり真似たからだ。六月に入ると日曜日ごとに体育の授業が行われたが、そこでも寺尾は一緒だった。

寺尾はふつうのサラリーマンの息子だった。通信教育部に入ったのは、二浪したくなかったからだという。つまり一浪したにもかかわらず大学受験に失敗したということだ。

「だけど別に失敗したとは思ってないんだ。負け惜しみじゃないぜ。そもそも大学になんか行く気はなかったんだよ」ある時彼はそういった。「だけど親がうるさいからさ、とりあえずここに入ったってわけさ。でも俺にはほかにやりたいことがあるんだ」

それは音楽だ、と彼はいった。

「バンドをやってるんだ。武島も一度ライブを見に来いよ」

「ライブかあ……」

直貴はそれまで音楽とは無縁だった。流行の歌ぐらいはテレビ等で知っているが、特に関心を持ったことはなかった。家にはステレオがなかったし、触れたことのある楽器といえばリコーダーとカスタネットぐらいだ。カラオケボックスに行ったことさえなかった。音楽は金のかかるものというイメージもある。

そのことをいうと寺尾は何でもないことのように鼻をふんと鳴らした。

「音楽なんてのは習ったり勉強したりするもんじゃないんだから、好きな時に好きなように聞いたらいいんだ。とにかく一度来いよ。聞けばわかるからさ」

それでも渋る直貴の肩をぽんと叩き、「来いよ」といって彼はチケットをくれた。

梅雨の明けない鬱陶しい日、直貴は新宿のライブハウスまで出かけていった。そんなところへ行くのは初めてだったので、かなり緊張した。会場は薄暗く、小学校の教室程度の広さがあった。片側に飲み物を渡しているカウンターがあり、直貴はそこでコーラを貰った。椅子はなく、テーブルが四つばかり置いてあった。

客はかなり入っているように感じられた。やや混んでいる電車の中、といった具合だった。しかしこれを大入りと捉えていいのかどうかは直貴にはわからなかった。若い女の子が多く、その中にスクーリングで見かけた顔があることに気づき、少し驚いた。寺尾は直貴が知らないうちに彼女たちと知り合いになり、しかもチケットをさばいていたらしい。

やがてステージ上に寺尾たちが現れた。四人組のバンドだった。すでに固定ファンがいるらしく、歓声が上がった。

それからの一時間あまりは、直貴にとって現実離れした世界だった。寺尾たちの演奏が上手いのかどうかは無論判断できない。しかし音楽によって多くの若者の心が一体化する感覚はたしかに摑めた。自分の中の何かが解放され、それらに溶け込んでいくのがわかった。

6

直貴の心が音楽にどっぷりと浸かってしまうのに、さほど時間はかからなかった。寺尾祐輔たちのライブを見た数日後には、彼はレンタルCD店の会員になっていた。しかしCDを聞く道具がなかった。彼は寮の近所にある質屋で、お世辞にも新しいとはいえないCDウォークマンを購入した。

夕方まで働いた後は、寮に帰って音楽を聞きながら勉強する、というのが標準的な生活パターンになった。音楽の種類は問わない。というより、細かいジャンルについて殆ど何も知らなかったから、片っ端から聞くしかなかったのだ。

直貴の新たな楽しみを強力にバックアップしたのは、無論寺尾祐輔だった。彼は直貴に音楽を聞くだけでなく、自分で作り出す楽しみも教えようとした。そのきっかけになったのはカラオケボックスだった。ある夜、スクーリングの後で寺尾に誘われたのだ。バンドの仲間たちも一緒だという。

俺はいいよ、と断ったが、寺尾は直貴の手を摑んで離さなかった。

「いいから来いって。一度おまえに歌わせたいんだ」

無理矢理連れていかれたカラオケボックスには、バンドのメンバーのほかに、三人の女の子がいた。寺尾たちのファンだという話だった。彼等が次々に歌うのを直貴は戸惑いながらも楽しく聞いた。ボーカルをしている寺尾はもちろんのこと、皆、そこそこにうまかった。慣れているといってもいい。

ほかの者が一通り歌ってしまうと、必然的に直貴にもマイクが回ってきた。弱ったなと思った。自信のある歌がないのだ。

「何でもいいよ。好きな歌を入れりゃいいんだ。昔の歌だっていいぜ」寺尾がいった。

「古い歌でもいいのかい。しかも外国のだけど」

「当たり前じゃん」

「じゃあ……」

直貴が歌うことにしたのはジョン・レノンの『イマジン』だった。その曲名を聞いて一人が笑った。「今さらビートルズかよ」バンドでベースをしている男だ。

「うるせえな、黙ってろ」寺尾がその男を睨み、機械を操作した。

直貴は覚えたばかりの歌を披露した。人前で歌うのは中学校以来だった。緊張で声がさっぱり出ていない気がした。腋《わき》の下が汗でたちまち冷たくなった。

彼が歌い終わった直後は、誰も反応を示さなかった。白けさせてしまったのかもしれないなと彼は反省した。もっと楽しい歌なら、少々下手でも盛り上がったのだろう、と。

最初に口を開いたのはやはり寺尾だった。「レノンの歌が好きなのか」

「全部好きってわけじゃない。この『イマジン』は好きだけど」

「ほかに歌えるのは？」

「いやあ、よくわからない。『イマジン』だって、歌うのは初めてだったし」

「じゃあ何でもいいから、歌えそうな歌をいってみろよ、入れてやるから」

「待ってくれよ。俺は今歌ったばっかりじゃないか」

「いいんだよ。――なあ？」寺尾はほかの者に同意を求めた。

バンドのメンバーも女の子たちも頷いた。驚いたことに、リーダー格の寺尾がいうからではなく自分たちも同意見なのだ、という表情に見えた。

女の子の一人が呟いた。「武島君……だっけ？　あたしも聞きたいよ」

あたしも、とほかの二人も頷いた。

「いけるよ」そういったのはドラム担当の男だ。「あんた、かなりいけるよ」

その真剣な表情に、直貴のほうがたじろいだ。

結局直貴はこの後、立て続けに四曲も歌わされることになった。寺尾が勝手に曲を入れるからだった。リズムも雰囲気も全く違う四曲だった。

「今度、スタジオに来ないか」直貴の歌が終わった後で寺尾がいった。「俺たちの練習に参加してみろよ」

「参加するって……でも俺、楽器なんか何もできないぜ」

「歌があるだろ」寺尾は他のメンバーを見た。「こいつを入れてみたいと思わないか」

異を唱える者はいなかった。全員が目を輝かせていた。

「面白いことになりそうだ」そういって寺尾はにやりと笑った。

会社がお盆休みに入って間もなく、直貴は寺尾に連れられ、渋谷のスタジオに出向いた。いうまでもなく、そういう場所に行くのも生まれて初めてのことだった。入ってすぐのところにちょっとした談話室のようなスペースがあり、アマチュアバンドと思われる連中が数名、自販機の飲み物を手に何やら打ち合わせをしていた。もしこういう場所でなかったら、単なるいかれた奴らとしか見ないだろうと直貴は思った。今まで知らなかった世界に足を踏み入れた感触があった。

スタジオでは寺尾以外の三人のメンバーが待っていた。すでに自分たちだけで練習を始めていた雰囲気がある。時間制だから一分でも無駄にしたくないのだと説明された。

まずはボーカル兼リードギターの寺尾が加わって、今までどおりに四人で演奏を始めた。彼等のオリジナルで、ライブハウスでも人気があった曲だ。ものすごい音量で、直貴は自分の腹の奥が震えるのを感じた。

「武島、これ歌えるかい？」一回目の演奏を終えた後、寺尾が尋ねてきた。

「どうかな」直貴は首を捻った。「歌詞がわかれば何とか。間違えるかもしれないけど」

「来いよ」寺尾が手招きした。

スタンドマイクの前に立たされるなり演奏が始まった。寺尾はギターに専念しており、歌いだす気配がない。仕方なく直貴が歌いだすことになった。

だがすぐに直貴は衝撃を受けていた。生身の人間たちによる演奏に合わせて歌っていると、カラオケでは味わえなかった陶酔境を感じることができるのだ。自分が徐々に酔っていくのを彼は自覚した。いつもとは明らかに違う声が、身体の違う場所から出ているようだった。曲の途中から寺尾も歌に加わってきた。二人の声が見事に調和しているのを直貴は感じた。歌い終わった後も、しばらくは興奮で頭がぼうっとしていた。

「聞いたかい、おい？　聞いただろ」寺尾は他のメンバーに問いかけた。「俺のいったとおりだろ。こいつを入れるとすげえことになるんだよ」

ベース、ギター、ドラムの三人は頷いていた。痺れたよ、と一人が呟いた。

「なあ、武島、俺たちと一緒にやらねえか」寺尾が直貴に訊いてきた。「一緒に勝負をかけないか」

「俺にバンドに入れっていうのか」

「ああ。絶対にいけるぜ。俺たちは完璧なツイン・ボーカルだ」

「無理だよ」直貴は笑いながら首を振った。

「どうしてだ。楽器ができないからか。そんなのは何とでもなるんだよ。何ともならないのは声のほうだ。俺は初めてあんたと話した時にぴんときたんだ。こいつに歌わせてみたいってね。俺の勘は当たってた。あんたの声には何か人と違うものがある。それを生かさないのはもったいないぜ」

そんなことをいわれたのは初めてだった。直貴は自分と音楽とを結びつけて考えたことがなかった。そんなことを考える機会もなかった。

「バンドは楽しそうだけど」直貴はまた首を振った。「やっぱり無理だ」

「なんでだよ。忙しいのはわかってるし、俺と違って大学のことも真面目にやりたいんだろうけど、全然時間がないってことはないだろ。それとも俺たちのことが気に食わないのか」

「いや、そうじゃないよ」直貴は苦笑した。それから真顔に戻っていった。「みんなに迷惑をかけたくないんだ」

「だから楽器のことなんかは――」

「楽器のことをいってるんじゃない」直貴は吐息をついた。

7

いずれは話さねばならないことだと思っていた。今以上に親しくなってしまうと話しづらくなる。隠し続けることなどたぶん無理だろう。お互いが気まずい思いをせず、さりげなく一定の距離を置いた関係になる、というのが直貴の描いた理想だった。

「俺の家族のことなんだ。兄が一人いる。両親はいない」

「その兄貴がどうかしたのか」寺尾が訊いてきた。

「刑務所に入ってる。強盗殺人罪だ。懲役十五年」

スタジオの中だったので、彼の声はやけによく響いた。寺尾を含めた四人は、呆気《あっけ》に取られた顔を直貴に向けていた。

彼等の顔を一通り見回してから直貴は続けた。

「そういう人間と関わり合いになるとろくなことがないぜ。あんたらの音楽、俺好きだから、これからも聞かせてもらうけど、一緒にやるの気まずいよ。やっぱり」

ベースとギターとドラムの三人が直貴から目をそらして俯いた。寺尾だけが彼の顔を見つめたままだった。

「いつから入ってるんだ？」

「捕まったのは一昨年の秋。刑務所に入ったのは去年の春だ」

「じゃあ、あと十四年か……」

直貴は頷いた。その質問にどういう意味があるのかわからなかった。

寺尾は他の三人の仲間たちを振り返り、それからまた直貴を見た。

「なるほどな。人間ってのは、誰でもそれなりに苦労を背負ってるものなんだな」

「そういうわけだから……」

「ちょっと待てよ」寺尾はうんざりしたような顔で手を前に出した。「話はよくわかった。そいつは大変だなあと思うよ。気の毒だともな。だけど、兄貴のこととおまえとどういう関係があるんだ。そんなこと、バンドとは無関係じゃないか」

「そういってくれるのはありがたいけど、同情はされたくないんだ」

「同情じゃねえよ。おまえが刑務所に入れられるわけじゃないんだろ。おまえのことを同情してどうすんだよ。兄貴が刑務所に入ってたら弟は音楽をやっちゃいけないっていう法律でもあるのかよ。そんなものないだろ。気にすることないじゃないか」

むきになって語る寺尾の顔を直貴は見返した。こんなふうにいってくれることは涙が出るほどうれしかった。だが彼の言葉をそのまま受け取るわけにはいかなかった。彼が嘘をついているとは思わない。今は本心なのだろう。しかしそれは一時の自己満足によるものだとしか直貴には思えなかった。今までがそうだったからだ。事件後も優しく接してくれた友人は少なくない。しかし結局みんな離れていった。ひどい話だとは思わない。誰だって自分が大切だ。厄介者と絡みたくないのは当然だった。

「何煮えきらない顔してるんだ」焦《じ》れったそうに寺尾はいった。「俺たちはおまえの歌が気に入ったから一緒にやりたいといってるだけだ。おまえの家庭の事情なんかどうだっていいよ。それとも何か。おまえは俺たちの家族が刑務所に入ってないってことが気に入らないのか」

「そんなことはいってない」

「だったらくだらないことでうだうだいってんなよ」

「くだらないこと？」直貴は寺尾を睨みつけた。

「くだらないことさ。俺たちにとってはな。大事なことは、いい音楽を作りたいってことだけだ。それ以外のことはくだらない。どうってことない。——なあ、そうだろ」

寺尾に同意を求められた三人も頷いた。

それでも直貴が黙っていると、よしわかった、と寺尾が手を叩いた。

「民主的にいこうぜ。多数決だ。武島がバンドに加わることに反対の者は？」誰も手を挙げなかった。「じゃあ賛成の者は？」寺尾はもちろんのこと、他の三人も手を挙げた。

それを見て満足そうに寺尾はいった。「五人のうち四人が賛成、反対ゼロ、棄権一名だ。これでも文句あるのか」

直貴は顔をしかめた。正直なところ困惑していた。「本当にいいのか」

「おまえ、ジョン・レノンの『イマジン』を歌っただろ。ちゃんと想像してみろよ。差別や偏見のない世界をさ」そういって寺尾はにやりと笑った。直貴はまた涙が出そうになった。

寺尾祐輔たちの反応は、これまでに直貴が剛志のことを打ち明けた相手のそれとは全く違っていた。露骨に冷たく豹変した人間というのは少ない。しかしたとえばエスニック料理店の店長のように、すっと壁を作ってしまう人間が殆どなのだ。人によってその壁が薄かったり厚かったりするだけのことだ。

だが寺尾たちからはそれが感じられなかった。その理由は、たぶん彼等が心底自分を求めているからだろうと直貴は思った。そのことがうれしかった。たとえ武島直貴という人間ではなく、その声を欲しているのだとしても、誰かから必要だと思われたことに感激した。

いや――。

直貴の身の上を知りながら、壁を作っていない人間がもう一人いた。白石由実子だ。もう二度と彼女から近づいてくることはないだろうと思っていたのだが、バスで乗り合わせた時など、相変わらず屈託なく声をかけてくる。今までよりも馴れ馴れしくなったように感じられるぐらいだった。

ある日の昼休み、彼が芝生に寝転がってウォークマンを聞いていると、すぐ横に誰かが座った。目を開けると由実子が笑っていた。

「最近、いつも聞いてるね。何を聞いてるの？　英会話？」

「そんなんじゃない。音楽だ」

「へえ、直貴君も音楽を聞くんや。大学生になったから勉強してるのかと思たわ」

「勉強もするけど、音楽を聞くことだってあるさ」

「そらそうやね。何の音楽？　ロック？」

「まあ、そうかな」曖昧《あいまい》に答える。未だに音楽のジャンルというものが理解できない。

由実子が直貴の耳からイヤホンを奪った。そのまま自分の耳につける。

「おい、やめろよ」

「ええやないの。ふーん、聞いたことのない曲……」そこまでいったところで彼女の表情が変わった。驚きに満ちた目を直貴に向けた。「これ、もしかして直貴君？」

「返せよ」イヤホンを取り返そうとしたが、彼女は身を捻ってかわした。

「すごいやないの。直貴君、バンドやってるの？」

「やってるっていうか、仲間に入れっていわれてさ」

「けどボーカルやんか。すごーい」イヤホンを両手で押さえ、由実子は目を輝かせた。

「もういいだろ」ようやくイヤホンを取り返せた。

「いつからやってるの？」

「二か月ぐらい前からかな。ほかの連中は、もう何年もやってるよ。うまいだろ」

「演奏もええけど、直貴君の歌もすごくええわ。プロになれるで」

「馬鹿なこというなよ」

くだらない、という顔を直貴は見せた。だが内心では由実子の言葉に勇気づけられていた。この二か月間で、彼は完全に音楽の虜《とりこ》になっていた。スタジオで思い切り歌っている時が至福の時だった。こんなことを一生続けられたらどんなにいいことかと思う。その思いは当然一つの夢へと繋がる。プロになることだ。その夢は寺尾たちとも共通のものだった。仲間たちと同じ夢を見て、熱く語り合う――それもまた至上の喜びだった。

「けど、自分でもうまいと思うから、そうやって聞いてるんやろ。聞いて、悦に入ってるわけや」

「そんなことねえよ。悪いところをチェックしてるんだ。ライブが近いからさ」

「ライブ？　コンサートするの？」由実子の顔がぱっと明るくなった。

余計なことをしゃべったと思ったが、もう遅かった。由実子はライブについてしつこく尋ねてきた。いつやるの、どこでやるの、チケットは持ってないの、何曲ぐらい歌うの——直貴は根負けし、それらの質問に答えた。おしまいには所持していたチケット四枚を彼女に奪われた。もちろん代金はその場で払ってくれたし、チケットが売れたことは喜ばしいのだが、直貴としては彼女に借りを作りたくなかった。彼女が自分に向けてくれる気持ちに応えられないと思ったからだ。

「絶対に行くから。うわあ、すっごい楽しみ」彼の本心には全く気づかぬ様子で由実子ははしゃいでいた。

ライブまではあまり日にちがなく、しかも大学のスクーリングの時期とも重なっていたので、スケジュールを調整するのは困難だった。しかし直貴は可能な限り練習に参加した。スタジオ代は馬鹿にならず、頭割りしても生活費に響くほどだったが、この時間を失ってしまったら生きている甲斐がないと思った。それほど音楽に心の大部分を奪われていた。

直貴が入ったことをきっかけにバンド名が変更された。スペシウムというのが新しい名前だ。由来は、寺尾がNGを出す時の格好からきている。本人は胸の前で単純に×印を作っているだけのつもりらしいが、それがウルトラマンのスペシウム光線を出すポーズに似ているのだ。そんなことねえよっ、と本人がむきになって否定するのが余計に面白く、バンド名となってしまった。

何度か顔を合わせるうちに、直貴は寺尾以外のメンバーともすっかり打ち解けた関係になった。彼等は彼のことをナオキと呼ぶし、彼も彼等をそれぞれの愛称で呼ぶ。面白いのは寺尾だけが武島と名字で呼ぶことだった。最初にそう定着してしまったから、変えにくいのだろう。

二時間の練習後、彼等と安酒を飲む時が、直貴にとって最もリラックスできる瞬間だった。女の子のこと、バイトの愚痴、ファッションの話――世間の若者が交わしている会話に、直貴もごくふつうに入っていけるようになった。剛志の事件後、初めて訪れる青春の時間といえた。メンバーたちは、長い間直貴が接してこなかった世界から、きらきらと光るものを送ってくる風だった。

もっとも、どんなに馬鹿な会話を続けていても、五人の話は最終的には同じところに行き着く。音楽の話だ。自分たちはどんな音を作り続けていくのか、何を目指していくのか、そのために何をしなければならないのか。時には議論が白熱した。酔っていたりすると、殴り合いが始まりそうになる。特に寺尾とドラムのコータは熱くなりやすく、「やめてやる」、「おう、勝手にやめろ」の応酬になることもしばしばだ。初めの頃はそんな様子を見て直貴ははらはらしたが、次第にそれが恒例のパフォーマンスだとわかると、二人の熱が冷めるまで、にやにやしながら放っておくようになった。

彼等が本気だということを直貴は感じ取っていた。本気で音楽の道を突き進もうとしているのだ。寺尾以外の三人は大学に進まず、バイトをしながらチャンスを探し続けている。寺尾にしても親へのポーズから大学に籍を置いているだけだ。そのことを思うたびに直貴は後ろめたい気分になる。しかし大学を辞めるわけにはいかないとも思う。無事に卒業することだけが、刑務所にいる剛志を励ます唯一の方法だと知っているからだ。

音楽を始めたことは剛志には手紙で伝えた。心配するだろうから、「学業には影響のない程度に」と断り書きを入れた。プロを目指すというニュアンスは避けた。これからも隠し続けるつもりだ。それを明かすのは無事にデビューできてから、と決めている。もし自分たちのCDを出せたなら、それを送ろうと考えていた。そうなったら剛志も喜んでくれるだろう。その前に腰を抜かすかもしれないが。

新生バンドのお披露目は渋谷のライブハウスで行われた。緊張の極致にあった直貴は、ステージに上がると頭が真っ白になった。寺尾が新メンバーとして紹介してくれた時も、何が何だかわからず、ピントのずれた受け答えをしてしまったようだ。しかしそれが面白いのか、詰めかけた客は大笑いしていた。

緊張が全く解けぬままに演奏が始まった。直貴は何も目に入っていなかったが、仲間たちの発する音だけは耳に入ってきた。さらに、その音を聞けば条件反射的に声が出る程度には練習を重ねていた。彼は無我夢中で歌い始めていた。

後で寺尾に聞いたところによれば、彼が第一声を発した途端、会場が一瞬静まり返ったらしい。客たちが手拍子し、曲に合わせて身体を動かし始めたのは、直貴の歌が一区切りついてからだったという。

「奴ら呆気にとられてたんだよ。俺たちがこんな隠し球を用意してるなんて予想もしてなかっただろうからな」寺尾は勝ち誇ったようにいった。

一曲、二曲と歌ううちに直貴も落ち着きを取り戻していった。客がほぼ満員であること、彼等が自分の歌に合わせて身体を揺らせていることなどもわかった。

一番前に陣取って、大きく手を振っている四人組がいた。常連客なのだろうと思ったが、その中の一人が由実子だと気づいた時には少し狼狽した。彼女が友達を連れてきてくれたらしい。盛り上げて、と他の三人に頼んで、最前列に陣取ることにしたのだろう。

直貴は一度だけ由実子と目を合わせた。彼女の目はいつも以上に輝いていた。

記念すべき第一回のライブは大成功に終わった。何しろアンコールを求める拍手がやまなかったのだ。こんなことは初めてだ、と寺尾たちはいった。

すぐに二回目のライブが予定された。それと並行して、寺尾が一つの提案をした。デモテープを作ろうというのだった。

「レコード会社に送りつけてやるんだ。前にも何本か作ったけど、武島をボーカルにしたやつを作らないと意味がないからな」

全部で六曲ぐらい吹き込むつもりだという。すべてオリジナル曲だ。曲は殆ど寺尾が作っている。一曲だけ直貴が作詞を担当したものがあるが、彼自身は気に入っていない。

「六曲とも、ナオキのボーカルでいくのかい」コータが訊いた。彼は父親が広告代理店に勤めており、音楽業界への唯一の窓口といえた。

「もちろんそのつもりだ。でないとスペシウムの特徴が出ない。なあ」寺尾はベースのアツシやサイドギターのケンイチに同意を求める。二人は小さく頷いた。

「いや、そこなんだけどさ」コータが口を開いた。「特徴ってことになると、やっぱりボーカルが二人いるって点だと思うんだ。遜色ない二人が揃ってるってのが、うちらの最大の強みだろ。だからナオキのボーカルの曲だけだと、向こうの印象に残らないし、うちらの特徴を出したことにならないと思うんだ」

コータの口調は何となく直貴に遠慮しているように聞こえた。しかし直貴も彼の言い分はもっともだと思った。自分が入って以来、寺尾がメインで歌うことが少なくなっているのを、じつは内心気にしていたのだ。

「俺と武島じゃレベルが違う。前にもいっただろ」寺尾はげんなりしたようにいう。

「そうかもしれないけど、ボーカルのうまいバンドはいくらでもいる。その中で目立つには、ほかと違うことをしなきゃだめだ」

「小細工が通用するかよ」

「小細工じゃないだろ。前は祐輔のボーカルでやってたんだぜ。それでプロを目指す気だったんだぜ。声をかけてくれた会社だってなかったわけじゃない」

例によって議論が始まった。父親の影響か、コータは成功するためのセオリーを説こうとする。それに対して寺尾は、やや感情でものをいう傾向がある。

結局多数決で決めることになった。直貴を含めた四人が、六曲のうち二、三曲は寺尾がメインボーカルになることを主張した。

「武島、おまえもっと自分に自信を持てよ。ちょっと厚かましいぐらいでないとボーカルは務まらないんだぜ」寺尾は不承不承といった調子で四人の意見に同意した。

8

寺尾は自宅にちょっとしたレコーディング機材を持っている。それを使って六曲を入れたデモテープを作った。出来上がったテープが直貴には光り輝く宝石に見えた。

「なあ、この国がアメリカならよかったよな」コータがテープを手にしていった。

なんでだよ、と皆が訊いた。

「だってアメリカはチャンスの国だっていうじゃないか。コネや経歴や人種とかは関係ない。実力のある者が正当に評価されて、どこまでものしあがっていける。マドンナはまだ無名だった頃、成功しようと思って何をしたと思う? タクシーに乗って、『世界の中心に連れていって』といったんだ。そこがニューヨークのタイムズスクエアだったんだよ」

「この国にだってチャンスは転がってるさ」寺尾がにやにやした。「今に見てろって、このテープを聞いた連中がすっ飛んでくるぜ」

そうなったらいいよなあ、という顔を他のメンバーがした。

「なあ、いくつかの会社から返事があったらどうする?」ケンイチが訊いた。

「そりゃあ一通り話を聞いて、一番条件のいいところと契約するんだよ」コータがいう。

「いや、条件とかじゃない。やっぱり、どれだけ俺たちの音楽をわかってるかってことが重要だ」寺尾は例によってコータの実利主義に反論した。「わけのわからんプロデューサーに、アイドルみたいな歌を歌えっていわれたらくさるからな」

「そんなことはいわれないだろ」

「だけど最初は他人の作った曲をあてがわれることも珍しくないみたいだぜ。俺、そういうのは絶対にいやだからな」

「最初は仕方ないよ。だけど売れりゃあ、そのうちにこっちの言い分も通るようになる。そうなったら、好きなことをすればいいじゃないか」

「俺は魂は売らないといってるんだよ」

「ガキみたいなこといってんじゃねえよ。そんなことといってるからチャンスを逃がすんだろうが」

「なんだよ、いつ俺がチャンスを逃がしたよ」

またしても摑み合いが始まりそうになる。アツシとケンイチが、まあまあと中に割って入った。直貴はただ黙って笑っていた。

捕らぬ狸の皮算用とはこのことだった。それでもこういう会話を交わせることが直貴には幸福だった。夢というものの偉大さを改めて思い知った。

その日寮に戻ると大学から郵便が届いていた。レポートを添削されたものが送られてきたのかと思ったが、そうではなかった。中身は通学課程への転籍に関する案内書だった。通学課程とは、通信ではない一般の大学課程のことだ。

直貴は食事をするのも忘れてその書類を熟読した。通学課程に移ることは彼の念願だった。案内書によれば、試験を受けて合格すれば移れるらしい。転籍試験はさほど難しくないという話を、彼は聞いたことがあった。

自分がふつうの学生と同じように大学に通う様子を想像し、直貴はわくわくした。きっとスクーリングでは得られない刺激があることだろう。それに通学課程に移れば、誰にでも堂々と大学生だということができる。今でもいえるのだが、どこか後ろめたさがあった。コンプレックスといってもいい。

でも、だめだな――。

直貴は吐息をついて案内書を閉じた。通学課程に移れば昼間は働けない。しかし夜はバンドの練習がある。仕事があるからといって練習を休むわけにはいかない。他のメンバーも仕事を持っていながら、やりくりして練習時間を捻出しているのだ。

それに夢に対して二股をかけるのはよくない、とも思った。今の自分の最大の夢はバンドで成功することだ。それを目指すならば大学などどうでもいいはずなのだ。通学課程に移ることを望むのは、他のメンバーに対する重大な裏切りのような気もした。

俺には音楽がある、バンドがある――そう心の中で呟いて、彼は案内書を捨てた。

二度目のライブは新宿のライブハウスで行われた。前回よりも広かったが、それでもほぼ満員の状態だった。いろいろな場所で宣伝したこともあるだろうが、やはり前のライブが好評だったおかげと考えてよさそうだった。

直貴は相変わらず緊張したが、前よりは多少周りの様子が見えていた。歌の途中でケンイチのギターの弦が切れるというアクシデントがあったのだが、特にあわてることもなかった。

チケットを渡した覚えはなかったが、その日も由実子は友達二人を連れて最前列で手を振っていた。それだけでなく、ライブの後で控え室までやってきた。

「すっごくよかった。かっこよかった」彼女は興奮した様子で、直貴だけでなく他のメンバーにも馴れ馴れしく話しかけた。メンバーたちは戸惑いながらも彼女の言葉に礼を述べていた。

「ナオキのガールフレンドとは思えないけたたましさだな」由実子が帰ってからアッシが呆《あき》れたようにいった。

「ガールフレンドじゃない。会社の女の子だ」

正確にいうと同じ会社でもないのだが、説明は面倒なので省いた。

「だけどナオキに惚れてるぜ。いいじゃんか、ガールフレンドにしとけば。今、付き合ってる子はいないんだろ」アッシがしつこくいう。

「今はそんな暇はないんだ。遊んでる暇があったら練習するよ」

「練習ばっかしててもだめだって。たまには女の子と遊ばないと」

「おまえは遊びすぎなんだよ」寺尾の言葉に皆が笑った。

それから立て続けにライブを行った。会場を借りるのは金銭的に大変だったが、メンバー全員が、何かに追われるようにのめりこんでいた。直貴も、自分たちにとって今は大切な時期なのだという予感めいたものを感じていた。

見知らぬ男が控え室に来たのは、五回目のライブの後だった。男は二十代後半に見えた。革ジャンにジーンズというラフな出で立ちだった。

リーダーは誰かと男は訊いてきた。寺尾が名乗り出ると男は名刺を差し出した。しかしそれは男のものではなかった。

「この人が君たちと話をしたいといっているんだ。もしその気があるなら、今からこの店に来てくれないかな」そういってマッチ箱を出した。喫茶店のマッチのようだった。

名刺を見た寺尾の顔色がみるみる変わった。彼は口を開いたまま答えられないでいた。

「わかったかい」男が苦笑して訊いた。

「わかりました。あの……すぐに行きます」

じゃあ待ってるよ、といって男は出ていった。

寺尾が直貴たちのほうを向いた。「大変なことになったぞ」

「何だよ、一体誰が待ってるんだ」コータが訊いた。

寺尾は持っていた名刺を皆のほうに向けた。

「リカルドだ。リカルドの人間が俺たちに会いに来たんだ」

彼の言葉に一瞬全員が声を失った。

「嘘だろ。マジかよ」コータがようやく唸るようにいった。

「自分の目で見てみろ」

コータは寺尾の手から名刺を受け取った。ケンイチ、アツシ、そして直貴が彼の周りに集まった。株式会社リカルド、企画本部といった文字が直貴の目に飛び込んできた。

株式会社リカルドは、業界最大手といっていいレーベルだ。

「おい、俺は前にいったよな」寺尾が仁王立ちして直貴たちを見下ろした。「この国にだってチャンスはあるっていったよな。どうだ。俺のいったとおりだろ」

コータが頷き、他の者もそれに倣った。

「このチャンス、絶対に摑むからな」寺尾が右手を大きく前に出し、鷲摑みするポーズを作った。

直貴も無意識のうちに拳を固めていた。

喫茶店で待っていたのは根津という人物だった。まだ三十代に入ったばかりに見えた。広い肩幅と尖った顎が印象的だった。口の周りに髭を生やしている。それが黒っぽい色のスーツとよく合っていた。

音楽に大切なものは何だと思うか、と彼は直貴たちに尋ねてきた。寺尾が答えた。それはハートだ、と。

「聞いてくれる人間のハートを摑むこと、それが一番大事だと思います」

無難な答えのように直貴には聞こえた。他のメンバーも異論はないようだった。

すると根津はいった。

「つまり君たちはハートを摑める曲を作ろうとしているわけだ。どうすればそれができるかを模索し、手探りで作り出し、練習し、ライブで演奏している。そういうことだな」

「いけませんか」

「いけなくはない」根津は煙草を取り出して吸った。「しかしそれでは成功しない」

寺尾は直貴たちを見た。自分の答え方が悪かったのかと問うている顔だ。だが彼にアドバイスできる者はいなかった。

「君たちがどんなにがんばっても、人々のハートを揺さぶることなどできない。なぜだかわかるかい。答えは簡単だ。人々には君たちの曲が届かないからだ。聞いてもいない曲で感動などできない。音楽に大切なものは、それを聞く人間だ。彼等がいなければ、自分たちでいくら納得したものを作っても、それは名曲ではない。いやそれ以前に音楽ですらない。やっていることはマスターベーションと一緒だ」

「だからライブで演奏しています」寺尾がむっとしていった。

根津は表情を変えずに頷いた。

「ライブで演奏し、わずかな聴衆にでも聞いてもらえれば、口コミで人気が広がり、いずれはメジャーデビューできる――そう考えているわけだ」

その考えのどこが間違っているのか直貴にはわからなかった。自分たちの成功へのシナリオは、いつもそんなふうに空想してきた。

「たしかに」根津は続けた。「成功したアーチストの経歴を調べれば、そういう過去が出てくるかもしれない。しかし成功しなかったアーチストの経歴を調べても、たぶん似たようなものだろう。アイドルに憧れる女の子がいくら渋谷の街をうろうろして、仮にスカウトされたとしても、成功する確率が極めて低いように、スカウトされてメジャーデビューしたアーチストが必ず売れるわけではない。ところが君たちはいい音楽さえ作っていれば、いずれは認めてもらえるはずだと考えている。成功するしないの差は実力だけだと信じている。違うかい?」

違わなかった。いつもそう話し合ってきた。だからここでも誰も反論しなかった。

「今もいったように、聞いてくれる人間がいなければ、いい音楽も悪い音楽もない。ただの音符の集まりにすぎない。ライブ会場のわずかな聴衆など、いないも同然なんだ。したがって君たちは今、音楽をしていないも同じということになる」

「でも根津さんは、そんな俺たちのライブを見て、声をかけてくださったんでしょう?」寺尾の反論に根津は苦笑した。

「もし自分たちの音楽が認められたのだと思っているなら、この場で否定しておこう。ライブハウスで評判のいいバンドをいちいちデビューさせていたら、この商売は成り立たない。いいかい、私が君たちのライブを覗いたのは、評判を聞いたからじゃない。それは殆どたまたまだったと考えてもらって差し支えない。我々は万に一つの原石を求めて穴を掘り続けている。原石を見つけだすプロだと思っている。原石はまだ光ってなどいない。もし自分たちの光に誘われて私が来たのだと思ったら大間違いだ。そのことははっきりさせておこう」

根津のいいたいことが直貴にもわかってきた。要するに彼は直貴たちの音楽を認めたわけではないのだ。自分が磨けば光る、いや光る可能性があると思ったにすぎない。

「そろそろ本題に入ろうか」根津がメンバー全員を見回した。「君たちに音楽をやらせてやろうという話だ。お遊びではない、本当の音楽をね」

根津と別れた後、直貴たちはいつもの居酒屋に寄った。ライブが終わった後は派手に打ち上げをするのだが、今夜は勝手が違った。ライブが成功したことより、もっと大きな事件があった。何しろついに念願のメジャーデビューが叶いそうなのだ。直貴はまだ夢を見ているような気分だった。実感がわかず、他のメンバーと話し合うことで、これが夢でないことを確認したかった。

だがはしゃいだ気分にはなれなかった。それは終始根津から聞かされ続けた台詞が頭に残っているからだ。

「君たちには力がある。実力も魅力もある。しかしそれをまだ殆ど発揮していない。まだ白紙のキャンバスだ。そこにどんな絵を描いていくかは私が決める。君たちはこっちの指示にしたがってくれればいい。そうすれば必ず成功する」

　自分を出そうとするな、ともいった。出させるのは自分たちプロの仕事だ。すべてを引っくるめて音楽なのだ、楽器とボーカルと曲だけでは音楽にならない――。

「俺たちのオリジナルで勝負しなきゃ意味ないぜ。今さら他人の作った曲なんて演奏できるかよ」急ピッチでビールを飲み続けた寺尾が、早くも酔った口調でごねだした。

「オリジナルをやらせないとはいわれなかったぜ。ただ、どういうふうに売り出すかはこちらで決めるといわれただけだ。売り方の問題だよ。そういうのはプロに任せなきゃしょうがないだろ。今はそういう時代なんだ」コータが宥《なだ》めるようにいった。

「ちっ、広告代理店の息子は、いうことまで広告屋っぽいな。自分たちの個性を出すなっていわれて、何が楽しいんだ」

「出すな、じゃない。自分たちで出そうとするな、だ。個性のアピールの仕方ってものがあるんだよ。なあ祐輔、へそ曲げないで前向きに考えようぜ。せっかくのチャンスだ」

　そうだチャンスだ、とアツシもいった。

「俺たち、とうとうデビューできるんだな」ケンイチがしみじみといい、直貴を見た。

　直貴は黙って頷いた。

「そうだよ。ついにデビューだ。どういう形にしろ、祐輔だってそれは嬉しいだろ」

コータにいわれ、まあな、と寺尾も片頰だけで笑った。

その夜はスペシウムにとって、結成以来最良の夜となった。

このことを剛志への手紙に書くかどうか直貴は迷った。音楽を本格的に始めたことや、プロを目指していることなどは知らせていない。突然デビューすると書いたらどんな反応が返ってくるだろうか。しかし直貴は、きっと剛志も喜んでくれるに違いないと思った。剛志は弟が立派に生きていくことを望んでいるのだ。大学はその象徴に過ぎない。別の手段でそれが達成できるなら、何も不満はないはずだった。

だが手紙を書くだけの時間的余裕がなかった。直貴たちは根津から、新たにオリジナル曲をいくつか作るよう指示されていた。うまくいけばその中のどれかをデビュー曲に使ってもらえそうな気配だった。寺尾は当然張り切っているし、メンバーたちも可能なかぎり集まって練習することになった。直貴は仕事と大学とバンド活動のすべてをこなさなければならない。寮にはただ帰って寝るだけの生活が続いた。寺尾は大学を辞めるらしいが、直貴にはまだそこまでの決心がつかなかった。

コータとアツシとケンイチが寮にやってきたのは、珍しく大学もバンドの練習もない夜のことだった。直貴は会社から帰ったばかりで、まだ作業着のままだった。

「ちょっと話があるんだけどな」コータが代表するようにいった。他の二人は彼の後ろで俯いていた。

「いいよ。上がれよ、狭いけど」

直貴は三人を部屋に通した。

直感、とでもいうのだろうか。不吉な風が吹き始めているのを彼は感じていた。

9

「わりときちんとした部屋なんだな」コータが室内を見回していった。「季節労働者用の宿舎っていうから、バラックみたいなのを想像してたんだけどさ」

「一流企業の寮なんだぜ。そんなわけないだろ」直貴は笑っていい、三人が座れるスペースを作った。

三人は壁を背にして並んで座った。しかし胡座をかく者はいなかった。アッシとケンイチは膝を抱えたいわゆる体育座り、コータはなぜか正座だった。

「ええと、何か飲むかい？　コーラぐらいならあるけど」

「いや、いいんだ。気を遣わないでくれ」コータがいった。

「そうか……」直貴は三人と向き合うように腰を下ろした。目を合わせるのが何となく怖かった。

気まずい沈黙が数秒間。話って何だ、の一言を直貴はいえなかった。

「あのさ、今日、根津さんから連絡があったんだ。俺のところに」コータが口を開いた。

直貴は顔を上げた。「何だって？」

コータは他の二人を見た。アツシとケンイチは黙っている。話はコータに任せるということらしい。

「根津さんによると、あれから俺たちのことをいろいろ調査したらしいんだ。職場での評判とか、近所の噂とか、経歴とか……」少し口ごもってから彼は続けた。「家族のこととか。デビューした後で、面倒なトラブルが起きるとまずいからなんだってさ」

「それで？」直貴は平静を装って尋ねたが、心の中では嵐が吹き荒れていた。コータの言葉の一部が反響していた。家族のこと、トラブル——。

コータは唇を舐めてからいった。

「根津さんはナオキのことも調べてた。で、ナオキの兄さんのことも知ってた」

どうやって調べたんだろう、というのが直貴の最初の感想だった。だが考えても仕方のないことだった。

「まずい……ってさ」コータはぽつりといった。

直貴は顔を上げ、すぐに目を伏せた。何でもないことのように、「ふうん」といった。精一杯の虚勢だった。

「デビューして、仮に売れたとして、必ずメンバーのことをあれこれ詮索する連中が出てくる。あの業界は足の引っ張り合いだからだそうだ。家族にそういう人間がいるとなると、格好の餌食《えじき》なんだってさ。そうするとバンドのイメージダウンになるし、活動もやりにくくなる。会社としても力を入れられなくなる。だから……」

「今のままじゃデビューさせられないってことか」

「まあな」

直貴は吐息をついた。その息が白いのを見て、電気ストーブをつけ忘れていることに気づいた。しかしスイッチを捻る気力もなかった。

「俺がいなけりゃデビューさせてくれるのかな」俯いたまま直貴は訊いた。

「根津さんは、祐輔のボーカルだけでもいいってさ。ナオキを入れられないのは本当に辛いんだけどっていってた」

根津の腹の中では、直貴を抜くことで決まっているらしい。

「そうか。それで三人揃って、俺を説得しに来たってわけか」目をコータからアッシとケンイチに移した。二人は下を向いた。

「ナオキ、許してくれ」コータが両手をつき、頭を下げた。「俺たち、デビューしたいんだよ。そのために今までがんばってきた。このチャンスを逃がしたくないんだ」

他の二人も座り直し、彼に倣って頭を下げた。そんな姿を見ると、直貴の悲しみはますます増幅した。

「寺尾は？　奴はどうしていないんだ」

「この件について祐輔はまだ何も知らない。知ってるのは俺たちだけだ」頭を下げたままコータが答えた。

「どうして寺尾には教えないんだ」

するとアッシとケンイチが心配そうにコータを見た。どうやら寺尾のことでも彼等は悩んでいるようだ。

「根津さんがリーダーの祐輔じゃなくて、俺のところに連絡してきたのは、奴なら簡単には納得しないだろうからってことだった。下手をすれば祐輔のことだ、それならデビューなんかできなくていいって啖呵《たんか》を切るかもしれないだろ」

十分に予想できることだった。直貴は頷いた。

「根津さんは俺に、祐輔には何とか気づかれないようにして、ナオキのことを説得しろっていうんだ。それで俺たち三人で来たわけだ」

「だけど寺尾に黙ってるわけにはいかないだろ。俺が抜けるんだから、その説明をしなきゃいけないじゃないか。どうするつもりなんだ」

直貴の質問にコータは黙り込んだ。唇を噛んでいるのがわかった。答えに窮しているのではなく、何かをいい出せなくて苦悩しているのだと直貴は察した。

「そうか……俺が自分から辞めるといい出せばいいわけだ。適当な理由をつけてバンドを抜けるといえば、寺尾は怪しまない」

「すまん、そういうことなんだ」

コータの言葉に、他の二人もさらに深く頭を下げた。

「根津さんも、それが一番いいだろうっていってた」

すべてはあの男の指示らしい。直貴は虚脱感が全身を満たしていくのを感じていた。これが大人のやり方というものだろう。大人とは不思議な生き物だ。ある時は差別なんかいけないといい、ある時は巧妙に差別を推奨する。その自己矛盾をどのようにして消化していくのか。そんな大人に自分もなっていくのだろうかと直貴は思った。

「でも、寺尾に引き留められたらどうする？　奴はすんなりオーケーしないぜ」

「それはわかってる。だから俺たちもバックアップするつもりだ」

コータの言葉に、そんな時だけバックアップかよといいたかったが、直貴はこらえた。

「いいよ、わかった」彼は三人の頭を見ていった。「俺は抜ける」

コータが顔を上げた。続いてアッシ、ケンイチ。三人とも悲しそうな顔をしていた。

「今度の練習日に、俺から寺尾に話す。脱退する理由はそれまでに考えておく」

「悪いな」コータが小声でいった。

ごめんな、と他の二人も呟いた。

「まあ考えてみれば、元々俺はメンバーじゃなかったわけだし、このほうがよかったっていう気もする。俺は楽器もできないしさ」

この台詞が自らへの慰めであることは三人もわかるはずだった。彼等は辛そうに聞いているだけで何もいわなかった。

三人が帰った後も、直貴はしばらく立ち上がれないでいた。胡座をかいたまま、壁の一点を見つめていた。

結局こういうことか――。

ようやく悪夢から解放されたと思っていた。これからはふつうの若者のように生きていけると信じかけていた。音楽と出会ったことで、閉ざされていたすべての扉が開かれたと思った。

それはすべて錯覚だった。状況は何も変わっていない。世間と自分とを隔てている冷たい壁は、依然として目の前にある。そこを越えようとしても、壁は冷たさを増すだけだ。

直貴は畳の上で横になった。大の字になり、天井を見つめた。染みだらけの天井は、おまえにはその場所がお似合いなのだと嘲《あざけ》っているように見えた。

いつの間にか彼は歌を口ずさんでいた。悲しい歌だ。希望の光が見えず、闇の中でもがき苦しむ様子を歌っている。

直貴は歌うのを止めた。自分が人前で歌うことはもうないのだと気づいた。目を閉じた。瞼《まぶた》の間から涙が流れた。

10

寺尾が目を剝いた。その目は血走っていた。直貴が想像していたとおりの表情だった。

「何だと？　もういっぺんいってみろ」

「だから」直貴は唇を舐めた。「バンドを抜けさせてほしい。スペシウムをやめる。そういってるんだ」

「嘘だろ。マジでいってんのかよ」

「マジだよ」

「てめえ、今さらそんなことといっていいと思ってんのか」寺尾が一歩近づいてきた。直貴は気圧《けお》されそうになる。

渋谷にあるスタジオの中だった。練習を始める前に、話があるといって直貴が寺尾に切り出したのだ。他の三人は彼が何をいいだすかわかっていたはずだが、それでもやはり緊張の面もちだった。

「自分勝手なのはわかってる。だけど許してほしいんだ。いろいろと考えた末に出した結論なんだ」

「何をどう考えたか、聞こうじゃないか」寺尾はそばにあったパイプ椅子を引き寄せ、乱暴に座った。「おまえも座れよ。立ったままじゃ落ち着かないだろ」

直貴は吐息《といき》をつき、キーボードの横にあった椅子に腰を下ろした。ちらりとコータを見る。ドラム楽器の向こうで彼は俯いた。

「将来のこととか考えたんだ」

「俺だって考えてる」寺尾の口調は尖っていた。

「音楽はやりたいよ。それで食っていけるなら最高だと思う。だけど、何ていうかな、俺にはやっぱり博打《ばくち》はできないんだ」

「俺たちの音楽は博打だっていうのか」

「そうじゃないけど、成功するかどうかは実力だけじゃ決まらないだろ。運の要素が強いじゃないか。悪いけど、俺はそんなものに頼っていける身分じゃないんだ。自分一人で生きていける、しっかりとした道を確保したいんだよ」

「そんなのは俺たちだって一緒だ。音楽でしくじったら、後は何もない。崖っぷちはお互い様だ」

直貴は首を振った。

「おまえたちには家があるじゃないか。家族がいる。でも俺には何もない。いるのは刑務所に入ってる兄貴だけだ」

その唯一の家族が足を引っ張る、いつだって、今回も——そういいたいのを我慢した。

寺尾は貧乏揺すりを始めた。苛立った時の癖だ。

「一体どうしたっていうんだ。今までそんなことはいわなかったじゃないか。おまえの境遇についてはよくわかってるよ。だけどそれは昨日今日始まったことじゃないだろ。なんだってこの局面で、急に心変わりするんだ」

「この局面だからだよ」直貴は静かにいった。「夢を追いかけてるうちは楽しかった。本気で、プロになれればいいなと思ってた。でもそれがいざ目の前に来ると、これでいいのかなって不安になるんだ。それであれこれ考えて、こんな気持ちのままではとても続けられないと思ったわけだ」

「俺だって不安だぜ」

「だから俺と寺尾とは立場が違うんだよ」

いいながら直貴は胸の中で謝っていた。こんな形で裏切りたくはなかった。心の底から仲間だと思っているからこそ、寺尾はこれほどむきになっているのだ。彼は本当の友人だった。その友人を騙すのは辛かった。

「おい、おまえらも何とかいえよ」寺尾が他のメンバーを見渡した。「この馬鹿を説得してくれ」

三人は顔を見合わせた。やがてコータが口を開いた。

「そうはいっても、ナオキにはナオキの事情ってものがあるだろ」遠慮がちにいった。

寺尾が目尻を吊り上げた。「おまえ、それでも仲間かよ」

「仲間だから気持ちを尊重してやりたいんだ。迷ってる人間を無理矢理引き留めたって意味ないぜ」

「俺はこいつのその迷いが無意味だっていってるんだ」寺尾が再び直貴を見た。「なあ、考え直せよ。バンドをやめてどうする気だ。それ以上に楽しいことがあるのかよ」

「通学課程に転籍するつもりなんだ」直貴はいった。「寺尾のところにも案内は来ただろ。そろそろ申し込み期限が迫ってる。俺、あっちに移るよ。試験に受かるかどうかはわかんないけど」

けっ、と寺尾は喉を鳴らした。

「ふつうの大学生になって何が面白い？　退屈な毎日が待ってるだけだ」

「退屈かもしれないけど確実だ。就職する道も開けてくる」

「サラリーマンになって満員電車に揺られたいのか。おまえの夢ってそんなものか」

「夢の話をしてるんじゃない。現実の話をしてるんだ」

「プロデビューだって現実の話だ。ただしこっちには、でっかい夢がくっついてる」

「祐輔、もうやめろよ」コータが口を挟んだ。「ナオキだって悩んだに違いないんだからさ。バンドとしては、今ナオキに抜けられるのは痛いけど、仕方ないよ」

「そうだよ。それにナオキが抜けてもデビューさせてくれるみたいだし」

ケンイチの言葉に寺尾が目を光らせた。まずい、と直貴は思ったが遅かった。寺尾は立ち上がり、ケンイチの襟《えり》を摑んでいた。

「おい、それどういうことだ。なんでおまえがそんなこといいきれるんだ」

ケンイチはようやく自分の失言に気づいたようだ。いや、その、と、しどろもどろに弁解しようとした。その様子で、さらに寺尾は何かを感じ取ったようだ。

「おまえら、武島がやめることを知ってたのか。いや、それだけじゃないな。根津の差し金だろ。武島をやめさせろっていわれたのか」

違うよ、と直貴がいったが、寺尾の耳には入らなかったようだ。

「最低だな、てめえらっ。何考えてんだ。自分さえよければいいのかっ」寺尾はケンイチを突き飛ばすと、立ててあった自分のギターを倒した。「もういい。勝手にしやがれ。バンドなんかもうやめだっ」そういうとスタジオを飛び出した。

直貴が後を追った。建物を出たところで歩道を急ぎ足で歩く寺尾の後ろ姿を見つけた。駆け寄り、革ジャンの肩に手をかけた。「待ってくれ、寺尾」

「なんだよ、離せよ」

「三人の身にもなってやれ。どういう思いで俺のところに来たと思う？」

「知るかよ。根性が腐ってるから出来たことなんだろ」

「連中は選択を迫られたんだ。音楽を取るか仲間を取るかって。奴らは苦しみ抜いた末に音楽を取った。それがそんなにいけないことなのか。責められることなのか」

寺尾は返答に窮したようだ。横を向き、大きく肩で息をした。

「俺にとってみんなは仲間だ。兄貴の事件以来、初めて心の繋がる相手を見つけたと思った。だからそんな大事な仲間から音楽を奪うなんてことはできない。俺のために迷惑をかけたくない。わかってくれ」

「おまえがいたって音楽はできる。いつかデビューだってできる」

寺尾の言葉に直貴は首を振った。

「その日が来るまで俺は肩身の狭い思いをしなきゃならない。申し訳ないと思いながら歌わなきゃならない。そんなのは地獄だ。しかもそれが報われる日は来ないんだ。根津さんは正しいんだよ。この社会から差別はなくならない」

「もしそうだっていうんなら」

「デビューなんかできなくてもいいというのか。ほかの三人の気持ちはどうなる。寺尾を信じて今までついてきたんじゃないか。どうか三人のところに戻ってやってくれ。このとおりだ」直貴はその場で両膝をつき、頭を下げた。

「何やってんだよ」

寺尾に腕を摑まれ、直貴は引っ張り上げられた。

「四人でがんばってくれ。期待してるから」直貴はいった。

寺尾の顔が歪んだ。唇を強く嚙んでいる。

殴る気だ、と直貴は思った。それならおとなしく殴られようと覚悟を決めた。自分が正しいのかどうかはわからない。しかしこの親友を傷つけたことは事実なのだ。

だが寺尾は殴りかかってはこなかった。悲しげに首を振り、呻くようにいった。

「俺はこれまでおまえの兄貴を憎んだことがない。だけど今は心の底から腹が立つ。目の前にいたならぶん殴ってやりてえよ」

「そうだな」直貴は薄く笑った。「俺もできることならそうしたい」

寺尾の力が緩んだので、直貴は後ずさりし、彼からすっと離れた。踵《きびす》を返すとそのまま歩きだした。寺尾の視線を感じたが、後ろを振り向くわけにはいかなかった。

第三章

1

『前略　元気にしていますか。

　気がついたら、今年もあと少しで終わりなんだな。なんだかここにいると時間の流れ方がよくわからない。毎日同じことの繰り返しだし、曜日なんて何の意味もないからな。ただ月がかわることを楽しみにしているやつは多い。手紙を書けるし、中には面会に来てくれる人間がいるやつもいるからな。

　というわけで、おれも一か月ぶりに手紙を書いているというわけだ。ところがいざ書こうと思っても、何にもネタがないんだよ。さっきも書いたけど、かわりばえしない毎日だからさ。ここのところ急に寒くなってきたけど、ここでの寒さのしのぎ方については大体わかってる。まあなんとかなるものなんだよ。

前に直貴から手紙をもらったのは六月だよな。あれからどうしてるんだ。引っ越したって話だったけど、新しい部屋にはなれたのか。まあおまえのことだから、うまくやってるだろうとは思うけどさ。手紙が全然こないものだから、どうしてるのかなあって心配になってしまうわけだ。

でも考えてみたら、手紙を書いてるひまなんかないのかもしれないな。なにしろ昼間は大学に行って、夜は働いてるわけだものなあ。居酒屋の仕事ってどうなんだろうな。おれは金がなかったから、めったに行ったことがないし、行くにしたって先輩におごってもらうばっかりだったから、よくわからない。

だけどがんばってくれ。おれへの手紙なんか、別に書かなくたっていいからさ。

それにしても直貴には頭が下がるよ。おれがあんなことをしたせいで、大学には行けなくなったと思ってたんだけど、ついにふつうの大学生になってしまったんだからな。同じ房に入ってるやつらに話したら、みんなびっくりしてたぜ。びっくりして感心してた。すごい弟なんだなあって。そういう時には、おれ、最高に気分いいんだ。

眠くなってきたので、今回はこのへんにしておくよ。書くこともなくなったしな。今度はもっと面白いネタを仕入れとくとしよう。

ではいつものことだけど、身体には気をつけてください。また来月手紙を書きます。

剛志』

武島直貴様

駅のホームで剛志からの手紙を読んだ。中に書かれているように、直貴は六月を最後に返事を出していない。それでも兄からは毎月律儀に手紙が送られてくる。引っ越し先を教えなければよかったのかなとも思ったが、そんなわけにもいかないし、と思い直した。

ホームに電車が入ってきた。直貴は便箋を封筒に戻し、雑巾をしぼるように丸めてからゴミ箱に捨てた。七月以降、兄の手紙は保管していない。それ以前のものも近いうちに捨てるつもりだ。

午後六時を過ぎていた。電車は会社帰りのサラリーマンで混んでいる。直貴は吊革に摑まり、軽く目を閉じた。週に五日の満員電車にも慣れた。出来るだけストレスを溜めないようにし、体力も温存するよう努めている。店には六時半までに着かなければならない。着いたらすぐに仕事だ。七時までに支度が整っていないと、オーナー兼マスターにねちねちと嫌味をいわれることになる。

かわりばえしない毎日だ——兄の手紙の一節が頭に浮かんだ。刑務所内の実態はわからないが、やけに呑気な文章に見えた。こっちは明日どうなるかもわからないっていうのに、と愚痴りたくなる。

バー『ＢＪ』は麻布警察署の近くにある。客の殆どは若いサラリーマンやＯＬだ。テーブル席が多いので何かの飲み会の二次会に使われることが多い。少し前まではカラオケ装置があったらしいが、見知らぬ人間の前で歌いたいと思う客は徐々に減ってきたので、撤去したということだった。装置があった場所には、今はスロットマシンが置かれている。もっともそれで遊んでいる客を、直貴は殆ど見たことがない。

カップルで来る客も多い。ただし彼等は大抵カウンターにつく。そちらのほうが雰囲気が落ち着いているからだ。内装の様子もテーブル席とは少し違っているので、まるで一つの空間に別の店が存在しているようだった。有名な店で修業を積んだことがあるというマスターが作るカクテルも、なかなか評判がいい。

テーブル席が賑わうのは電車が動いている間だけで、その後はカウンターが俄然忙しくなる。銀座あたりから流れてくる客も少なくない。若いホステスが自分の客を連れてくるのだ。アフター、という言葉を直貴は彼女たちの口から知った。

男女にかかわらず、一人で来る客も珍しくはなかった。男性の一人客の中には、同じように一人で来ている女性客を狙っている者もいた。店に来る最大の目的がそれなのだ。直貴は彼等の失敗を数多く見てきたが、成功することも案外多いというのは発見だった。

この店での直貴の仕事は、一言でいってしまえば雑用係だ。開店前は準備、開店後はウェイターになり、食器洗いを担当し、バーテンの真似事もする。店じまい後の片づけも彼の仕事だった。

以前は終電で帰っていた。だがそれでは収入が少ないので、午前四時の閉店まで働かせてくれと交渉したのだ。もう一人雇うことを考えれば安いものだとマスターは判断したようだが、それでも条件をつけた。タクシー代は出せないというのだった。直貴はこの条件をのむかわりに、電車が動く時間まで店で寝ることを認めてほしいと頼んだ。マスターはしばらく考えてから首を縦に振った。直貴に店の鍵を預けてもいいかどうかを悩んだのだろう。

『BJ』のことは求人情報誌で知った。昼間は大学に行かねばならないので、必然的に夜の仕事を探すことになった。となれば職種はかぎられてくる。

面接の時、マスターには一つだけ嘘をついた。自分は一人っ子で、高校までは親戚の家で育てられたといったのだ。大学の通信教育部から通学課程に移ったので、夜の仕事を探さねばならなくなったという話は、その嘘を補強してくれたようだ。マスターは全く疑わなかった。

だが同情だけで雇うほどマスターはお人好しではなかった。直貴が採用されたことの背景には、ある人物の進言が関わっていた。後に知ったことなのだが、面接直後、マスターは直貴が働いていたエスニック料理店に電話したらしい。今までに飲食店で働いたことはあるかという問いに対して、直貴があの店のことを話したからだった。

マスターはエスニック料理店での彼の働きぶりについて、店長にあれこれ質問したそうだ。店長の答えは、「よく働く、真面目な子でしたよ」というものだったらしい。店を辞めた理由については、「元々、高校卒業までの短期間ということでしたから」と答えてくれたようだ。そして彼の兄の件については何もいわなかった。

そのことを知った時、自分は不遇なだけではないのだなと思った。多くの人から応援されているのだ。しかし一方で、彼等は応援はしても自分の手をさしのべようとはしてくれないのだと再認識した。直貴に幸せになってほしいと思ってはいる。だが自分は関わりたくないのだ。誰か別の人間が助けてやればいいのに——それが本音なのだ。もちろんそれでも、あの髭面の店長に感謝しなければならないことに変わりはなかった。

『BJ』のマスターも悪い人間には見えなかった。いわゆる団塊の世代のせいか、苦学生という言葉を好んで使った。「直貴は苦学生だもんなあ」というのが口癖のようになっている。それを客に吹聴《ふいちょう》することさえあった。中年の客や、彼等の隣にいるホステスまでもが感心したような目で直貴を見た。マスターは彼の存在が、店のイメージアップに貢献していると信じているようだった。

だが直貴は油断してはいなかった。たとえどんなに親身になってもらおうと、決して心を許すまいと決めていた。剛志のことは絶対に知られてはならない。そうなったらおしまいだ。この生活も奪われる。それはマスターがエスニック料理店の店長と同様にふつうの人間だからだ。ふつうの人間は自分のような者を受け入れてはくれないのだ——。

うとしていた。

武島剛志などという人物は存在しない、自分は昔から一人きりだった、そう思い込も

2

この夜は客が少なく暇だった。まだ電車が動いているというのに、グループ客が全く来ない。カウンターにカップル客が二組と、男性の一人客がいるだけだ。しかもカップル客の一方はブランデーを舐めるようにちびちびと飲んでいるだけだし、もう一方のカップルは男女揃ってジンライムばかり注文する。腕をふるうチャンスもないマスターは退屈そうだ。そしてひとりぼっちの男性は、バーボンをロックで飲みながら直貴に時々話しかけてくる。忙しければ適当に聞き流せるが、ほかに客がいないので相手をするしかない。愛想笑いをしながらくだらない話に相槌を打つのは、苦痛以外の何物でもなかった。

十二時前になって新たな客が入ってきた。黒いロングコートを着た女性だった。ちらっと見たかぎりでは覚えがなかったので、自分が働き始める前に来たことのある客だろうと直貴は思った。初めての店に女性が一人で入るということは、まずない。

やあ久しぶりですね——当然マスターの口からそんな台詞が出るものと思っていた。

しかし彼は、いらっしゃいませ、と硬い口調でいっただけだ。その目には戸惑いの色があった。

女性客が直貴のほうに目を向けた。同時に、にっこりと笑いながら近づいてきて、コートを脱ぎながらスツールに腰掛けた。彼女はコートの下には白いニットを着ていた。

「久しぶり」

「えっ?」

「忘れたの? 冷たいなあ」彼女は上目遣いで睨んできた。

「あ……」その表情、というより言葉のアクセントで思い出した。白石由実子だった。前に合った時よりも一回り以上痩せている。おまけに髪が長くなり、化粧をしているので見違えたのだ。

「君か」

「久しぶり」由実子はカウンターに両肘を載せた。「元気だった?」

「まあね。どうしてここに?」

「合コンがあったの。みんなはカラオケに行ったけど、つまらないから抜けてきた。で、直貴君の顔でも見ようかなと思って」

「そうじゃなくて、どうしてここに俺がいることを知ってたんだ」

すると由実子はにやにやした。「さあ、どうしてでしょう」

直貴は少し考えて、すぐに答えを見つけた。「寺尾から聞いたのか」

「先週、ライブに行ってきた。楽屋へ挨拶に行ったら、すっごく懐かしがられちゃった。寺尾君は時々ここに来るんだってね」

「ごくたまにだよ。それより、何か注文しなくていいのか」

「あっ、じゃあシンガポールスリング」

粋な飲み物を知ってるんだなと思いながら、それをマスターに伝えた。

この店で働き始めた直後に寺尾から連絡があった。新しい職場のことをいうと、是非一度行くよと彼はいった。そして本当にその週のうちにやってきた。それ以来、月に一度くらいのペースで顔を見せる。もちろん、直貴がバンドを抜けたことについては、今ではもう何もいわない。それどころか、バンドのこと自体、彼のほうからは決して切り出さない。彼は直貴の近況を訊くばかりだ。だから直貴からバンドや音楽の話題を出すのだが、彼はいつも何となく答えにくそうだった。それでも初CDが年明け早々に出るということは聞き出していた。

「大学、昼の部に移ったそうやね。よかったね」シンガポールスリングを一口飲んでから由実子がいった。

まあね、と直貴は頷いた。

「会社、急に辞めてるんやもん。びっくりした」

「昼間は働けないからな」

「それでバーテン見習いか」

男性の一人客が、おかわりを、といってグラスを持ち上げた。直貴は返事し、バーボンのロックを作った。それぐらいなら彼でも作れる。男性客はちらちらと由実子を見ているが、彼女は気づかないのか店内を見回している。

「今、どこに住んでるの？」由実子がまた話しかけてきた。

「どこでもいいじゃないか」

すると由実子はカウンターの上に重ねてあったコースターを一枚取り、直貴のほうに滑らせた。

「何だよ、これ」

「連絡先。寺尾君から教わった番号にかけても繋がらへんの」

「電話引いたんだけど、めったに部屋にいないから止めてあるんだ」

「ふうん……じゃあ住所」

「そんなもの知ってどうするんだ」

「ええやないの、別に」彼女はコースターをさらに押し出した。

ははは、と笑い声がした。バーボンを飲んでいる男性客だった。

「彼女、直貴はやめたほうがいい。こいつは競争率が厳しいから。こいつ目当ての女が何人も来るんだ。なあ？」直貴に同意を求めてきた。

「そんなことないですよ」

「いや、有名な話だぜ。それより彼女、奇麗なピアスしてるね。どこで買ったの？」

「えっ、これ？　こんなの渋谷で買った安物だよ」

「へえ、そう。じゃあ、ヘアスタイルと合ってるのかな。髪はどこで切ってるの？」

また始まった、と直貴は腹で毒づいた。この男のいつものパターンだった。まずアクセサリーを褒め、髪型を褒め、化粧の仕方を褒め、最後には土台を褒めるのだ。褒め言葉に勝るくどき文句なし、などと講釈をたれていたこともある。

男はプロダクションの社長だった。自称だから真偽のほどはわからない。知り合いに多くの有名タレントがいるように話すのも、彼の大きな武器だった。現に由実子も、男の話を興味深そうに聞いている。助かった、と直貴は思っていた。自分の過去を知る人間とはあまり絡みたくなかった。

由実子がトイレに立った。それを待っていたように男が直貴を手招きした。

「彼女、直貴とは何でもないんだろ」

「ありませんよ」

「じゃあ、持ち帰ってもいいかな」

直貴は一瞬迷ったが、御自由に、と答えた。

男が上着のポケットから何か出してきた。白い錠剤だ。

「これ、砕いてさ、次の飲み物に……な」男は狡猾そうに笑った。

「それはちょっと、やばいな……」

「頼むよ。大したことじゃないだろ」男が握手をするように直貴の手を摑んだ。掌に何か挟まれている。小さく折り畳んだ札だとすぐにわかった。

由実子が出てきた。直貴たちは手を離した。札は直貴の掌に移っていた。後ろを向いて金額を見た。五千円札だったので、彼は小さく舌打ちをした。

「もっと何か飲みなよ」男が由実子にいっている。

「もう結構飲んじゃったもんなあ。じゃあオレンジジュース」

男が目で合図してきた。直貴は表情を変えず、カウンターの下で先程の錠剤を砕いた。

マスターはほかの客の相手をしている。

「ジュースを飲んだらさ、もう一軒俺の知ってる店に行かない？　送っていくからさ」

「あ、ごめんなさい。あたし、直貴君に送ってもらうの」やや呂律の怪しい口調で彼女はいった。

「俺、まだ仕事があるんだ」そういいながらオレンジジュースを彼女の前に置いた。

「じゃあ、お店が終わるまで待ってる」

「まだ何時間もあるよ」

「いいの、待ってるからあ」

「いい加減にしてくれよ」直貴の言葉に由実子は表情を凍らせた。その目を見つめながら彼は続けた。「迷惑なんだよ。この人に送ってもらったらいいだろ」

彼女の目がみるみる赤くなった。何かを叫び出しそうな気配がある。だが彼女は口を開く前に手を出していた。オレンジジュースのグラスが直貴のほうに倒れた。声を上げたのは彼のほうだった。

何するんだ、といった時には由実子は店を出ていた。男がそれを追いかけていく。

「おい、直貴」マスターが眉をひそめた。

すみません、と謝りながら彼は床の掃除を始めた。由実子の後ろ姿を思い出し、俺は昔の俺じゃないんだと呟いた。

3

帝都大学経済学部経営学科は、一学年に約百五十人いる。それでも学内で最も大きな階段教室を使うと、がらがらの印象があった。前のほうの席は特にそうだ。最前列に座っているのは直貴ただ一人である。つまり自分が編入してくるまでは、誰もいなかったのだなと彼は思った。

自分にはハンディがある、と彼は自覚していた。途中から入ってきたのだから、講師陣に顔を知られていない。一刻も早く覚えてもらわねば、就職活動などの時に苦労すると予想していた。もちろん、講師に近いところで受講したほうが学問を身に着けやすいというメリットもある。

自分は異分子だ、とも思っていた。他の学生たちは入学直後から顔を合わせているのだから、それぞれに親しいグループを作り上げているだろう。二年生から途中編入してきた彼を、胡散《うさん》臭そうに見るのは当然のことだった。誰とも口をきかないというわけではなかったが、通学課程に移ってから六か月近くが経つ今も、友人と呼べる者はいなかった。

だからこの日の四講目が終わった後、一人の学生が話しかけてきた時も、何か事務的な用があるのだろうとしか思わなかった。

西岡という学生だった。背が高く瘦せている。よく日焼けしているのは、何かスポーツをしているせいだろう。服装がいつも洒落ていることにも直貴は気づいていた。

ちょっといいですか、と西岡は声をかけてきたのだった。同じ学年だが、他の学生はなぜか直貴に対して敬語を使う。

「武島さん、合コンって好きですか」

「合コン?」予想していない言葉だった。「好きも嫌いもないよ。行ったことないから」

合同コンパをしている様子は店で何度も見ているが、そのことはいわないでおいた。

「行く気ないですか。今度の土曜日なんですけど」

「えっ、俺を誘ってくれてるわけ？」

はあ、と西岡は頷いた。やや気詰まりそうな顔をしている。

「どうして俺に？　誘える相手はいっぱいいるんじゃないの」

「それがねえ、ちょっとわけありで」

「どういうこと？」

西岡は鞄を開け、小さな写真用ファイルを出してきた。それを開き、直貴に見せた。

そこに写っている光景には見覚えがあった。秋の大学祭でのワンシーンだ。経営学科では模擬店をいくつか出した。その中の一つにクレープ屋があった。写っているのはその屋台の前で、そこには退屈そうに紙コップのコーヒーを飲んでいる直貴の姿があった。大学祭中は来なくてもよかったのだが、店に出るまでの時間潰しに寄ってみたのだ。

「大学祭に、高校時代の女友達を呼んだんです。その子、東都女子大に行ってて、今度合コンしてくれよって頼んだら、してもいいけどイモはお断りだっていうんです」

「その子は自分に自信があるんだ」

「大したことないんっすけどね。でまあ、じゃあどんなのならいいんだってことで、参考までに大学祭の時に撮った写真を見せたわけです。そうしたら写真を見ながら何人か選んできたんですけど、その中に武島さんも入ってたんです」

「俺を選んでくれたわけ？」ふっと笑った。悪い気はしない。「写真写りがよかったのかな」

「その友達は武島さんのことを覚えてたんです。ちらっと見ただけだけど、この人は格好よかったはずだ、とかいってましたよ。俺も渋い人だっていっときました」西岡はにやにやした。

「渋い人ねえ……」無口で陰気というのを遠回しに表現したに違いなかった。

「どうっすか？　都合つきませんか」

「そうだな」少し考えてから直貴はいった。「俺、通信からの編入組だぜ。そのことは相手にいってあるのかな。その場になって恥をかきたくないからさ」

「いってないけど、そんなことは関係ないんじゃないですか。今は俺たちと同じなわけだし」

本当にそう思ってくれているのかと思ったが、口には出さないでおいた。

「どうですか。五対五なんですよ。こっちに注文をつけてくるぐらいだから、そっちもいいのを連れてこいっていってあるんですけど」

能天気な世界だな、と直貴は思った。あれほど憧れた大学生活が、こんなに軽薄な毎日の繰り返しというのは、少なからずショックでもあった。だがこの毎日の中から何かを掴み取らねばならないのだと彼は感じていた。

「いいよ。でも俺、気のきいたことは何もできないから」

「大丈夫ですよ。ただ座って、女の子たちの話に合わせてりゃいいんです」

女友達への義理が果たせたと思ったからか、西岡の顔には安堵の色があった。

合同コンパの会場は渋谷のレストランだった。直貴はふだん店に行く時とあまり変わらない服装で部屋を出た。

初めての体験だが特に緊張はしていなかった。店で何度も見ているから大体の雰囲気はわかる。何より、若い女性との会話には慣れていた。西岡に教えられるまでもない。ただ適当に話を聞いてやればいいのだ。

直貴は『ＢＪ』で働くようになって、自分がどうやら女性から好まれる容姿と雰囲気を持っているらしいと考えるようになった。一人でやってくる女性客の中には、露骨に誘いをかけてくる者も少なくなかったからだ。銀座のホステスに誘われ、彼女の部屋まで行ったこともあるし、閉店間際を狙ってやってきた女性客に、突然キスされたこともあった。

しかし彼は迂闊《うかつ》に深い関係になってはならないと自分を戒めていた。もしも自分がいわゆるもてるタイプであるならば、それを有効に利用しない手はないと考えていた。なぜなら今のところ、それしか武器がないからだ。そしてそれは決して小さい武器ではないと考えていた。

レストランにはまず男性陣五人が先に集まった。西岡を含めた他の四人も、たしかに女性には人気があるほうだろうという容姿を持っていた。

西岡が中心になって、あれこれと段取りをつけ始めた。席順や料理だけでなく、会話の流れまで決めておこうとしていることに、直貴は少し呆れた。

「武島さん、今日は俺たちタメロでもいいですか」西岡が訊いてきた。「だって不自然でしょ、武島さんにだけ丁寧な言葉遣いをしてるのは」

そうそう、と他の三人も頷いた。それを見て、結局彼等は自分のことを内心は異端視しているのだなと直貴は思った。

「どっちでもいいよ。タメロでも何でも」

「じゃ、タメロでいくってことで」

四人の相談が終わった頃、女性陣が現れた。男たちは立ち上がって彼女らを迎えた。女性たちは五人ともそれなりに奇麗な顔立ちをしていた。だからだろう、男たちの間にほっとしたような、浮き立つような空気が流れた。今夜は楽しくなりそうだ、と皆が思ったに違いなかった。

直貴はどんな相手が現れようとも構わなかったが、五人の中に一人だけ、彼の心の奥にある何かに触れるものを持った女性がいた。背中まで伸ばした髪は黒く、服装も黒ずくめのその女性は、この催しにあまり乗り気ではない表情をしていた。眉がきりっとしていて、目が吊り上がり気味で、閉じた唇はまさに真一文字だった。とっつきにくい美人の典型ともいえた。

西岡たちがあれほど綿密に段取りを組んだにもかかわらず、話の流れはさっぱり彼等の予想したものにはならなかった。西岡の女友達がおしゃべりで、彼女のペースに男性陣が巻き込まれてしまったからだ。それでもコンパが盛り上がっていることには変わりがなく、男たちも満足そうだった。

一人の娘が直貴のことを気に入ったらしく、あれこれと話しかけてきた。直貴は何か問われればそつなく答え、相手が話し始めれば相槌を打つという態度を繰り返した。店で客を相手にしている時よりはずっと楽だった。

その彼女が他の男に話しかけられた時、直貴は何気なく例の黒髪の彼女を見た。すると向こうも彼のことを見ていたのだった。すぐに彼女は目をそらしたが、宙で一瞬視線がぶつかったのは事実だった。

中条朝美《なかじようあさみ》というのが彼女の名前だった。自己紹介の内容の中で、哲学科だということだけ直貴は覚えていた。というより、彼女はそれ以外のことはろくに話さなかったのだ。男性陣が懸命に繰り出す話題に女性たちが盛り上がっている時でも、彼女だけは関心がないといった表情で、ただ一人煙草を吸っていた。場の緊張がとけて各自が席を移動するようになると、その美貌に引かれてか何人かの男子が親しげに話しかけていったが、その応対は素っ気ないものだった。脈がないと諦めた男たちは、早々に彼女の前から退散していく。

その中条朝美が瞬間的にしろ自分を見つめていたらしいことをどう捉えるべきか、直貴は迷った。もしかしたらこの中で唯一彼にだけ興味があって、話しかけられるのを待っているのかもしれない。だがここで一人の女性と親しくなって、どんな意味があるのかと自問した。適当に遊ぶガールフレンドなら、店に通ってくる女性の中に何人かいる。自分の身の上など話さなくても済む相手だ。あるいは嘘をいっておいても問題ない相手だ。特定の恋人を持ちたいとは思っていない。親しくなりすぎると、別れる時に辛いだけだ。

そのレストランでの飲み会はお開きになり、二次会としてカラオケボックスに行こうと西岡たちがいいだした。呑気な学生たちに付き合うのもここまでかなと直貴は思った。

「俺、帰るよ」西岡にこっそりいった。

「えっ、そうなんすか」

「結構みんな楽しそうにやってるみたいだし、一人ぐらい抜けたってどうってことないだろ。ちょっと疲れたし」

「狙ってる子はいないんすか」西岡はにやにやした。

「今日はいいよ。みんなに譲る」

「わかりました。じゃ、また」西岡はしつこく引き留めたりはしなかった。

レストランを出たところで皆と別れ、直貴は一人で渋谷駅に向かった。それほど遅い時間でもないので、街は若者たちでいっぱいだった。人とぶつからないよう気をつけながら太い横断歩道を渡り、渋谷駅に入った。

切符を買おうと並んでいる時、横から視線を感じた。見ると、中条朝美が隣の列から彼を見ているのだった。彼は笑いかけ、小さく手を上げた。彼女は笑顔を見せることもなく、ぺこりと頭を下げた。

彼女もカラオケを断ったらしい。直貴としては別段意外ではなかった。

券売機の前には彼女のほうが先に立った。直貴は何気なく後ろから眺めていた。すると彼女は黒いバッグの中を探った後、切符を買うことなく、突然機械の前から離れた。その後もしきりにバッグの中を気にしている。やがて顔を上げたが、困惑の表情が浮かんでいた。

何があったのか、直貴は察知した。少し迷ったが、列を離れて彼女に近づいた。

「どうしたの？」

彼に話しかけられて驚いたようだが、すぐに彼女は眉をひそめて首を振った。

「さっきの店に財布を忘れてきたみたい。たぶんトイレだと思うけど」

「それはまずいな」直貴の思ったとおりだった。「取りに戻るしかないね」

「うん。見つかるといいけど」

「俺も付き合うよ」

「あ、大丈夫。一人で行けるから」彼女は手を振った。

「そう？」直貴は彼女の表情を読んだ。ついてこられるのを嫌がっているようには見えなかった。「でも、まあ、付き合うよ。場合によっては西岡たちに連絡しなきゃいけないかもしれないし」

「そうか……ごめんなさい」

「急ごう」

二人は足早にレストランに向かった。会話はなかった。彼女にしてみればそれどころではないだろうと直貴は思った。

レストランに着くと、彼を外に待たせ、彼女だけが中に入っていった。厄介なことになったなと直貴は考えていた。もし見つからなくても、このまま自分だけ帰るわけにはいかないと思った。下手をしたら警察まで付き合うことになるかもしれない。

西岡たちが行ったカラオケボックスはどこだろうと考えていると、中条朝美が店から出てきた。表情から険しさが消えている。

「あった？」

「うん」彼女はようやく笑顔を見せた。「やっぱりトイレに忘れてたみたい。誰かが店の人に渡してくれたらしいの」

「よかった」

「ごめんね。付き合ってもらっちゃって」

「そんなことはいいよ」

再び渋谷駅に戻る道を二人で歩いた。しかし今度はかなりゆったりとした歩みだった。そして今度は無言ではなかった。

「カラオケ、君も行かなかったんだね」

「うん。なんか、そんな気分じゃなかったし」

「今日の合コン、あんまり気分が乗ってなかったみたいだね」

「そんなふうに見えた？」

「見えたさ。そうじゃなかったのかい？」

「ううん。あなたのいうとおり。全然やる気なし。人数が足りないからって頼み込まれて、仕方なく来ただけ。レポートで何度か助けてもらってるし」

「なるほどね。財布が見つかってよかった。これで財布がなくなってたら最悪の夜になるところだった」

「ほんとにそうよ。でも、あなただって適当にしゃべってるだけだったでしょ」

「まあね。合コンとかはあんまり好きじゃないんだ」

「彼女に叱られるんじゃないの？」

「そんなのはいないよ」

「どうかな」

渋谷駅のそばまで戻ってきた。後は横断歩道を渡るだけだ。直貴はここでも迷った。このままふつうに別れたほうが面倒がなくていい。電話番号を教え合うこともなく、お互いの詳しい情報を交換することもなければ、時間が経てばこの娘のことを忘れるだろう。

信号が赤から青に変わりそうだった。気持ちは迷っていたが、彼は口を開いていた。

「もし時間があるなら、お茶でもどう？」

中条朝美は驚いた顔をしなかった。腕時計を見るとすぐに頷いた。

「うん、一時間ぐらいなら」

直貴は複雑な思いを噛みしめながら頷いた。彼女が断ってくれれば、このまま思い残すことなく別れることができた。彼は自分が妙な希望を抱きそうになるのを恐れていた。そのくせやはり心は少し弾んでいる。

喫茶店に入り、直貴はコーヒーを注文した。中条朝美はアイスミルクティーだ。

「あたし、みんなよりも一つ年上なのよね」ストローで一口飲んでから彼女はいった。

「浪人？」

「違う。留年。一年の時は殆ど出席しなかったから」

「ふうん。病気か何かで？」

「ううん。なんだか行く気がしなくって」

何か事情があるようだったが、直貴は踏み込まないことにした。

「だからちょっと話が合わないのよね。今日の仲間とは」

「それで合コンも楽しくなかったわけか」

「それだけじゃない。合コンなんてくだらない」朝美はバッグから煙草とライターを取り出した。「今日の女の子たち、半分は煙草を吸うよ。でも男の前では我慢してるわけ」

「君、彼氏はいるの？」

彼女は直貴に向かって煙を吐いた。

「ボーイフレンドぐらいならね」

「なるほど。どうりで」

「彼氏っていうのとは違うよ」彼女はガラスの灰皿に灰を落とした。「武島さん……だっけ、あなたも留年組？」

直貴は苦笑した。「そう見える？」

「何だかほかの男の子たちとは雰囲気が違ったから。留年してなかったらごめんなさい」

「留年じゃないけど、よそ者だ。通信から編入したんだ」

「通信？　ああ……」指に煙草を挟んだまま彼女は頷いた。「珍しいね」

それについて彼女はしつこく尋ねてこなかった。

4

時間は瞬《また》く間に過ぎていった。別れ際に朝美は携帯電話の番号をメモした紙を差し出してきた。「何かあったら連絡ちょうだい」

何かって何だろうと考えながら直貴はそれを受け取った。交換に彼は部屋の電話番号を書いたメモを渡した。

「でも平日の夜はたぶんいないと思う」

「そうか。六本木のお店でバイトしてるっていってたもんね。今度、そのお店に行ってもいい？」

「いいよ」彼は財布からマスターの名刺を出した。その裏に地図が印刷してあるのだ。

その夜アパートに帰った直貴は、店からくすねてきたウイスキーを飲んでから寝床に入った。中条朝美との会話の一つ一つを思い出し、彼女の表情を瞼の裏で描いた。また会いたい、というのが正直な気持ちだった。だがその一方で、会っても仕方がない、とも思うのだった。彼女はどうやら良家の子女らしい。家は田園調布だといっていたから、それなりに裕福な家庭の育ちなのだ。自分とは釣り合いそうもない。また彼女の両親が自分の境遇を知ったなら、即刻交際に反対するだろうと予想もついた。

変な夢を見るな、と彼は自分自身にいい聞かせた。下手に希望を抱くととんでもない恥をかくことになるぞ——。

それから彼は苦笑した。何を考えているんだ、俺は。中条朝美のほうが自分など相手にしないに決まっている。携帯電話の番号を教わったぐらいでいい気になってはいけない。

一晩眠れば彼女に関する記憶も薄れているはずだ。そのことを願いながら、彼は眠りに入れるよう努めた。

しかし彼女の記憶は、彼が期待したようにはうまく消えてくれなかった。むしろ日が経つにつれて鮮明になってくるようでさえあった。いくつかの会話の断片は、常に彼の頭の中でリピートされていた。

それでも直貴は彼女に電話をかけようとは思わなかった。それをすれば何か取り返しのつかないことになりそうな予感があった。彼女のことを考えると胸騒ぎがしてしまうのだが、それもいずれはおさまるものだと信じていた。

合コンから十日ほどが経った夜のことだった。いつものように直貴が店でカウンターの仕事をしていると、カップルの客が入ってきた。しかしその二人を見て彼はどきりとした。女性が中条朝美だったからだ。

無論偶然ではなく、あの名刺の裏に描かれた地図を頼りに、彼女が彼を連れてきたに相違なかった。しかし彼女は直貴に話しかけてはこなかった。カウンターの席に連れの男性と並んで座り、店内を見回しているだけだった。

話しかけられないかぎり、こっちから馴れ馴れしく声をかけたりしないのはこの店のルールだった。直貴はほかの客に対する時と同様、まず二人にメニューを渡した。

彼女がバーボンのソーダ割りを注文すると、男も同じものでいいといった。どこか投げやりな口調だった。

男は直貴よりも少し年上に見えた。濃いグレーのジャケットを羽織り、中にはハイネックのインナーを着ていた。こまめに美容院に行っているのか、長すぎても短すぎてもおかしくなる髪型を完璧に保っている。

直貴はなるべく二人のほうは見ないように努めたが、会話が断片的に耳に入ってくるのはどうすることもできなかった。詳しい内容はわからなかったが、どうやらあまり弾んだ会話でないことはたしかなようだった。

「時間の無駄だっていってるの。お互い、次のことを考えたほうがいいよ」朝美の声が聞こえた。

男が何かぼそぼそと答えている。やってみなきゃわからないと思うんだ——そんなことをいっている。

「あたしのほうは結論が出てるの。もうこれ以上、遠回りはしたくないんだけど」

「何が遠回りなんだ」

「こんなふうに話してることに何か意味がある？　堂々巡りじゃない」

「そっちは結論が出てるかもしれないけど、俺のほうは納得してないんだ」

「そりゃあ納得はできないと思うけど、仕方ないんじゃないの」

ちょっと、と朝美が直貴に声をかけてきた。彼がどきりとして見ると、彼女は空になったタンブラーを前に出した。「同じものを」

直貴は頷いてタンブラーを下げた。朝美は平然としている。

その後も二人の会話は続いた。どちらも極端に声を落としたので、もはや直貴には何も聞き取れなくなった。しかし二人を取りまく雰囲気が陰鬱であることには変わりがなかった。

二杯目のバーボンソーダが空になった時、突然朝美が立ち上がった。

「もうやめよ。もう十分でしょ。これ以上話しても無意味だよ。あたし、帰るから」

「ちょっと待てよ」

しかし彼女は男の言葉に耳を貸さず、一万円札をカウンターに置くと、椅子の背もたれにかけてあったコートを抱え、店を出ていってしまった。男も、さすがにすぐ追いかけるのはみっともないと思ったか、自分の飲み物がなくなるまでは座っていた。

男が出ていって少ししてから店の電話が鳴った。直貴が出ると、朝美の声が聞こえた。

「あいつ、もう帰った？」

「ついさっき帰ったよ」

「そう。じゃあ、これからもう一度行くから」そういって彼女は電話を切った。

間もなく朝美が戻ってきた。さっきと同じ場所に腰掛け、直貴に笑いかけた。

「ごめんね。感じ悪かったでしょ」

「そんなことは別にいいけど……彼氏のほう、大丈夫なの？」

「まさかこの店に戻ってきてるとは思わないんじゃない」彼女は鼻の上に皺を寄せた。

「なんだか深刻そうだったね」

ふふん、と彼女は鼻を鳴らした。

「察しついたと思うけど、別れ話をきりだしたわけ」

「やっぱり彼氏、いたんじゃないか。ボーイフレンド程度だっていってたけど」

「自分としては、もう彼氏じゃなくなってたってこと。それを今日、はっきりさせたの」

「ここに連れてきたってのは、何か狙いがあったのかい」

「まあね。自分がひるまないように」

「ひるむ?」

「さっきの彼、結構口がうまいのよね。情に訴えてこられたら、何となく説得されちゃうおそれもあったの。だからここに来たわけ。ここだと武島君がいるでしょ。あなたが聞いてると思えば、いい加減なことはいえないと思うものね。おかげで最後まで気持ちが変わらなかった」

「別れちゃってよかったのかい」

「やっと決着をつけられた。すっきりしたって感じ」

カクテルを何杯か飲んだ後、中条朝美は帰っていった。

その夜以後、時折彼女は店にやってくるようになった。友達と一緒のことが多いが、一人きりで来ることもあった。男性と来ることはなかった。

奔放で大胆な性格だが、呆れるほど子供っぽいところを持ち合わせた女性だった。直貴は彼女と話していると、自分の中で眠っていた何かが呼び覚まされるような気がした。あれほど自分にいい聞かせていたにもかかわらず、直貴は彼女にひかれていく気持ちをどうすることもできなかった。彼女は自分に好意を持ってくれている、という確信もあった。

ごく自然にデートするようになり、何度目かの帰りに直貴は彼女を自分の部屋に招待した。女性を部屋に呼んだのは初めてだった。

狭く殺風景な部屋で抱き合いながら、彼は愛の言葉を口にした。

5

休日のたびに直貴は朝美と会った。渋谷で買い物をしたり、遊園地に行ったりした。初めて東京ディズニーランドにも行った。このままではまずいと思いながら、直貴は朝美との交際を断ち切れなかった。クリスマスにはアルバイト代の中から少しずつ貯めた金で彼女にピアスを買い、都内のレストランで食事をした。さすがに泊まる余裕はなかったのだが、そのことを正直に打ち明けると、「お金があっても、たぶん予約がとれなかったよ」といって朝美は笑った。そして直貴の部屋でパーティの二次会をやろうよと提案してきた。コンビニで蠟燭と安っぽいケーキを買い、それを部屋に持ち帰ってクリスマスの続きをした。彼女の身体は彼の腕の中にあった。蠟燭の火が動くと壁に映る二人の影もなまめかしく揺らめいた。

「直貴、何だか楽しそうだな」店ではしょっちゅういわれた。マスターや他の従業員だけでなく馴染みの客にまで指摘されたから、余程にやけた顔つきをしていたのだろう。

そんなことをいわれた後も、なかなか厳しい表情には戻れなかった。

年が明けると、初詣に出かけた。行き先は明治神宮だ。なぜわざわざあんなに人の多いところへ皆は好きこのんで行くのだろうと馬鹿にしていたものだが、朝美と一緒だと混雑も楽しかった。朝美は振り袖を着ていた。着物姿の女性と一緒に歩くのは初めてだったので、直貴は手を繋ぐのにも気を遣った。

バレンタインデーには朝美が閉店直前にやってきた。まだ二人の仲をマスターに話していなかったが、彼は薄々感付いているようだった。

「直貴、今日もここに泊まるつもりなのか」マスターがこっそり訊いてきた。

「いえ、今日は帰るつもりです」

「だったら、片づけは明日でいいから、もう帰っていいぞ。彼女を待たせたらかわいそうだろ」

マスターのぶっきらぼうな言葉に、直貴はただ黙って頭を下げた。顔が熱かった。

クリスマスの時と同様に、彼の部屋でバレンタインデーの儀式を行った。すなわち朝美が作ったチョコレートケーキを二人で食べたのだ。コーヒーは彼がいれた。

その時初めて、彼女は自分の家に来てほしいといった。親に会わせたいという意味のようだった。

「別に堅苦しく考える必要はないの。このところ週末は必ず出かけてるものだから、ちょっと気にしてるようなのよね。前の彼氏と別れたことはいったから、じゃあ今は誰と付き合ってるんだろうと心配してるわけ。ほうっておけばいいのかもしれないけど、顔を合わせるたびに訊かれるのは面倒だし、あんまり無視ばっかりしてると、実際に会った時に直貴の印象が悪くなるような気もするし」

直貴には朝美の気持ちがよくわかった。おそらく口でいう以上に、家では圧力を感じているに違いない。ここで意地を張ることで、却って直貴との交際を続けにくくなりそうだというのも本音に違いなかった。もちろん、親が心配していることを感じ、できれば早く安心させてやりたいとも思っているのだろう。彼女が本当は親思いの性格であることを、これまでの付き合いの中から直貴は感じ取っていた。

彼としては、とうとう来るべきものが来た、という心境だった。予想よりも早かったが、避けられるものではないと覚悟はしていた。

しかしすんなりと頷けるかとなれば話は別だった。彼は食べかけのチョコレートケーキを前にして黙り込んだ。

「やっぱり、いや？」朝美は彼の顔を覗き込んできた。

彼は胸に溜めていた息をふうーっと吐き出した。

「今のままじゃだめだろうなとは思ってたんだ。朝美がいうように、御両親だって心配しておられるだろうと思ってたから」

「じゃあ」

「でも」直貴は唇を軽く噛んでからいった。「大丈夫かな」

「何が？」

「だから、俺なんかでだよ。俺みたいな何もない男が君の家なんかに行ったら、馬鹿にするなって追い返されるんじゃないかな」

「何もないって、どういう意味？　だって直貴に家族がいないのは、直貴のせいじゃないじゃない。家がないのも、直貴が悪いわけじゃないでしょ。家族も家も頼れる人もいないのに、直貴は自分の力だけで生きてる。それだけじゃなくて、大学にまで通ってる。そんな人間のことを誰が馬鹿にできるわけ？　もしそんなことをしたら、あたしのほうが親を軽蔑する。縁なんか切ってやる」

朝美の剣幕に直貴は苦笑した。

「馬鹿にはされないかもしれないけど、交際は反対されるんじゃないかな」

「だからどうしてそうなるの？」

「釣り合いっていうものがあるだろ。大人はそういうのを気にするじゃないか」

「釣り合いって何？　直貴には身寄りがなくて、あたしにはちょっとばかり小金を持ってる親がついてるってことをいいたいの？　そんなのナンセンスでしょ。あたしと直貴が釣り合ってるかどうかが重要なわけでしょ」

「それはそうだけどさ」直貴は下を向いた。

朝美の父親は、国内では三指に入る医療機器メーカーの役員だった。祖父の代から住んでいるという自宅は田園調布にあり、鎌倉には別宅まである。決して「小金を持ってる」などというレベルの暮らしぶりではないのだ。

「そりゃあ、もし直貴がどうしてもいやだっていうんなら、無理にとはいえないけど」朝美はコーヒーカップの中でスプーンを回した。陶器と金属の当たる音がした。

「逃げちゃいけないとは思っているんだ」

「まあ、気が重くなるのは無理ないけどね。あたしだって、正直いうと気が重いもの。彼氏がいることを親に話したことはあるけど、家に連れて行ったことは一度もないから」朝美はフォークの先でチョコレートケーキの残りを切り刻み始めた。

直貴としては決断すべきことがあった。剛志のことを彼女に話すかどうか、だった。彼女には『BJ』のマスター同様、自分は一人っ子だといっているのだ。

話せば彼女はどういう顔をするだろう。嘘をついていたこと自体は許してくれそうな気がした。今後の交際についてはどうか。直貴は、彼女なら理解してくれるのではないかと思った。何事につけ曲がったことが嫌いな彼女は、差別というものも憎んでいたからだ。

しかし、と直貴は思う。朝美が理解してくれるからといって、彼女の両親もそうだとはかぎらない。いや、社会的地位の高い人間であるほど、娘の相手の素性には神経を尖らせるはずだった。受刑者の弟、しかもその罪が強盗殺人とあっては、到底二人の仲を認めてもらえるとは思えなかった。

朝美はそれでもいいというかもしれない。あたしが家を出れば、親と絶縁すれば済むことだ、と。だがそんなわけにはいかないと彼は考えていた。

差別と偏見の脅威を熟知している彼は、今のままでは自分は幸福な人生など送れないと思っている。それを手に入れるには、何らかの力が必要だと確信していた。どんな力でもいい。ずば抜けた才能でも、財力でも。

その財力が中条家にはある。それを放棄することは、朝美にも自分と同様の苦痛を強いることに繋がるのだ。

もし剛志のことを隠すならば――。

朝美に対しても嘘をつかねばならないと直貴は思った。彼女にだけ本当のことを話し、両親には黙っていてもらうよう頼む、というわけにはいかなかった。彼女を共犯者にしたくなかった。いやそれ以前に、彼女はそんなことには同意しないだろう。豊かな中で生きてきた彼女は、それを失うことがどれほど恐ろしいことかを知らない。

兄貴のことは話せない、一生隠し続けなければならない――直貴の中で徐々に気持ちが固まっていった。

6

『前略　元気ですか。最近便りがないのでちょっと心配してるけど、勉強と仕事に忙しくて手紙を書く暇がないんだなと解釈しています。それでいいよな。別に大きな病気とかはしてないよな。正直なところ、葉書でもいいから送ってくれると安心です。元気だよ、と一言書いて送ってくれるというわけにはいかないかな。とにかくここにいると時間の感覚がよくわからないし、直貴とのつながりが全然感じられなくて落ち着かないです。

ところでそっちは桜はどうですか。ここは塀の中だけど、何本か桜の木が植えてあって、工場の窓から見えます。先週あたりが満開で、今はちょっと寂しくなってきたってところかな。

桜といえば、昔近所の公園におふくろと三人で花見に行ったことがあったよな。前日の晩ご飯のおかずの残りを弁当箱に詰めて、ピクニック気分てやつだった。たしかレンコンの天ぷらが入ってたと思うんだ。おれたち二人とも、レンコンの天ぷらが大好きだったもんなあ。天ぷらといえば、おふくろはまずレンコンを買ってくるんだ。それを揚げてくれるしりから、おれたちは取り合いしてたよな。がつがつ食って、肝心の晩ご飯が始まる頃には、もう殆ど残ってないんだ。天ぷらといえばレンコンと芋だったけど、おふくろは芋ばっかり食ってた。芋しか残ってなかったからだ。なつかしいなあ。うまかったよな、レンコンの天ぷら。思い出すだけでよだれがたれそうになる。ここでもおかずに出ないことはないけど、全然違うんだよ。

話がそれちゃったな。花見のことだ。たしか土曜や日曜じゃなくて、平日だった。おれたちの小学校の創立記念日とかじゃなかったかなあ。だからそんなに人が多くなくて、ベンチもけっこう空いてたんだよ。あの日、おふくろは仕事を休んだのかな。よく覚えてないけど、仕事のある日だったと思うんだよな。

それで弁当食べながら花見を始めたわけだけど、俺たちは全然桜なんか見てなかった。あの時直貴が段ボール箱に入った捨て猫を見つけて、それに夢中だった。おれたちおふくろに飼いたいといってせがんだよな。でもおふくろはだめだといった。直貴は泣いたし、おれだってわめいた。どうしてこんなかわいい猫を飼っちゃいけないんだ、このまま見捨てていくことなんてできないと思ったもんだ。

あの猫、どうなったかな。誰かに拾われてるといいな。だったら、まだ生きてるんじゃないか。

考えたらあの時はおふくろも辛かったと思うよ。おれたちの希望をかなえてやりたいけど、うちには猫に飯を食わせるような余裕はなかったもんな。なんせレンコンの天ぷらが御馳走なんだもんな。優しい人間でも、いつもいつもその優しさを誰にでも示せるものじゃないってことだ。あっちを取ればこっちを取れない、そういうことっていっぱいあって、何かを選ぶ代わりに何かを捨てるってことの繰り返しなんだな、人生は。変なこと書いちまった。おれなんかが人生なんて言葉を使っちゃいけないよな。笑ってくれ。
最初に書いたこと、ちょっと気にとめといてくれないか。本当にもう、元気だ、の一言でいいから、葉書にちょこちょこっと書いて送ってくれればいいんだよ。できれば、直貴の最近の写真を印刷したやつとかがいいんだけどさ。今はそういうの、簡単にできるんだろ。プリクラとかいって、小さなシールみたいな写真もあるそうじゃないか。でもそこまでするのは大変かな。だったらふつうの葉書でいいよ。とにかく送ってくれないかな。待ってるからさ。
まだ当分こっちから手紙を出すのは一か月一度しかだめみたいだ。また来月、書くよ。じゃあしっかりがんばってくれ。
武島直貴様
剛志』
読み終えた後、直貴はすぐに手紙を封筒ごと細かく破り、別の紙に包んでからゴミ箱に捨てた。それから洗面所に行き、自分の服装をチェックした。濃紺のジャケットは、昨年通学課程に編入できた時、自分への褒美として買ったものだ。中に着ているチェックのシャツも、コットンパンツもそうだ。まともな服といえばこれぐらいしか持っておらず、ちょっと気の張るところへ出かける時にはいつも着ていくので、かなりくたびれた感じになってきている。できれば新しい服を買いたかったが、その余裕はなかった。それに朝美は直貴の経済状態を把握している。今日だけ無理しても仕方がないだろうとも思った。

洋服に金をかけられない分、髪型と髭剃りには気を配った。やや長めだった髪は、昨日鏡を使って自分なりに整えてみた。我ながらうまくいったと思っている。髭はついさっき剃った。いつもより時間をかけ、念入りに仕上げたつもりだ。

ブラシを使い、もう一度髪型を整えた。人間は第一印象が大切だ、と直貴は思っている。最初に会った時の印象が悪いと、後々、何をやってもいいようにはなかなか見てもらえないものなのだ。逆にはじめがよければ、後で少々しくじっても大目に見てもらえることが多い。

鏡に向かい、笑顔の練習をした。いつだったか、寺尾と同じようなことをしたのを思い出した。ステージに上がった時の直貴の表情は硬すぎると彼はいうのだった。

「自分じゃ笑ってるつもりでも、なかなかそうは見えないんだよ。遠くからだと尚更だ。自分じゃ、ちょっとおかしいんじゃないかと思うぐらい笑って、それでちょうどいいんだ。ディズニーランドで踊ってる連中の顔を見てみろよ。よくまあおかしくもないのに、そんなに楽しい顔ができるもんだと感心するぜ」

ディズニーランドには朝美と付き合うようになってから初めて行った。それで寺尾の言葉を思い出しながらパレードを見たのだが、なるほどダンサーたちの笑顔にはひかれるものがあった。

暗い顔をしてちゃいけないな、と直貴は鏡に向かって呟いた。長い間、特に剛志の事件があってからは辛いことばかりだったので、陰気な表情が鉄錆《てつさび》のように顔にこびりついている。しかしそれでは人に好感を持たれることは少ない。バーで女の子を相手にしている時はいい。彼女たちは直貴の顔つきをクールだとか、憂いがあるとかいってくれる。だがそれはあの場所だから、そして彼女たちが相手だから成立することだ。しかし今日これから会おうとしている人々は、全く別の人種なのだ。

鏡の隅に貼ってあるプリクラのシールが目に入った。直貴と朝美が顔を寄せ合い、こちらを向いてピースサインを出している。横浜でデートした時、撮ったものだ。

さっき読んだばかりの剛志の手紙を思い出した。プリクラなんていう言葉を、兄はどこで知ったのだろう。刑務所内で読める雑誌に、そういうことが書いてあったのかもしれない。

直貴は全く返事を出していなかった。正月も無視した。先月の兄からの手紙には、三年生に上がれるのかどうかを尋ねる文面があったが、それにも答えていない。

いい加減に出してこなきゃいいのにな、と強盗殺人犯の弟は思うのだった。返事がないのは自分が疎まれている印だと、なぜ気づいてくれないのか。自分の書く手紙が、弟にとっては忌まわしい過去に縛り付けられる鎖だと、どうしてわかってくれないのか。

何がレンコンの天ぷらだ。呑気なものだ。おまけに昔を美化しようとしている。花見のことは直貴も覚えていた。あの捨て猫のこともだ。あの猫は、翌日公園に見に行ったら、箱の中で死んでいた。その時剛志も一緒にいたはずだ。そのことを忘れてしまったのか。

でも、兄貴のいうとおりだよ——直貴は鏡の自分にいった。あっちを取ればこっちを取れない、人生は何かを選ぶ代わりに何かを捨てるってことの繰り返しだ。

だから俺は兄貴を捨てるよ。俺には元々兄貴なんていない。俺はずっと、生まれた時から一人だった。これからもそうだ。

ドアホンが鳴った。直貴は時計を見た。約束の時刻になっていた。

ドアを開けると朝美が笑顔で立っていた。「準備、オーケー?」

「ばっちりさ」直貴は親指を立てた。

田園調布というところがあり、昔からの金持ちがたくさん住んでいるらしい、ということは直貴も知っていた。しかし足を運んだのは初めてだった。朝美に連れられて歩いているうちに、街の空気自体が違うことに彼は気がついた。緑が多いせいだけではない。十分なゆとりを持った人々が、よそから入ってくる不純な空気を排除しつつ作りあげてきた街という感じがした。時間の流れもゆったりとしているように思えた。

朝美の家は、グレーのタイルを張った塀に囲まれていた。植え込みもあるので、門の前からだと洋風の屋根と二階の出窓しか見えなかった。しかし門のある家を訪れること自体、直貴にとっては初めての経験だった。

玄関から入ると、朝美が奥に向かって、ただいま、と声をかけた。間もなくスリッパの足音がして、小柄な中年女性が出てきた。薄紫のニットに同じ色のカーディガンを羽織っていた。きちんと化粧し、髪もセットしているようだった。そのくせエプロンはつけたままだ。金持ちの主婦というのは家にいる時でもこんなふうなのかなと直貴は思った。

「約束通り、連れてきたわよ。こちら、武島直貴さん」

武島です、と彼は頭を下げた。

「で、この人があたしの母親、中条京子さん」

「何いってるの」京子は苦笑したまま直貴を見た。「よく来てくださいました。さあ、どうぞお上がりになって」

「お邪魔します」直貴は靴を脱いだ。豪華な玄関先で、自分のスニーカーがひどくみすぼらしい存在に見えた。靴を買わないと、と彼は思った。

「お父さんは？」

「いるわよ。庭に出て、ゴルフの練習中」

母娘のやりとりを聞き、直貴は緊張した。できれば父親とは長時間顔を合わせたくなかった。

「硬くならないで」そんな彼の様子に気づいたらしく、朝美が耳打ちしてきた。「敵だって緊張してるのよ。ゴルフなんて照れ隠しに決まってるんだから」

「だといいけどな」

リビングルームは二十畳ほどもあった。ダイニングテーブルが見当たらないから、食事をする部屋は別にあるのだろう。中央に大理石の巨大なテーブルがあり、それを囲むように革張りのソファが並んでいた。直貴は勧められるまま、真ん中のソファに腰掛けた。

ガラス戸の向こうには芝生を敷いた庭が広がっていた。かつーん、かつーんと軽い音が聞こえてくる。姿は見えないが、父親がネットに向かってゴルフボールを打ち込んでいるらしい。

朝美の母親がトレイを運んできて、直貴たちの前に紅茶の入ったカップとクッキーを並べた。カップが三つあったので、どうやら自分も腰を落ち着けるつもりらしいぞと直貴は思った。

果たして母親は直貴たちの向かい側に座り、あれこれと尋ねてきた。内容は大学のことやアルバイトのことなどで、一見何の脈絡もなく思いつくままに質問しているようだが、おそらくそうではないのだろう。にこやかに笑いかけてこられるので、直貴はつい気を許してしまいそうになるが、それらの質問の一つ一つが自分を分析する材料にされていることは忘れないようにした。

「ねえ、あたしの部屋に行かない？」朝美が訊いてきた。直貴が質問攻めにされているのを見かねたのかもしれない。

「あら、部屋はちゃんと片づいてるの？」たちまち母親が口出ししてきた。

「掃除ぐらいしたわよ」

「いいじゃないの、ここにいれば。邪魔だというなら、私はもうあっちへ行きますから」

京子は明らかに二人を部屋には行かせたくないようだった。

「ここだと直貴君がリラックスできないでしょ。さあ、行こうよ」朝美は立ち上がり、直貴の腕を引っ張った。そうかい、といいながら彼も腰を上げた。助かった、と内心ほっとしていた。

朝美の部屋は二階にあった。南側に窓のある八畳ほどの洋室だった。ブルーを基調にして、家具やらカーテンを選んであるようだ。ベッドカバーも薄いブルーだった。ロータイプのソファに腰を下ろし、直貴はため息をついた。

「緊張した？」

「そりゃあね」

「ごめんね。いくら何でもしつこすぎるよね。大学の成績まで聞き出そうとするなんて」

「母親としては、一人娘に変な虫がついたんじゃないかと思って、大いに心配なんだろ」

「それにしたって失礼すぎるよ。あの人はいつもそう。愛想笑いをしながら意地悪とかもするの」

「別に意地悪をされたとは思ってないけど……俺の印象はどうだったかな」

「悪くはないと思うよ。そんなに気にすることないよ。直貴と付き合ってるのは、お母さんじゃなくてあたしなんだから」

「あまり印象が悪いと、今後の交際を反対されるんじゃないかと思ってさ」

「そんなわけないけど、もしそういう馬鹿げたことをいうようだったら、そんな馬鹿親とはあたしのほうから縁を切っちゃうから安心して」

直貴は苦笑した。家族と簡単に縁を切れるものなら、自分はこんなに苦労しないと心の中で呟いた。

朝美のアルバムなどを見せてもらっていると、ノックの音がした。朝美が返事をする前にドアは開き、母親が顔を見せた。「夕食の支度ができたから」

「いつもいってるでしょ。ノックするのはいいけど、あたしが返事するまではドアを開けないで」朝美が抗議した。しかし母親は気に留めるつもりもないようだ。はいはい、と適当に答えると、ドアを開けたままにして立ち去った。

朝美は吐息をつきながら立ち上がると、一旦ドアを閉めた。「娘が自分のプライバシーを守ろうとするのが気に食わないのよ。親って変だよね」

「さあ、俺にはよくわからないな。庇護されているんだから当然なのかもしれない」

「いっそのこと親なんていないほうがいいと思っちゃう――」そういってから彼女は直貴をちらりと見て、俯いた。「あっ、ごめん」

「気にしなくていい。俺だって、親がいないほうが気楽だと思うことは多いんだ」彼は朝美の肩に手を置いた。「下に行こう。ぐずぐずしてると、またお母さんが来ちゃうぞ」

ダイニングルームに行くと、大きなテーブルの一番端で、見事な白髪をオールバックにした父親が新聞を読んでいた。直貴たちが入っていっても、一瞥《いちべつ》すらしなかった。先に挨拶するのはそっちだといわんばかりだ。

「あの、お父さん」朝美が声をかけた。

なんだ、と父親は答えた。しかし相変わらず新聞に目を向けたままだった。

「昨日話した武島さんよ。武島直貴さん」

「武島です。よろしくお願いします」彼は立ったまま頭を下げた。

父親はようやく新聞を置いた。老眼用と思われる眼鏡を外し、それでもまだ直貴を見ようとせず、目頭を指先で揉むようにした。

お父さん、と朝美がもう一度呼びかけた。

「うん、わかっとる」父親は直貴を見た。「娘がお世話になっているようだね」

「世話だなんてそんな……」直貴は目をそらした。

「帝都大の三年生だとか」

「そうです」

「朝美、おまえ何かいってたな。通信がどうのこうのと」

「前は通信教育部にいたんです。二年生の時に通学課程に転籍しました」直貴がいった。

ふん、と父親は鼻を鳴らした。「苦労しておられるわけだ」

「さあ、それは何とも」

「朝美」父親は娘を見た。「彼からはどういう影響を受けている？」

彼女は目を瞬《しばた》いて父親を見つめた。「影響って？」

「いろいろあるだろう。本の趣味が変わったとか、新しい世界を知ったとか。そういうことを訊いているんだ」

朝美は不安そうに直貴を見て、それからまた父親に視線を戻した。

「そんなこと、一言でいえないわよ。影響はいっぱい受けてると思うけど」

「だからそのうちの一つか二つを話せばいいんだ。子供じゃないんだから、自分の考えぐらいは話せるだろう」

朝美は唇を嚙み、息を吸い込んでから口を開いた。

「直貴君の強い生き方には学ばされることが多いの。肉親が一人もいなくて、それでも大学に通うなんていうのは、大変なことだと思うもの。あたしなんかには絶対にできないと思う。直貴君を見ていると、自分はもっとがんばれるはずだって痛感させられるの。そういう……何ていうかな、エネルギーみたいなもの与えられるわけよ」

彼女が話す間、父親は直貴の顔をじっと見つめていた。直貴は居心地が悪く、首の横を触っていた。

「エネルギーか。抽象的だな」

「だって」

「まあいい。じゃあ今度は君に訊こうか」朝美の父親は直貴にいった。「君はどうだ。朝美からはどういう影響を受けているのかな」

来たな、と直貴は思った。中条の狙いが元々こっちにあることは覚悟していた。彼は姿勢を正した。

「彼女と話していると」彼は唇を舐めた。「自分の知らなかった世界への扉が簡単に開くんです。僕はこれまで社会の中でも底辺のことしか知りませんでした。これから向上していきたいと思っていますが、僕にとっては知らないジャングルに入っていくようなものです。彼女は僕にとってコンパスであり、地図なんです」

「要するに、朝美と付き合うことで、少しばかり裕福な人間の生活を覗ける、ということかな」

「お父さんっ」

直貴は笑い顔を彼女に向けて宥《なだ》めた。それから再び中条を見た。

「僕は精神的な意味で申し上げたのですが、そういう物質的な面ももちろんあります。僕もできれば裕福な人間になりたいと思っていますから、成功している方々がどんな生活をしておられるかについては大いに興味があります。でもそれなら朝美さんでなくてもいいということになります」

中条は黙り込んだ。満点ではないが、合格点ぐらいはもらえる解答だろうと直貴は思った。朝美も少し安心したような顔をしている。

「さあさあ、何を難しいお話をしてるの。御食事にしましょうよ」京子がワゴンを押しながら入ってきた。

テーブルに並べられたのは四つの松花堂弁当だった。それに澄まし汁が添えられている。近くの仕出し屋から取り寄せたものらしい。てっきり手料理が出るとばかり思っていた直貴は、少し戸惑った。

「どうして今日はお弁当なの？」朝美が訊いた。彼女も知らなかったらしい。

「お買い物に行ってる時間がなかったのよ。せっかくお客様がいらっしゃるのに、間に合わせのものなんてお出しできないでしょ」

「今日のことは前からいってあったのに……」

「ここのお店は魚がおいしいんですよ。うちではよくここで料理をお願いするの」京子が直貴に微笑みかけた。「さあ、どうぞ遠慮なく」

「いただきます」頭を下げながら直貴は割り箸を手にした。

おそらく高級な店なのだろう。弁当の中身は絶品ばかりだった。直貴にとって初めて口にするものも少なくなかった。しかし彼は、もし自分のような貧乏学生が朝美の相手でなかったら、この母親は手料理をふるまったのではないかと想像していた。彼女は直貴に対して、わざわざ自分が料理を作るほどの対象ではないと判断したのだ。要するに、誠意ではなく金によって、今日のこの儀式をやりすごそうと考えたわけだ。

その母親だけがやけにうるさく話しかけてきたが、全体としては会話の少ない食事だった。父親は不機嫌そうに箸を動かし、時折ビールを喉に流し込んでいた。

「直貴君は二年生での成績がすごくよかったから、引き続き奨学金をもらえることになったんですって。それに教授にも気に入られていて、今からもう大学院に進まないかって誘われているのよ」

朝美が懸命にアピールするが、父親は曖昧な頷き方をするだけだ。そんなことには決して感心するまいと決めているように直貴には見えた。母親は一応感嘆の声を上げるが、どこか演技めいていた。

玄関のチャイムが鳴ったのは、そんな夕食が終わる頃だった。京子がインターホンのところまで行った。陽気な声で何か話すと、すぐに戻ってきた。

「あなた、タカフミさんがお見えになったけど」夫にいった。

「ああ、そうか。上げてやってくれ」中条の顔が幾分和んだように見えた。

「ええ、もちろん」そういって母親は出ていった。

「どうしてタカフミ君が来るわけ？」朝美が父親を見た。

「用があって呼んだんだ。仕事なんだから、仕方がないだろう」

「でもこんな日に……しかも日曜なのに」

話し声が近づいてきて、京子が入ってきた。そのすぐ後ろから、小柄だががっしりした身体つきの男が続いた。二十代半ばというところか。濃紺のスーツを着ていて、ネクタイもきっちりと締めていた。

「あっ、お客様がいらしたんですか」彼は直貴に気づくと、直立不動の姿勢をとった。

「いや、いいんだいいんだ。朝美の友達だ。もう食事も終わったし」

「僕は隣の部屋でお待ちしてましょうか」

「いいといってるだろ。とにかく座りなさい。おい京子、タカフミ君にもグラスだ」

はい、と答えて京子がキッチンに消えた。タカフミと呼ばれた青年は、少し躊躇《ちゅうちょ》を見せた後、中条に勧められるまま、彼の隣に腰を下ろした。その後、遠慮がちに朝美と直貴を見比べた。

「ええと、朝美ちゃんの友達というと、サークルか何かの？」

「ボーイフレンドよ」朝美は宣言するようにいった。

「武島です」父親が苦い顔をするのを目の端で捉えながら直貴は頭を下げた。

「へええ、朝美ちゃんのねえ。へええ」タカフミは少し目を開き、身体を後ろにのけぞらせた。

「やるねえ、朝美ちゃん」

「そうでしょ」

「それで御両親に挨拶《あいさつ》に見えたわけか。なるほど。それはまた大変な時に来ちゃったな」

タカフミはにやにやしている。しかしその目の奥に底意地の悪い光が宿ったことや、頬が微妙にひきつったことなどを、直貴は見逃さなかった。

「従兄《いとこ》よ」朝美が直貴にいった。「父のお姉さんの子供なの」

カシマタカフミです、といって彼は名刺を出してきた。嘉島孝文と活字が並んでいた。彼の勤める会社は、朝美の父親と同じだった。会社では上司と部下の関係にあるということらしい。

京子がグラスと新しいビール、そして酒の肴をトレイに載せて戻ってきた。孝文がグラスを手にすると同時に、中条がビール瓶を持った。ビールが注がれるのを直貴は見た。

「サンフランシスコはどうだった」中条が孝文に訊いた。

「いいところでしたよ。たった一か月でしたけど、あちこち見てまわれました」

「会社の金を使って遊びまわってたんじゃないだろうな」中条がにやりとする。

「それはまあ、そこそこに」

「こいつ」

中条の機嫌は先程までとは見違えるほどに良くなっていた。しかしそれもまた演技であることに直貴は気づいていた。自分は何かを思い知らされようとしているのだと自覚した。

「武島君……でしたっけ、大学はどちらですか」孝文が訊いてきた。

帝都大学経済学部だと直貴が答えると、孝文はふふんと鼻を鳴らして頷いた。

「悪くない大学じゃないですか。大したものだ」

悪くないが良くもない、といいたげな口調だった。直貴は孝文の出身大学は訊かないことにした。間違いなく帝都大学よりもランクが上に違いなかった。

例によって朝美が、直貴がいかにして今の大学に辿り着いたかということを、熱を込めて語った。しかし孝文は興味薄といった表情で、へええ、と発しただけだ。苦学生がどうした、そんなことを自慢にされてたまるか、という顔つきだった。

「経営学科ということは、将来は企業家でも目指してるのかな」

「いえ、そんなことは全然」

「全然？　欲がないな」孝文は隣の中条を見た。「僕は雇われるだけの立場で終わる気はありませんよ。専務の前ではちょっといいにくいけれど」

中条は、ふっふっと肩を揺らした。

「君にどこまでやれるか見物《みもの》だな。しかしまあ、男はそのぐらいの気概がないとな」

「でも口でいうだけなら何とでもいえるじゃない」朝美が反撃した。

「口だけかどうかは十年後にわかることだよ」孝文はにやりと笑ってみせた。余裕を示したつもりかもしれなかった。

「君、どういったところに就職するつもりかね」中条が直貴に尋ねてきた。

「まだ具体的には考えていません」

「まだ？　それはまたずいぶんとのんびりした話だな」

「だけど直貴君は三年になったばかりなのよ」

「僕は三年になった時から会社の調査を始めてたな」孝文が酒の肴をつまみ、ビールを飲んだ。

「おいしい。叔母さんの手料理にはいつも感激させられるなあ」

「そうでしょ。特上の蟹をいただいたから、それを使ったのよ」京子がうれしそうな顔をした。

その酒の肴の皿は孝文の前にだけ置かれていた。直貴に食べさせる気は最初からなかったらしい。

「そんなことといったって、孝文さんだって結局はお父さんの会社に入ったんじゃない」

「結局は、だろ。ずいぶんと考えた末のことだよ。いろいろな条件、待遇、将来性、それから自分のビジョンなんかを総合して、今の会社を選んだということだよ」

「それがたまたまうちの会社だった、というわけだろ」中条が肩を持つ。

そういうことです、と孝文は頷いた。

「人と同じようにやっていては、人と同じ程度の人間にしかなれない。それは間違いないことだ」中条は直貴を見ていった。「まあ、我々が口出しすることではないがね。うちの会社にだって、何となくサラリーマンをやっているという人間はごまんといるよ」

「直貴君が何も考えてないわけないじゃない。ねえ」

朝美から水を向けられたが、直貴は黙っていることにした。この場で何をいっても無駄だと思ったからだ。彼は自分が今日ここに招かれた理由を理解していた。

「もうこんな時間か」中条が壁の時計を見た。

その言葉が何を意図したものかは直貴にもわかった。朝美を見て、じゃあそろそろ失礼するよ、といった。

彼女は引き留めようとはしなかった。そう、と申し訳なさそうな顔をしただけだ。彼の心中を察しているに違いなかった。

「駅まで送っていく」玄関先まで出たところで朝美がいった。

「いいよ、もう遅いから」

「でも」

「朝美」後ろで京子がやんわりといった。「もう遅いんだし」

「まだそんな時間じゃないでしょ」

「いいから、本当に」直貴は彼女に笑いかけた。「ありがとう」

「じゃあ僕が車で送っていこう」孝文がいった。「自宅までとはいかないけど、どこか便利な駅まで」そういうなり靴を履き始めた。

「いいえ、結構です。そんなに乗り換えは多くないし」

「最寄り駅はどこ？」

「狛江《こまえ》ですけど」

「じゃあ南武線で登戸《のぼりと》まで？」

「そうです」

「それなら武蔵小杉まで送っていこう。そうすれば乗り換えは一度で済む」

「本当に大丈夫ですから。それにビールを飲んでおられたでしょ」

「一口だけだよ。君ともう少し話をしたいなと思ってたんだ。叔父さん、いいでしょ？」

「ああ、そうしてやってくれ」中条は頷いた。

直貴は朝美を見た。彼女も反対していいのかどうか迷っている顔だった。孝文の気持ちがわからないのだろう。

「じゃあ、お願いできますか」彼は訊いた。

「いいよ、今、車を出すから」孝文は先に歩きだした。

孝文の車は紺色のＢＭＷだった。ハンドルは左側なので、直貴は道路側に回らねばならなかった。朝美も一緒についてきた。

「今日はいろいろとありがとう」乗り込んでから直貴は窓越しにいった。うん、と彼女は頷いた。

また電話するから——そう付け足そうとした。ところがその前に車は動きだしていた。急発進に近い動きだった。直貴はシートに背中を押しつけられたまま運転席を見た。孝文は先程までとはうってかわった淡泊な表情で前を見ていた。

「わざわざすみません」一応礼をいい、彼はシートベルトを装着した。

「君はどういうつもりか知らないけどさ」孝文が口を開いた。「朝美と今以上の関係になるのは、ちょっと遠慮してもらいたいんだよね。もう少し本音をいえば、彼女のことは諦めてもらいたい」

「どうしてですか」

「どうしてって——」ハンドルを切りながら孝文は頬を緩めた。冷たい笑いだった。「君だってまさか、中条朝美と結婚できるとは思ってないだろ。朝美に遊ばれてるってことぐらいは承知してるんだろ」

「僕は遊ばれてるんですか」

「当然じゃないか。朝美には悪い癖があってね、自分が裕福な家庭で育ったものだから、逆境というものに憧れがあるんだ。今までに付き合ってきたボーイフレンドも、どこかそういう気配を感じさせる相手ばかりだった。でも結局はすぐに飽きてしまうんだな。で、飽きたらすぐに別れて、ほかの男に移行する。ほかの逆境の雰囲気を持った男にだ」

「彼女のボーイフレンドをみんな知っているみたいな言い方ですね」

「知ってるんだよ。全部把握してる。いい加減にしてほしいと思うけど、学生のうちは仕方ないかなと思う。でももう三年生だしね、そろそろ落ち着いてほしいわけだ」

「どうして孝文さんがそんなことまで気にするんですか。単に従妹《いとこ》っていうだけでしょ」

「君に孝文さんと呼ばれる筋合いはないと思うんだけど」彼はふっと息を吐いた。「まあいいや。僕が彼女のことを気にする理由は十分にあるよ。何といっても、将来は結婚する相手だからね」

直貴は目を見張り、息を呑んでいた。言葉が咄嗟《とっさ》に出てこなかった。

孝文が口元を曲げた。

「驚いたようだけど、嘘じゃないよ。今度朝美に訊いてみるといい。叔父だって叔母だって、そのことは承知してる。というより、あの人たちが決めたことといえるんだ」

「そんな話は今日は全く……」

「君に話す必要があるのかな」運転しながら孝文はちらりと横目を投げてきた。「赤の他人の君に」

直貴が返答に窮している間に車は駅に着いた。

「そういうことだから、君も考えたほうがいいよ。お互いに時間の無駄だから」ブレーキペダルに足を載せたまま孝文はいった。

直貴はそれには答えず、ありがとうございました、とだけいって車から降りた。

翌日の夜、直貴が『ＢＪ』の開店準備をしていると、ドアを開けて朝美が入ってきた。彼女はカウンターにつくなり、大きなため息をついた。「昨日はごめんなさい」

「君が謝ることはないだろ」

「でも、あんなことになるとは思わなかった。うちの親は本当に馬鹿。どうしようもないぐらいに」

「娘の将来を考えてのことだろ。それにしても婚約者まで現れたのには参った」

「婚約者？　どういうこと？」

直貴は孝文からいわれたことを朝美に話した。彼女の顔はみるみる険しくなっていった。彼が話し終える前から激しくかぶりを振り始めていた。

「そんなことあるわけないじゃない。あなた、まさか信じてるわけ？」

「彼は嘘じゃないといったよ。信じないなら、君に確かめてみろと」

「馬鹿みたい」吐き捨てるように彼女はいった。その台詞が誰に向けて発せられたものなのか、直貴にはわからなかった。

朝美は前髪に指を突っ込み、額の生え際のあたりを掻いた。

「何か飲みたいんだけど、開店前だとやっぱりまずいの？」

「あ、いや、そんなことはない。ウーロン茶？」

ビール、と彼女はぶっきらぼうに答えた。直貴は吐息をついてから冷蔵庫を開けた。

「親が勝手にいいだしたことよ。あたしは一度も了解なんてしてない。そもそもうちの一族は、親戚同士でくっつけたがるの。あたしの両親だって、元は親戚同士だったのよ」

「血が濃いわけだ」直貴は彼女の前にグラスを置き、バドワイザーを注いだ。

「莫大《ばくだい》っていうほどでもない財産が分散するのを恐れてるのよね。それからもう一つ、新たに親戚を作るより、今までの親戚付き合いを深めるほうが楽だと思ってるみたい。たとえば嫁姑の問題なんかは起きにくくなるってわけ」

「なるほどね」

「ナンセンスよ。血を濃くすることのデメリットは、遺伝学が証明してくれてるっていうのに。人間関係にしたってそう。複雑に絡まっちゃうと、何かあってこじれた時に、却って面倒なのに」

「離婚する時とかね」濡れタオルでカウンターを拭きながら直貴はいった。

「そういうこと。その程度のことがどうしてわからないのかな」

「まあいずれにせよ」直貴はタオルを水でゆすいだ。「俺は君の御両親には気に入ってもらえなかったらしい。というか、あの人たちは誰が来ても認める気はなかったんだろうな。あの気障《きざ》男以外は」

「あなたと付き合ってるのはあたしよ。うちの両親じゃない」

「それはそうだけどさ」

「何よ、煮えきらない」

「昨日はあれから御両親に何もいわれなかったのかい」

「あなたが帰った後、自分の部屋に行ったもの。何をいわれるっていうの？」

「あんな男とはもう付き合うな、とかさ。俺のほうはいわれたよ。君のことは諦めろって。自称、君のフィアンセにね」

あの馬鹿、と朝美はいい放ち、ビールをごくりと飲んだ。

「ねえ、あたしが自分の将来について両親のいいなりになるようなお嬢さんに見える？これでも自分の足で歩いているつもりよ」

高級な靴を履いてね、という言葉を直貴は胸の内で嘯いた。

開店直前になってマスターが姿を見せた。朝美が会釈すると彼も笑顔を返した。それからしばらく朝美はマスターと音楽について話していた。二杯目のビールが空になると彼女は帰っていった。「とにかくうちの両親のことは気にしないで」と、最後に念を押すようにいった。

「いい子だよなあ。家は金持ちらしいし、ああいう子と一緒になったら、逆タマだっていわれるぞ、間違いなく」マスターがにやついて直貴にいった。

逆玉の輿《こし》、ね――。

朝美のことは本気で好きだ、と直貴は自覚している。おそらく裕福な家の育ちでなくても好きになっていただろう。しかし彼女との将来を夢想する時、彼女に付随してくるもののことを考えてしまうのも事実だった。無一文で何の力もなく、人生の負債だけを背負ったような自分が、一転して上流階級に紛れ込む――その想像は彼をわくわくさせるのだった。これまでの不運を一気に挽回するチャンスだと思った。また、こういうことでもなければ自分は一生世の中の底辺から浮かび上がれないのではないかという、漠然とした恐怖のようなものもあった。

だが物事はそううまくは進まない。案の定、門は閉ざされようとしている。中条夫妻が自分と娘の結婚に同意する可能性は皆無だと直貴は思った。剛志のことを隠していてもこうなのだ。結婚となれば、いずれは剛志のこともばれるだろう。そうなった時にどれほどの強い抵抗を受けることになるか、直貴には容易に予想できた。

7

十一時を過ぎた頃、白石由実子が女の友人二人を連れてやってきた。由実子は何度か顔を見せたが、いつも誰かと一緒だった。座るのもテーブル席ばかりだ。そのせいか、彼女から話しかけてくることはなかった。もちろん直貴も話しかけない。

しかし今夜は珍しく、由実子が一人でカウンター席に移動してきた。

「元気そうやね」関西弁とにこやかな口調は相変わらずだった。

「そっちも」

「ターキーをロックでもらおうかな」

「大丈夫かい」

「何が？」

いいや、と首を振り、直貴はグラスを用意した。由実子はまた一段と痩せたようだ。顔の彫りが深くなったように見えるのは、化粧のせいだけではないだろう。幾分不健康な印象を受けるほどだった。

彼女がグラスを由実子の前に置くと同時に彼女はいった。「お嬢様と付き合《お》うてるそうやね」

「誰から——」訊いたのかと尋ねようとして言葉を呑み込んだ。マスターからに決まっていた。由実子は直貴とは口をきかなかったが、マスターとはよくしゃべっている。

「うまくいってるの？」

「まあまあかな」

「ふうん」彼女はグラスを口元に運んだ。「ここにも時々来るそうやね。あたし、見たことあるのかな」

「さあ……」

朝美と由実子が鉢合わせしなくてよかったと直貴は思った。といっても直貴は由実子とは付き合ったことがないのだから、二人の仲を朝美に勘繰られたとしても単なる誤解だ。彼が恐れるのは、由実子が朝美に話しかけ、それがきっかけで二人が親しくなってしまうことだった。意図的ではないにせよ、うっかり由実子が剛志のことをしゃべってしまうことは大いにありうる。

口止めしとかなきゃな、と直貴は思った。万一ということがあるから、その局面が来てからあわてても遅いのだ。だが由実子に何といえばいいのか、思いつかなかった。

彼が考えていると、由実子のほうから口を開いた。「ねえ」

「うん？」

「あのこと……兄さんのことは話してあるの？」

「誰に？」

直貴がいうと、由実子はうんざりしたように横を向いた。

「その彼女に、に決まってるやろ。話したの？」

「いや、話してない」

「そう」彼女は頷いた。「それが正解やろね。死んでもしゃべったらあかんで」さらに声をひそめて続けた。「あたし、何でも協力するから」

ありがとう、と直貴はいった。

「でも、調べられたらどうしようもないからな。昔の同級生なんかに訊かれたら、一発でばれちまう」

「そこまでは調べへんのと違う？」

「わかるもんか。何しろ、今の時点ですでに交際を親から反対されてる状態だからな」

由実子は首を傾げた。「どういうこと？」

直貴は朝美の家に挨拶に行った時のことを話した。由実子はバーボンのロックを飲み干し、グラスを乱暴に置いた。

「何それ。むかつく」

「まあ仕方ないよ。身分が違うというやつだ。おかわりは？」

「いただく。ねえ、直貴君は本気でその子のことが好きなんでしょう？　将来は結婚したいとか思ってるんやないの？」

彼女の声が大きかったので、直貴はちょっと周りを気にした。だが幸い誰にも聞かれなかったようだ。彼女のおかわりを作り、前に置いた。

「まあ、それは先のことだけどさ」

「でも結婚してもいいと思ってるんでしょ」

「だったらどうなんだ」

彼が訊くと由実子は身を乗り出すようにして顔を近づけてきた。

「親の反対なんかどうでもええやないの。肝心なのは本人同士の気持ちやろ。行動に移してしもたらええのと違う？　後から何をいわれてもかまへんやないの」

「同棲しろとでもいうのかい」

「あかん？」

「無理だよ」直貴は苦笑してかぶりを振った。朝美に提案すれば乗ってくるかもしれなかったが、強引な手は使いたくなかった。どうせ連れ戻されるだろうし、自分の印象を悪くするだけだと思った。彼は中条家から嫌われたくなかった。朝美と結ばれる以上、中条家と縁を切りたくなかった。

「既成事実を作ってしもたら勝ちやと思うけどな。金持ちほど、世間体を気にするし」

由実子の言葉に、無茶いうなよ、と彼はまた苦笑した。

だが客がすっかりいなくなり、店の後片づけを一人でしている時、直貴の脳裏に由実子の台詞が不意に蘇った。無茶だと思ったが、それは一つの解決策であるようにも思えた。

既成事実か――。

たとえば朝美が妊娠したらどうだろう。あの両親は彼女に堕胎を命じるだろうか。いや命じたところで朝美が承知するとは思えなかった。いくらなんでも腕尽くで彼女を手術台に乗せることなど、誰にもできない。

朝美は勘当されるかもしれない。だが娘の妊娠に無関心な親などいるだろうか。由実子のいうとおりだ。中条家としては、何とかして体面を保たねばならない。そのためには彼女の結婚を認め、生まれてくる子供を中条家の跡継ぎとするしかない。つまり直貴を彼女の夫として受け入れるしかない。

そこまでこぎつければ、仮に剛志のことが発覚しても、もはや中条家としてはどうしようもないのではないか。彼等は逆に、剛志のことが世間にばれぬよう、様々な手を打つに違いない。

自分と朝美との子供を作る――その大胆極まるアイデアは、暗闇の中で見つけた一筋の光のように直貴には思えた。

だが問題は朝美だ。彼女がこの考えに乗ってくれるとは思えなかった。

二人の間にはすでに何度か肉体関係がある。しかし避妊しなかったことなど一度もない。彼も気をつけてきたが、それ以上に彼女は慎重だった。コンドームをつけないかぎり、決して挿入を認めなかった。

「妊娠したら堕《お》ろせばいいなんていうふうには思えない。といって、なりゆきで子供を持つのなんて絶対にいや。作る時にはしっかりとした意思を持っていたい。第一、子供に対して無責任すぎるから」

以前に彼女がいった台詞だ。おそらくその考えに変わりはないだろう。

二人が結ばれるために子供を作るのだといったらどうだろうかと直貴は考えた。しかしそれでも彼女が首を縦に振るとは思えなかった。どうしても一緒になりたければ、そんなことをしなくても、駆け落ちでも何でもすればいいといいそうだった。

それを証明するような電話が、その三日後に朝美からかかってきた。彼女の声はいつもよりトーンが高かった。かなり気持ちが高ぶっているようだった。

「あたしもう我慢できない。こんな家、出ていっちゃおうかなと思う」

「何かいわれたのか」

直貴の言葉に彼女は一瞬沈黙した。それで彼は事情を察した。

「俺のことで何かいわれたんだな。俺との交際について」

ふうーっと息を吐く音が聞こえた。

「何をいわれてもあたしの気持ちは変わらないから安心して。どんなことあっても、あたしはあなたの側につく。前にいわなかったっけ、親なんか捨ててもいいって」

かなり厳しいことをいわれたということが、彼女の興奮した口調から察せられた。

「落ち着けよ。早まっちゃいけない。朝美が家出したって、何の解決にもならないだろ」

「あたしたちが本気だということは示せるじゃない。うちの親は馬鹿だから、あなたの目当ては中条家の財産だとでも思ってるのよ。そんなものには何の興味もないってことを示すには、あたしが出ていくのが一番いいの」

「あわてるなって。とにかく頭を冷やせよ」

直貴は何とか朝美をなだめたが、いざとなれば激しやすい彼女が、勝手に家出してくることは容易に想像できた。こちらが強硬な手段に出れば、彼女の両親も非常手段に訴えるだろう。直貴は事を荒立てたくなかった。そんなことになれば自分の過去も調査され、何もかもがばれてしまうと思ったからだ。まだ両親が穏やかな解決方法を模索している間に、由実子のいう既成事実を作ってしまいたかった。

しかし時間はさほど残されてはいないようだった。そのことを教えてくれたのは、かつてリサイクル会社で一緒だった立野だ。ある日彼が大学を出ると、門のそばで待っていたのだ。立野は作業ズボンに紺色のポロシャツという出で立ちだった。最後に会った時よりも痩せて見えた。頭髪も薄くなったようだ。

「久しぶりだな。どこから見ても真面目な大学生だ。立派になったもんだよ」立野は遠慮のない目つきで直貴の全身を眺めた。

「立野さんも元気そうだな」何の用だろうと訝《いぶか》りながら彼は訊いた。

「もうすっかりポンコツよ。それよりちょっと話をしないか。面白い情報を持ってきたからさ」立野の目には企みの光が浮いていた。

なるべく帝都大学の学生が来そうにない喫茶店を選び、直貴は立野と向き合った。立野はうまそうにコーヒーを啜り、煙草に火をつけた。

「直、おまえ、気をつけたほうがいいぜ」意味ありげに立野はいった。

「何を？」

「おまえのこと、嗅《か》ぎ回ってるやつがいるぜ。おまえ、何かしたのか」

「何もしてないよ。嗅ぎ回ってるって、どういうこと？」

「昨日、ちょっと用があって事務所に寄ったんだよ。で、帰りに知らない男から呼びとめられた。若い男だよ。上等の背広を着た、ビジネスマンって雰囲気の野郎だ」

その人物に心当たりがあったが、直貴はそれには触れず、先を促した。「それで？」

「時間があるかって訊くからさ、ちょびっとだけならと答えたんだ。そうしたら、武島直貴を知ってるかって訊くんだよ。知ってたらどうだっていったらさ、何でもいいから武島直貴のことを教えてくれっていわれた。たぶん社長にも当たったんだろうけど、大した話は聞けなかったんだろうな。それで出入りする従業員に声をかけたんだろう」

口の中が急速に渇いていくのを直貴は感じた。コーヒーで濡らし、咳払いをした。

「俺のこと、話したのかい」

「当たり障りのないことをな」立野はにやりと笑った。「働いていた頃の様子とかな。真面目にやってたといったら、奴《やっこ》さん、聞いて損したって顔をしてたぜ」

「ふうん……」

「あのことは」立野は声をひそめた。「話してないぜ。兄さんのこと……な」

直貴は立野の顔を見返した。どうして知っているのか。福本から聞いたのだろうが、礼でもいえばいいのか、と思った。

「しゃべっちゃまずかったんだろ？」立野は舌なめずりしそうな表情だ。

「まあ、あんまり……」

「そうだろうな。何が狙いかはわからんが、やつは兄貴のことは知らない様子だった。だからわざわざ教えてやることはないと思ってさ」

直貴は曖昧に頷いた。「それはどうも」

「何だよ、それ。気を利かしたつもりだったんだけど、余計なことだったか」

「いや、そんなことはないよ」

「あの野郎は、たぶんまた来るんじゃないかと思うんだ。あんまりゆっくり話さなかったからな。また今度、とかぬかしてたぜ。で、その時もやっぱり兄貴のことは黙っといたほうがいいんだろ」

「そうだね」

「じゃあそうしてやるよ。そうしてくれって、正直にいってくれればいいんだ。俺たちの仲じゃないか。遠慮するなよ」

「話ってのは、それだけかい」直貴はテーブルの伝票に手を伸ばした。

「あわてるなよ。別に急ぐことはないだろう」立野は煙草を吸い始めた。「だけど、俺にとってはうまい話ではあったんだぜ。何しろその野郎は、情報の内容によっちゃあ、ある程度の礼はするっていったんだ。ところが俺が大したことを話さなかったからさ、結局千円札を何枚か寄越しただけだった。分厚い財布の中には、万札がぎっしり入ってそうだったのによ。あの時には、ちょっとばかり気持ちがぐらついたね」

そういうことかと直貴は思った。この男は単なる親切心だけで剛志のことを黙っていたわけではないのだ。

「今は大した持ち合わせがないけど、いずれお礼はさせてもらうよ」

直貴がいうと、立野は顔をしかめて手を振った。

「貧乏学生にたかる気はないよ。だけどさ、あんな手合いがうろついてるってことは、直、おまえの身に何かあるってことだろ。しかもそれは悪いことじゃねえ。かなりいい話があると俺は睨んでるんだよ。どうだい図星だろ」立野は爬虫類《はちゆうるい》の目で直貴を見た。

直貴は舌を巻く思いだった。人生の裏道ばかりを歩いてきただけに、常人では考えられない嗅覚を持っているらしい。

「いい話なのかどうか、俺には何ともいえないな」

「まあいいって。今ここで詳しく聞く必要はねえんだ。とにかくさ、今がおまえにとって大事な時だってことはわかってる。で、ここんところをうまく乗り切れば、直だっていつまでも貧乏学生じゃないってことなんだろ。俺への礼はさ、その時でいいよ。それを楽しみにしてるからさ」

直貴は薄笑いを浮かべておいた。立野がこれからも自分の前に現れるのは確実だという気がした。もし朝美と結ばれたりしたら、即座に恩を売りつけに来るだろう。

「ごめん、俺、これからバイトなんだ」直貴は立ち上がった。

今度は立野も引き留めてこなかった。「がんばれよ。応援してるからさ」

直貴は伝票を手にレジカウンターに向かった。割り勘にしよう、などという台詞が立野の口から出るはずがなかった。

急がねばならないと直貴は思った。立野のところに行ったのはたぶん孝文だろう。自分の意思かもしれないし、中条夫妻の意向をくんでのことかもしれない。いずれにせよ彼等は直貴の素行、経歴をチェックし始めている。時間の問題で剛志のことも知れるだろう。

それまでに手を打っておかねばならない。朝美との間に子供を作るのだ。

週末、直貴は彼女を部屋に呼ぶことにした。彼女はボウリングに行きたかったようだが、部屋でお好み焼きのパーティーをしたいのだと彼はいった。

「広島風お好み焼きの本格的な作り方を教わったんだ。ホットプレートも買ったし、忘れないうちにもう一度作りたいんだよ」

この話はある程度は本当だった。店の客から教わったのは事実だ。しかしそれは二か月も前のことだった。自分で作りたいとはあまり思わなかった。

だが朝美は疑わなかった。「へえー、楽しみ。じゃあ、缶ビールをいっぱい買っていくよ」と嬉しそうな声を出した。

午後三時頃、彼女はやってきた。直貴はすでに準備を整えていた。お好み焼きなどうでもよかった。さっさと済ませてしまい、二人で身体を寄せ合う機会を早く作りたかった。ベッドの横の棚にはコンドームが潜ませてある。それにはすでに針で穴を開けてあった。汚い手だと思うが、朝美を説得する自信がなかった。

「わあ、すごい量のキャベツ。そんなに使っちゃうの?」

「それが広島風の醍醐味《だいごみ》だよ」

何も知らない朝美は、彼の手つきを見て感心したり、子供のようにはしゃいだりしていた。こういうことを家でするのは初めてだといった。彼女の母親の上品そうな顔を思い出し、そうだろうなと直貴は思った。

お好み焼きを二枚ずつ食べ、缶ビールを六本ほど空にした。彼女の様子から、直貴は懸念していたことの一つを解消していた。彼女が生理ではないかと心配だったのだ。生理中、彼女がアルコールを控える傾向にあることに、彼は気づいていた。

「ああ、もうおなかいっぱい。おいしかった、ごちそうさま」

「気に入ってもらえてよかった」彼は手早く後片づけを始めた。

「少し休めば？」

「いや、このままだと気になるから」

朝美も片づけを手伝ってくれた。直貴は窓に目を向けた。まだ日は高い。彼女が、どこかに出かけることを提案したらまずいなと思った。

その時だった。ドアホンが鳴った。彼は手を拭き、玄関のドアを開けた。そこに立っていた人物を見て、はっと息を呑んだ。嘉島孝文だった。

直貴が言葉に詰まっていると、その隙に孝文は押し入ってきた。彼の目は素早く、流しに向かっている朝美を捉えた。彼女は目を剝いた。

「どうしてこんなところに……」

孝文は室内を見回し、くんくんと匂いを嗅ぐように鼻を動かした。

「もんじゃ焼きでもしたのかい。まったくもう、朝美は庶民的なものには目がないな」

「何しに来たのかって訊いてるのよ」

「叔母さんに頼まれたんだよ。朝美の目を覚まさせてやってくれって。だからこうして迎えに来たわけだ」

「どうしてここだってわかったの」

「さあね」孝文は肩をすくめた。「叔母さんからいわれただけだよ。今日はあの男の部屋に行くみたいだって」

朝美の顔が曇った。何かに気づいた様子だった。電話を盗み聞きされたんだろう、と直貴は察した。

「とにかくそういうことだから、僕は義務を果たさなきゃならない。君のおかあさんの甥《おい》としての義務と、君の婚約者としての義務だ。さあ、帰ろう」

孝文が部屋に上がろうとするのを直貴が腕で止めた。孝文が睨んできた。

「あんなに忠告したのに、君はまだ気づいてないらしいな。こんな空《むな》しい交際は早くやめたほうがいい。君にとっても時間の無駄だ」

「帰れよ」

「帰るさ。彼女を連れてね」

「あたし、帰らない」朝美が孝文のほうに向き直った。「ここにいる」

「いつまでもここにいるつもりかい？　そんなわけにはいかないだろ」

「いつまでもここにいる。もう家には帰らない。うちの親にもそういって」

直貴は驚いて彼女を見た。「朝美……」

「そんなことが通用すると思ってるのかい。君は中条家の一人娘なんだぜ」

「それがどうしたのよ。好きであんな家に生まれたんじゃない」

孝文はいい返す言葉が出てこないのか、ぐっと顎を引いて彼女を見上げた。

その時だった。半分ほど開いたままのドアから人影が現れた。

「武島さん、郵便ですよ」郵便配達員が郵便物を差し出した。

直貴が手を出す前に孝文が郵便物を受け取った。封書と葉書だった。その二つを両手で別々に持ち、眺めるしぐさをした。

「失礼なことしないで。それは直貴君に来た郵便なのよ」朝美が鋭く非難した。

「わかってるさ。中身を見てるわけじゃないだろ。はい、まずは大学からのお知らせらしいよ」そういって彼はまず封書のほうを差し出した。続いて葉書の表を見た。「ふうん、武島たけし……つよしかな。親戚かい？」だが次の瞬間、孝文の顔つきが変わった。

「あれ、なんだこのハンコは」

「見るなよ」直貴はその葉書を奪い取った。「帰ってくれ」

だが孝文は出ていこうとしなかった。口元に奇妙な笑みを浮かべ、直貴をじろじろと眺め回した。

「何してるのよ。早く帰りなさいよ。それから、さっきのこと、うちの両親にきちんと伝えといてね」相変わらず朝美の語気は強かった。

だがそんな彼女の剣幕をかわすように、孝文はにやにやし始めた。

「おい朝美、面白いことになってきたぜ」

「何よ」

「直貴君の身内には大変な人物がいるらしい」孝文は直貴のほうを向いた。「なあ、そうだろ」

「何のことをいってるのよ」

「彼の身内が受刑者なんだよ」

「えっ……」朝美が息を呑む気配がした。

「その葉書を見せてもらうといい。表に桜のハンコが押してある。それはたしか刑務所内から出されたものに押されるんだ。前に刑務所内の医療施設に機械を納入する仕事があってさ、法務省の役人から教えてもらったんだ」

「そんな馬鹿なことあるはずないでしょ。ねえ、違うでしょ」朝美は直貴に問いかけてきた。否定を懇願する響きがあった。

しかし直貴は答えられなかった。唇を嚙み、孝文を睨みつけていた。

「誰だい、それ」孝文は直貴の視線をはねのけて訊いてきた。「武島、と名字が一緒だということは、かなり近い親戚と考えていいのかな。あるいは家族とか」

「冗談いわないでよ、直貴君には家族はいないといったでしょ」

「じゃ、誰なんだ」

「どうしてそんなことをあなたにいう必要があるのよ。個人的なことじゃない。それに刑務所から葉書が来たからって、差出人が受刑者だとはかぎらないでしょ。そこで働いているだけかも」

孝文は吹き出した。

「その桜のハンコってのはな、検閲のために押すんだよ。検閲済みっていう印だ。どうして単に働いているだけの人間が、自分の出す手紙に検閲を受けなきゃならないんだ」

朝美は言葉に詰まったようだ。救いを求めるように直貴を見た。

「親戚の人なの？」

「そんなに遠い親戚ではないよな」孝文はいった。「受刑者が手紙を出せる相手は限られているんだ。たしか、予《あらかじ》め刑務所にリストを提出しておくはずだ。遠い親戚なら、その中に直貴君の名前が入っているはずがない」

小憎らしいほどに孝文のいうことは正確だった。反論の余地がなかった。

「仮に親戚の人が刑務所に入っていたとして、それが何なのよ。直貴君が罪を犯したわけじゃないでしょ」朝美はまだ気丈なところを見せた。

「本気でいってるのか。親戚に受刑者がいるような人間と付き合えるかどうか、朝美だって子供じゃないんだからわかるだろ」

「なんで付き合っちゃいけないのよ。政治家の中にだって刑務所に入る人間はいるわ」

「さあて、彼の親戚の犯した罪が、果たしてそういう種類のものなのかな」孝文は顎をこすった。「まあいいよ。調べればわかることだ。警察関係者が知り合いにいないわけじゃないし、新聞に載るほどの事件だったら、パソコンで記事を検索すれば済む」

「勝手にすればいいでしょ」

「もちろん勝手にするよ。そうして叔父さんたちにも知らせないとな」そういうと孝文はドアを開けて出ていった。

朝美は裸足のまま玄関に下り、鍵をかけた。それから直貴を振り返った。

「あたしには説明してくれるわよね」

直貴は手に持っていた葉書に目を落とした。見慣れた兄の字が並んでいた。

『前略　便箋がきれたので葉書です。今日、どこかの演劇グループが慰問にやってきました。出し物は、『風車小屋だより』とかいうものです。貧乏なおやじが、風車で粉をひいているとばかり思っていたら、じつは人目を気にして壁の土を削って運んでいただけという話で——』

馬鹿野郎、何を呑気なことを書いてやがる、直貴は心の中で罵った。

「誰なの、それ？」朝美がさらに訊いてきた。

ごまかせないな、と直貴は観念した。ここでごまかしたところで同じことだ。孝文はすぐに武島剛志という男が何をやったかを調べあげるだろう。そしていずれ朝美の耳にも入る。結局こういうことなんだ――直貴は吐息をついた。

「兄貴だよ」ぶっきらぼうにいった。

「お兄さん？　でもあなた、一人っ子だって……」

「兄貴なんだよ。一人っ子てのは嘘だ」彼は葉書を投げつけた。

朝美がそれを拾った。「どうして？」

どうして――その質問の意味がわからなかった。どうして嘘をついたのか、どうしてお兄さんは刑務所に入っているのか、そのどちらかには違いなかったが。

「強盗殺人だ」

溜まっていたものを吐き出すように彼はしゃべりだしていた。兄が何をしたか、それを隠して生きてきたこと、ばれたらいつも何かを失ってきたことなど、だ。

朝美は表情を凍らせて彼の話を聞いていた。途中で言葉を挟んでこないことが、その衝撃の大きさを示していた。

直貴は彼女の手から葉書を取り返すと、びりびりと破り、そばのゴミ箱に捨てた。

「あたしには……」朝美が口を開いた。「あたしには話してほしかったな」

「話してたら朝美は俺と付き合ってないよ」

「そんなことわかんないじゃない。こんなふうにして知ったほうが、余程ショックよ」

「いいよ、もう」直貴は彼女に背を向け、その場で胡座をかいた。

「直貴……」朝美が彼の背後にきた。彼の肩に手を置いた。「少し考えようよ。あたしも、急なことでちょっと混乱してる。頭を冷やそうよ」

そんな時間はないんだ、と直貴は心で反論した。いずれ孝文から事情を聞いた中条夫妻が、ここへ飛んでくるだろう。そして彼女を連れ去るに違いない。そうはならなくても、いったん家に帰った彼女が、今度自分に会う可能性はかぎりなくゼロに近いと思った。

「ねえ、直貴」

再び声をかけてきた朝美の手を彼は握った。その力があまりに強かったせいか、彼女は驚いたように目を見張った。

「どうしたの？」

それには答えず、彼は彼女を押し倒していた。スカートの下に手を突っ込んだ。

「待ってよ、何するのよっ」彼女はもがいた。そばにあったものを手当たり次第に摑んだ。棚の引き出しが抜け、中のものが散らばった。直貴は体重をかけ、左手で彼女の腕の動きを封じようとした。

「やめてよ、ねえ、どうしてこんなことするのよっ」平手打ちが直貴の頰に飛んだ。それで彼はひるんだ。その隙をついて、朝美はするりと彼の腕の中から抜け出した。

直貴は四つん這いのまま項垂《うなだ》れた。息が荒くなっていた。

「ひどいよ。まるで、もうあたしとは会えないから、最後に性欲だけ満たそうとしてるみたいじゃない。そんなの、直貴らしくない」

「そんなんじゃない」彼は喘《あえ》ぎながらいった。叩かれた頬がじんじんしている。

「じゃあ何？　あたしを試そうとしてるの？」

「試す？　何を？」

「あたしの気持ちよ。あなたのお兄さんのことを知ったことで、あたしの気持ちが離れていくと思ったんじゃないの。だから心変わりしてないかどうかを確かめようとして、今みたいなことを……」

「そうか」直貴は力無く笑った。「そういう考え方もあるんだな」

「違うの？」

「違うけど、まあどっちでもいいよ」直貴は壁にもたれて座った。「帰るんだろ。遅くなるとまずいぜ」

朝美は深呼吸を一つした。正座し、背中を伸ばした。「帰ってほしいの？」

直貴はまた苦笑した。肩を小さく揺すった。

「さっきあの男に啖呵《たんか》を切った時には本気だったかもしれないけど、今は考えが変わってるだろ。君だって頭を冷やしたほうがいいといった。まさか今でも、ずっとここにいようと思ってるわけじゃないだろ」

「あなたはどうなの？　あたしにどうしてほしいの」

「俺の希望なんかいったってしょうがない。君が帰らなきゃ、君の御両親がやってきて連れ戻すだけだ。孝文から連絡を受けて、もう家を出ているかもしれないな」

「ねえ直貴、あたしはあなたの気持ちを訊いてるんだけど」

直貴は答えなかった。彼女から目をそらし、横を向いた。

二人はしばらく沈黙した。直貴は突破口を見つけようとしていたが、何も思いつかなかった。遠くで車の音が聞こえるたび、中条夫妻が来たのではないかと思った。

朝美が散らばったものを片づけ始めた。やはり無言だった。彼女自身も混乱しているに違いなかった。殺人犯の肉親がいるからといって恋人への気持ちを変えるわけにはいかない、と彼女ならば考えるはずだった。しかしそんな意地が長続きしないことを直貴は知っていた。

「何、これ？」朝美が小さく呟いた。

直貴が見ると、彼女は床に落ちたコンドームを拾いあげたところだった。彼女はその袋の表面を凝視していた。

「穴が開いてる……針みたいなので、穴を開けてある……」呪文のようにいった。

直貴は立ち上がり、彼女の手からそれをひったくった。そしてゴミ箱にほうりこんだ。

「何でもないよ」

「嘘。あなたが開けたんでしょう？　どうしてそんなこと……」そこまでいったところで彼女は息を呑んだ。目を大きく開き、彼を見上げた。「それ、使うつもりだったの？　今、あたしを押し倒したのも、無理矢理にでもそれを使ってセックスするためだったの？」

直貴は答えられない。彼は流し台に近づき、汚れたコップに水道水を満たして飲んだ。

ひどい、と彼女はいった。

「あたしが妊娠すればいいと思ったわけ？」

直貴はタイルを貼った壁を見つめていた。彼女のほうを振り返れなかった。

「答えてよ。あたしを妊娠させて、どうするつもりだったの？　結婚もしてないのに、子供だけ作るなんて、そんなのおかしいと思わないの？」

彼はふっと息を吐き、ゆっくりと身体の向きをかえた。朝美は正座したままだった。

「君と結婚して、家庭を築きたかった。二人の子供がほしかった。ただそれだけだ」

「だからって、こんなやり方……」朝美はかぶりを振った。みるみるうちに目に涙が溜まっていった。それはすぐに溢れ、頬を次々に流れていった。「あたしを何だと思ってるのよ。あたしはあなたの恋人のつもりだった」

「俺だってそうだ」

「違う。こんなの、恋人に対してすることじゃない。あなたはあたしの身体を道具にしようとしたのよ。たとえ二人の仲をうまくいかせるためだったとはいえ、あたしの生殖能力を利用しようとしたことに変わりはないでしょ。そんなこと、よくできるわね」

「君に話しても、賛成してくれるとは思えなかった」

「当たり前でしょう」彼女は厳しくいい放った。「そんなことに妊娠を使うなんて……卑劣だよ。汚いと思わない？」

直貴は目を伏せた。返せる言葉などなかった。卑劣なのは百も承知だ。だがほかに方法が見つからなかったのだ。

「妊娠さえすれば、お兄さんのことがばれても、うちの両親は反対しないだろうと思ったわけ？」

彼は頷いた。もう取り繕うのさえ面倒になってきた。

「どうしてそうなるのよ。お兄さんのことをあたしに隠してたこともそうだけど、あなたのやり方はおかしいよ。どうしてあたしに相談して、二人で乗り越えていこうっていうふうに考えられないわけ？」

彼女の言葉を聞き、直貴は顔を上げた。彼女と目が合った。ふっと彼は唇を緩めた。

「何よ、何がおかしいの」

「君はわかってない。世間ってものがわかってないし、自分のこともわかってない」

「あなたにいわれたくない」朝美は真っ赤に充血した目で彼を睨みつけてきた。

「いわれたくはないだろうけど、それが現実なんだ」直貴はまた横を向いた。

しばらくして彼女は立ち上がった。「あたし、帰る」

直貴は頷いた。「それがいい」

「少し考えてみる。でも、あなたの考えには納得できないと思う」

「じゃあ、どうするんだ」

「わからない。その時になってから考える」

「ふうん」

朝美は靴を履き、部屋を出ていった。閉まったドアを見つめた後、直貴は畳の上で横になった。おかしくもないのに、なぜか笑いがこみあげてきた。

8

二時間ほど、直貴は同じ姿勢でぼんやりしていた。何をする気力もわかなかった。

そんな時、ドアホンが鳴った。彼はのろのろと起き上がった。

ドアを開け、思わず目を見張った。そこには朝美の父親が立っていた。

「今、いいかね」

「あ……いいですけど」

中条は部屋を見回しながら入ってきた。直貴は座布団を出した。

「今、コーヒーでもいれます」

「いや、結構。長居をする気はないんだ」中条は周囲を眺めた。「働きながら勉強するというのは大変だろう。体力はいるし、時間的にも金銭的にも余裕がない」

直貴は黙って頷いた。相手の真意が見えなかった。

「孝文から君のお兄さんのことを聞いたよ。まずは驚いた。しかし、君がそのことを隠してたのは十分に理解できる。同じ立場なら、私もそうしただろう。また、そういう立場でありながら、苦労して大学に通っていることについて、敬意を表するよ。私ならできたかというと、自信がない」

中条が背広の内ポケットから封筒を出してきた。それを直貴の前に置いた。

「これを受け取ってくれんかね」

「何ですか」

「見ればわかる」

直貴は封筒を手にした。中を覗くと一万円札の束が入っていた。

「私からの寄付、ととってもらって結構。苦学生への援助だ」

直貴は相手の顔を見た。

「そのかわりに……ですか」

「そう」中条は頷いた。「朝美のことは諦めてもらいたい」

直貴はふっと息を吐いた。手元の封筒を見つめてから顔を上げた。

「このことを彼女は？」

「朝美かね。あいつにはまだ話していない。話さないかもしれない」

「こういうやり方を彼女が納得するとは思えないんですけど」

「若い時は、親のやり方については、大抵納得できないものだ。だけどいずれわかる時が来る。話さないかもしれないといったのは、そういう意味だよ。今すぐには話さず、そのうちに折を見て話すかもしれないということだ」

「大人のやり方ですね」

「皮肉でいってるのだろうが、まあそういうことだよ」

「彼女は今どこに？」

「自分の部屋にいると思う。母親と孝文に見張らせている。あれは癇癪《かんしゃく》を起こすと何をしでかすかわからん娘でね」

直貴はもう一度封筒に目を落とした。十万や二十万ではない。これまでに彼が手にしたことのない額であることは間違いなかった。

彼は封筒を中条の前に置いた。「これは受け取れません」

この対応は中条にとってはさほど意外でもなかったのか、かすかに頷いたように見えた。しかし彼は断念するつもりもないようだった。座布団から尻をずらすと、突然両手を畳につけ、頭を深々と垂れた。

「このとおりだよ。どうか私たちの希望を聞き入れてもらいたい」

威厳の固まりのような態度を見せつけられてきた直貴にとって、中条の行動は予想外のものだった。彼は途方に暮れ、返事に窮した。しかし冷静さをなくしたわけではなかった。驚きながらも、この土下座は中条が予め用意していたパフォーマンスに違いないと分析していた。

「頭を上げてください」

「承知してくれるかね」頭を下げたまま中条は訊いてきた。

「とにかくまず、頭を上げてください」

「君の返事を聞くまでは」そういったまま中条は同じ姿勢を続けた。

頭を下げるぐらい容易《たやす》いものだと思っているのだろう。だがそれでも、実行できる人間はそうそういないのではないかと直貴は思った。高姿勢を貫いて強引に主張を通すやり方だってなくはない。つまりはこれが父親の娘に対する愛情なのかなとやけに冷めた思いで彼は見つめた。

「どうしてそこまでできるんですか。プライドを捨ててまで……」

「娘のためだよ。あの子の幸せのためなら、どんなことでもする」

「僕と一緒にいることは彼女にとって不幸だとおっしゃるんですね」

すると中条は一瞬沈黙した後、顔を少し上げた。

「まことにいいにくいのだがね、そういうことだよ。お兄さんの事件以後、君は幸せだったかね。いろいろと苦労したし、いやな目にも遭ったんじゃないのか」

肯定するかわりに直貴は深呼吸を一つした。

「朝美が君と一緒になれば、その苦労をあの子も背負い込むことになる。それがわかっていながら見過ごすことは、親としてはとてもできないのだよ。どうかわかってほしい」

「あなたの論法を肯定すれば、僕は永久に誰とも結婚できないということになりますね」

「私とは考えの違う人間もいるだろう。そういう相手を探せばいい」そういうと彼はまた頭を下げた。

直貴はため息をついた。

「もういいです。わかりました。頭を上げてください」

「我々の……」

「ええ」直貴は頷いた。「朝美さんのことは諦めます」

中条が顔を上げた。安堵《あんど》と警戒心の混じった表情だった。その顔のまま、ありがとう、といった。

「でもこのお金は受け取れません」封筒をさらに押し戻した。

「受け取ってもらわないと困るんだがね」

中条が重い口調でいった。言葉の中に何らかの企みが含まれていることを感じさせた。

「取引ですか」直貴はいってみた。

中条は否定しなかった。「そういう言い方が適切かどうかはわからんが」

「つまり今後一切朝美さんには近づかないこと、連絡もしないこと、それを破った時にはこのお金を返してもらう――そういう形の契約を結びたいわけですね」

中条は黙っている。それで直貴は、自分が見当はずれなことをいったのかなと思った。しかし相手の気まずそうな顔を見ているうちに、ふと思いついた。

「そうか。それだけでは不十分なんだ」彼はいった。「たとえいっときにせよ僕が朝美さんと、中条朝美さんと交際していたということは、今後誰にもしゃべらないこと、そういう条項もこの契約には含まれているんですね」

「身勝手だといいたいだろうがね」中条は真剣な眼差しを向けてきた。

どうりで、と直貴は思った。低姿勢で押し通しているはずだ。朝美と別れさせることは力尽くでできても、口止めまではできない。

「お金はお返しします。受け取れません」直貴は繰り返した。

「金など受け取らなくても口外する気はない、という意味かね」

「いいえ」直貴は首を振った。「朝美さんとのことは秘密にしません。あちらこちらでいいふらすつもりです。だからお金は受け取れないんです」

中条の顔が途端に歪んだ。困惑し、狼狽し、同時に直貴に対する憎しみを露《あら》わにした表情だった。だが憎しみをぶつけても無意味だと理解しており、すべての尊厳を捨ててでも懇願せねばならないという焦燥感に溢れてもいた。先程の芝居じみた土下座の時とは比べものにならぬほど、切迫した顔つきになっていた。この反応を見たことで、直貴は納得することにした。

「冗談です」直貴はいった。「そんなことはしません」

虚をつかれたように、今度は中条の顔から表情が消えた。瞬きだけをしている。

「心配なさらなくても、朝美さんとのことは人にはいいません。いいふらしたところで、一銭の得にもならないし。だからお金はいりません。受け取る理由がないんです」

「本当にいいのかね」中条の目はまだ半信半疑といった感じだった。

ええ、と直貴は頷いた。

中条はやや迷ったようだが、結局封筒を懐に戻した。交渉が終わったとなれば、一刻も早くこんなところからは退散したい様子だった。

「朝美さんによろしく」直貴はそういってからかぶりを振った。「いや、何も伝えなくていいです」

中条は頷いて立ち上がった。「君も元気でな」

ドアが閉じた後も、直貴は座ったままだった。一日のうちにずいぶんといろいろなことがあった。いろいろな人間が来て、去っていった。今は自分しかいない。

お決まりの結末に辿り着いただけだ、と彼は自分にいいきかせた。諦めることにはもう慣れっこになっていた。これからもきっと続く。こんなことの繰り返しが自分の人生なのだ――。

9

翌日から彼は部屋を留守にすることにした。部屋にいれば朝美が訪ねてくるに違いなかったからだ。彼女があっさりと父親の指示にしたがうとは思えなかった。また父親と直貴との話し合いの顚末《てんまつ》についても納得しているはずがなかった。

朝美には会うまいと直貴は決めていた。顔を見れば辛くなってしまう。

しかしいずれ彼女は『BJ』にやってくるだろう。店では逃げ場がない。直貴はマスターに連絡し、しばらく休ませてくれといった。

部屋を出ても行くあてはなかった。考えた末に彼が連絡した相手は白石由実子だった。

「俺の味方だっていってくれたよな」由実子の部屋で直貴はいった。「力を貸してくれ」

「お嬢様を手に入れることへの協力？」由実子は訊いた。

「いや」彼は首を振った。「その逆だ」

直貴は事情を話した。何もかも打ち明けられる相手は由実子しかいなかった。

話を聞き終えた後、彼女は憂鬱そうな顔で黙り込んだ。直貴は彼女の考えがわからず、不安な思いで待った。

やがて彼女はかぶりを振った。「ひどい話やね」

「何が？」

「何もかも」そういって彼女は吐息をついた。「どこまで行っても直貴君はお兄さんのことで苦しめられる。そのせいで何もかも取り上げられてしまう。前は音楽。今度は恋人。こんな理不尽な話、ないと思う」

「もういいよ、そのことは。いったって仕方がない」

「でもそれで本当にええの？　彼女のこと、諦められる？」

「諦めることにはもう慣れた」直貴は薄く笑った。

由実子はそんな彼を見て、眉をひそめた。頭痛をこらえるように額に手を当てた。

「そんな顔の直貴君、見たくないんよ。バンドの一件があってから、直貴君は変わってしまった。今、ひどい話やというたけど、一番ひどいのは直貴君を変えてしまったことやと思う。前の直貴君やったら、恋人をわざと妊娠させるなんてことも考えへんかったと思うし」

直貴は俯き、首の後ろを掻いた。「汚い男だよな、俺は」

「直貴君は本当はそんな人やないのに……」

「俺は改めて思い知ったんだよ。自分の立場ってものをさ。あの親父さんのいうとおりなんだ。俺が誰かと結婚したら、今度はその人に今の俺と同じ思いをさせることになる。子供ができたら、今度はその子にも引き継がれる。それがわかってて、誰かと結ばれるなんてことはできない」直貴は頭をゆらゆらと振った。「ただ別れるだけじゃなく、付き合ってたことまで内緒にしてくれっていわれたんだぜ。あの偉そうな顔した親父さんが、たとえ格好だけにしろ土下座までしてさ。全く、俺は一体何なんだろうな」

由実子は彼の話を辛そうに聞いていた。着ているトレーナーの袖を引っ張ったり、まくりあげたりしている。

直貴は吐息をついた。

「そういうことだから協力してくれ。朝美はたぶん俺に会おうとする。彼女は負けん気が強いから、父親の強引なやり方に屈服させられるということ自体、とても受け入れられないと思う。俺に対する気持ちとは別に、自分の意地を通そうとするだろう。でも俺にしてみればそんな意地なんて、どうでもいいことなんだ」

「あたしは何をしたらええの？」

「難しいことじゃない。しばらく俺の部屋で寝泊まりしてくれればいいんだ」

「直貴君の部屋で？」

「ああ。そのうちに朝美が訪ねてくるだろう。そうしたらこういってくれ。直貴はどこかに消えた。当分帰ってこないだろうって。彼女はたぶん、あなたは直貴とどういう関係なのかって訊くと思う。そうしたら」直貴は由実子の目を見つめて続けた。「恋人だっていってくれ。ずっと前からの付き合いだって。しょっちゅう浮気されて困ってるんだけど、またやったみたいだなって……そういってくれ」

由実子は顔を歪めた。前髪をかきあげ、大きくため息をついた。

「そんなこと、いえないよ」

「頼むよ、こうでもしなきゃ彼女は納得しない」

「だけど」

「もし由実子が承知してくれないのなら、ほかの女に頼むしかない。詳しい事情を話さなくても、つきまとわれてる女を切るためだっていえば、面白がって協力してくれそうな女は何人かいる」

彼の言葉を聞き、由実子は睨んできた。無茶なことをいわれているからではなく、彼の女性関係を仄《ほの》めかされたからかもしれなかった。

「いつまでいたらいいの？」

「とりあえず一週間、かな。その間に彼女は来ると思う。もし来なかったら、その時考えよう。もうずっと来ないかもしれない。それならそれでいい」

「そんなことしていいのかな」彼女は首を捻った。「直貴君がほかの女の人と別れるんやから、あたしとしては喜ばなあかんのかもしれんけど……いやな気分」

「俺はもっといやな気分なんだよ」

直貴がいうと、由実子は不承不承《ふしょうぶしょう》といった様子で頷いた。

その日から二人は部屋を交換して生活することにした。直貴は大学にも出なかった。朝美が待ち伏せしているような気がしたからだ。由実子の部屋は奇麗に片づいているので、なるべくそれを乱さないよう気をつけて寝泊まりした。食事は外食とコンビニ弁当で済ませた。

そんな生活を始めて三日目のことだ。彼がテレビを見ていると、突然ドアが開いて由実子が帰ってきた。

「忘れ物かい？」直貴は訊いた。

だが由実子は首を振った。

「計画通りにはいかへんかったよ」

えっと彼が聞き返した時、由実子の後ろから人影が現れた。朝美だった。彼女は下唇を噛んでいた。

「由実子、おまえ……」

「違うよ。あたし、いわれたとおりにしたもん。けど、彼女が……」

「あたしがあんな芝居に騙されると思う？」朝美は彼を見下ろしていった。

「あたし、外に出てるから」そういって由実子は部屋を出ていった。

朝美が靴を脱ぎ、部屋に上がってきた。彼の前で膝をついた。

「どうして逃げ隠れするの？　そんなの、あなたらしくないよ」

「君と会うのが辛かったからだ」

「あたしと別れようと思ったからでしょ。だったら別れなきゃいいじゃない」

「そういうわけにはいかない」

「どうして？　お父さんに何かいわれたのは知ってる。お父さんも、あなたが別れることに納得してくれたっていってた。でもあたしにはどうしてもわからない。なんでなの？」

熱い口調でしゃべる彼女を見て、逆に直貴は自分の心が冷静になっていくのを自覚した。この娘はやはり意地になっているだけなのだと思った。

「あたし、あれから考えたのよ」彼女がいった。「あの方法、それほど悪いことじゃないかもしれないって」

「あの方法って？」

「だから」彼女は息を整えてからいった。「赤ちゃんを作るってこと」

直貴は下を向いた。もう考えたくないことだった。

「あたしに相談がなかったから、あの時は頭にきちゃったけど、結ばれようとしてる二人が赤ちゃんを作るってこと自体は、絶対に悪いことじゃないよね。それに両親を説き伏せることだって――」

「もうやめよう」直貴は彼女の言葉を遮った。

どうして、という目で朝美は彼を見た。その目を見返して彼はいった。

「俺を取り巻いている状況は、君が考えているほど甘いものじゃないんだ。君と結ばれれば、それを乗り越えられるかもしれないと思ったけど、どうやらそうじゃないみたいだ。君が妊娠したところで中条家の人たちは手助けしてくれない。下手したら勘当される」

「それでもいいじゃない、二人で力を合わせれば……」

「俺一人でも大変なんだ。君や赤ん坊がいたら、もっと苦労する。俺はとてもやっていく自信がない」

朝美は目を大きく開き、しげしげと彼を眺めた。ゆっくりと首を振る。

「中条家から離れたあたしには、もう関心がないってこと？」

「結局はそういうことになるのかな」

朝美は直貴を見つめ続けた。彼の奥にある何かをどうにかして透視しようとしている目だった。直貴はそんな視線に耐えられず、横を向いた。「もういいだろ」

「もういいって……」

「面倒臭いんだよ。どうでもよくなったんだ」

「あたしのことも？」

「……ああ」

朝美が息を呑む気配があった。

「そう、わかった」

彼女は立ち上がり、靴を爪先《つまさき》に引っかけたまま部屋を出ていった。ドアの閉まる勢いで、蛍光灯の下を埃《ほこり》が舞った。

由実子が入ってきた。「いいの？」小声で訊いてきた。

「いいんだよ」直貴も腰を上げた。「お決まりのストーリーだ」

第四章

1

面接官は三人だった。真ん中に座っている眼鏡の人物は五十歳代、向かって右側はもう少し下か。左側の人物はかなり若くて、三十を少し過ぎたところ、と見られた。

質問をしてくるのは、主に中央の人物だった。我が社を選んだ理由は何か、仮に入社できればどんな仕事につきたいか、自分が人より優れていると思っている点はどういうところか、といった定番の問いを投げてくる。想定している範囲内なので、直貴としてはすらすらと答えられた。

面接には深い意味はない、と聞いていた。要するに面接官の感性に合うかどうか、だ。うまく質問に答えられたからといって、好印象を与えられたとはかぎらない。学生時代の成績や筆記試験の結果で、面接官たちは入社希望者の実力については大体推し量っている。後は好みなのだ。女子学生の場合には、美貌がかなり影響するらしい。ありそうなこと、というより、当然そうなるだろうと直貴も思った。入社試験に備えて整形手術を受けた女子学生がいたらしい。眉をひそめる者もいるだろうが、彼女のしていることは的はずれではないと彼は思っている。

では男子学生の場合はどうか。殆どの場合面接官は男性だが、彼等に気に入られる学生像とはどういうものか。個性的でバイタリティに溢れていれば、人間としては魅力的だろう。しかし会社人間としてはどうか。上司が求めるのは個性よりも忠実さではないか。だからといって、無味無臭といったタイプだけが歓迎されるとは思えない。つまり、過ぎたるは猶《なお》及ばざるが如し、というわけだ。個性的過ぎてもいけないし、平均的過ぎてもいけないのだ。

「御家族がいないようだね」中央の人物が手元の資料を見ながらいった。

直貴は父親と母親を亡くした経緯について、かいつまんで説明した。この部分については問題はない。大事なのはこの後だ。

「お兄さんがいるようだけど、今は何をしておられるのかね」

来たな、と直貴は思った。何度か面接を受けてきたが、必ずなされる質問だった。彼は身構えた。もちろん、そんな緊張を相手に悟られてはならなかった。

「アメリカで、音楽関係の勉強をしています」

ほう、という顔を三人はした。特に左側の若い面接官が興味を持ったようだ。

「アメリカのどこですか」若い面接官が訊いてきた。

「ニューヨークです。でも」直貴は微笑んだ。「詳しい場所は知りません。行ったことがないものですから」

「音楽関係というと、具体的には？」

「ドラムが主で、後は打楽器全般だそうです。よくは知りません」

「武島剛志さん……か。向こうで活躍しておられるのかな」

「さあ」直貴は笑いながら首を傾《かし》げた。「まだ修業中だと思います」

「音楽で渡米とは華やかな話だね。失礼だけど、音楽をできるような余裕のある暮らしぶりではなかったように思われるんだけどね」

「だからドラムなんです」直貴は落ち着いて答えた。「おっしゃるとおり、楽器を買うような経済的余裕はなかったですから、ギターやピアノなんかは練習できません。でもドラムなら、そのへんにあるものを叩いて代用できます。アフリカの部族たちの主な楽器が打楽器なのと同じ理屈です」

若い面接官は小さく頷いた。あとの二人はあまり関心がないという顔だ。

この後、さほど意味があるとも思えない質問がいくつかあって、直貴は解放された。結果については一週間以内に郵送されるという。会社を出た後、彼は大きく伸びをした。

試験を受けた会社はすでに二十社を越えている。だが採用通知を送ってきた会社は一つもなかった。初めの頃はマスコミ関係、特に出版社といった希望に沿って受けていたが、この頃では業種はどうでもよくなってきた。とにかく決まってさえくれればいいという感じだ。たった今受けてきたのは食品会社だった。以前は考えもしなかった業種だ。

大学の成績についてはある程度自信がある。通信教育部からの転籍組だが、それが入社試験の際にデメリットになるとは思えなかった。面接で大きなミスをした覚えもない。それなのに、なぜ採用されないのか。

結局、家族がいないというのが大きいのだろう、と直貴は思った。会社側としては、なるべく身元のしっかりとした人間を雇いたい。成績や人間性においてさほど大きな差がないのなら、身元を保証できる人間がいる学生を選ぶのは当然といえた。

大きな会社を狙いすぎているんじゃないか、と先日就職指導の教授からいわれた。成績に自信があるのなら、もっと少数精鋭主義の会社を受けたほうが採用される見込みがあるというのだった。おそらく教授も、直貴が不採用になる原因は、身寄りが全くないという点にあると睨んでいるんだろう。

その場では直貴は曖昧に答えておいたが、じつは彼には彼の考えがあった。採用人数の少ない会社を受けたほうが有利だろう、とは自分でも思っている。だがそういう会社ならば、一人一人に対する調査も徹底的に行うおそれがあった。それがどの程度のものかはわからないが、兄が本当にアメリカに行っているのかどうか、行っていないのだとしたらどこにいるのか、それぐらいのことは調べられそうな気がした。そして武島直貴の兄が実際にはどこで何をしているのかを知れば、会社は絶対に自分を採用しないだろうと直貴は思っていた。しかしそのことを教授にはいえない。剛志のことは、学内では誰にも話していないからだ。

コンビニで弁当を買い、新座《にいざ》にあるアパートに帰る時には暗くなっていた。ここに越してから約一年になる。駅からバスに乗り、しかも十分以上歩かねばならないが、家賃は前にいたところよりも安い。

ドアを開け、その内側に取り付けられた郵便受けの中を調べた。受けた会社からの通知はなかった。そのかわりに封書が一通入っていた。その宛名書きを見て、彼は眉間に縦皺を寄せた。見覚えのある筆跡だった。

『前略　元気ですか。もしこれを直貴に読んでもらえたならうれしい。無事に届いたということだから。じつはしばらくそちらの住所がわからず、手紙を出せなかった。一年ぐらい前に、手紙が戻ってきました。それで直貴の高校の担任だった梅村先生に手紙を書くことにした。でも梅村先生の住所はわからないので、高校宛てに出してみた。手紙を出す相手を増やす時にはいろいろと手続きがあるので、ちょっと面倒だったけど、公立高校の教師に出すわけだから、別に問題はないだろうってことで許可はとれた。そうしたら、ちゃんと梅村先生から返事がきて、直貴君は引っ越したらしく転居通知が来たと書いてあった。それでそっちの新しい住所も教えてもらったんだ。直貴もいろいろと忙しいだろうから、こっちに転居通知を出すのを忘れちまったんだろうなあ。でもそういうわけで、無事に住所を知れたので安心してください。

新座といえば大泉学園や石神井《しゃくじい》の近くですね。そう聞いて懐かしく思いました。石神井なら前に仕事で行ったことがあります。あそこの公園には大きな池があって、ワニがいるという噂を聞き、仕事仲間と探したけど見つからなかった。今の家は公園の近くですか。もし公園に行くことがあったら、どんなふうになっているか教えてください。

ところで梅村先生の手紙にも書いてあったんだけど、そろそろ就職活動の時期じゃないのかな。最近はなかなか雇ってもらえないと聞くので心配だ。でも大学まで行ったんだから、きっとうまくいくと思う。がんばってください。

忙しいと思うけど、葉書でもいいから送ってください。この手紙がついたかどうかということだけでもいいです。

おれは元気にしています。最近、ちょっと太ったみたいです。楽な仕事をしてるからだとみんなからいわれます。今の仕事は旋盤が主です。

ではまた来月手紙を書きます。

武島直貴様

剛志』

兄からの手紙をさっと流し読みした後、直貴は唇を嚙み、便箋を引き裂いた。自分に無断で住所を教えた梅村教諭を憎み、教諭に転居通知を出したことを悔やんだ。

剛志との関係を断とう、と直貴は考えていた。もちろん血の繋《つな》がりはどうすることもできない。しかし自分の人生から兄の存在を抹消することは可能ではないかと思ったのだ。引っ越し先を知らせなかったのも、その考えに基づいたことだ。絶縁したいという意味の手紙を書こうかとも思った。だがさすがにそれはできなかった。剛志が犯罪に走ったのは、弟を大学に行かせたいという思いからだと知っている。その弟から絶縁状を送られた時の剛志の心情を思うと、残酷すぎる気がした。

転居しながらその知らせを出さないというのも残酷だとわかってはいる。だが直貴としては、どうか今の自分の立場や思いを兄が理解してくれないだろうかと期待していた。長い付き合いの恋人と別れたい時の心境は、こんなものかもしれないと思った。そしてどちらの気持ちも自分本位なものであることを、彼は十分にわかっていた。

直貴が心待ちにしていた採用通知は、それから約一週間後に送られてきた。彼を雇ってくれることになったのは、電器製品の量販店として有名な企業だった。面接の時、ある程度の手応えを感じていた会社だった。家族のことなどは殆ど質問されなかったのを覚えている。

就職が決まったことを知らせる相手はあまりいなかった。いろいろと心配をかけた梅村教諭にも報告する気になれなかった。教諭から剛志に連絡が行くことを恐れたのだ。

結局知らせたのは白石由実子だけだった。といってもわざわざ彼から連絡したわけではなく、彼女から電話がかかってきた時にしゃべったのだ。彼女は直貴の就職が決まらないことについて気を揉《も》んでくれていた。

就職祝いをしようよ、と由実子はいってくれた。そこで池袋にある居酒屋で会うことになった。

「本当によかったね。なかなか決まらないみたいやから心配してたんよ。今年は去年以上に就職難やて聞いてたし」生ビールのジョッキを傾けた後で彼女はいった。「しかも新星電機やったら一流企業だし」

「一流でもないよ。まあ秋葉原とかでは名前が通ってるけどさ」

「それで十分やないの。働けるというのは幸せよ」

「まあな」直貴も焼き鳥を肴にビールを飲んだ。格別の味がした。

「お兄さんにも知らせたんでしょ。きっと喜んでるよ、すごく」由実子が嬉しそうにいった。その表情がひどく能天気なものに直貴には見えた。

彼が顔を曇らせたのがわかったのか、彼女は覗き込むように上目遣いをした。

「どうしたの？」

「別に」声が素っ気なくなった。

「もしかして……知らせてないの？」

直貴は答えず、シシャモをかじった。彼女から目をそらし、ため息を一つついた。

「どうして？」由実子が嘆くような声を出した。「知らせてあげればいいのに」

「大きなお世話だよ」

「そうかもしれないけど……喜ぶよ、お兄さん。どうして喜ばせてやらないの」

直貴は無言でビールを飲んだ。心なしか味が薄くなったようだ。

「直貴くん」

「うるせえな」彼はうんざりしていった。「もう兄貴には連絡しないことにしたんだ」

「どうして？」

「どうしてどうしてって、しつこいんだよおまえ。俺の問題なんだからほっといてくれ」

由実子は気圧されたように顎を引いた。だが彼を見つめたままいった。

「お兄さんのことが原因で、好きな人と別れなきゃいけなかったから？」

「うるさいっていってるだろ。それ以上何かいったらぶっとばすぞ」

思わず大きな声が出て、周りの客の視線を受けた。直貴はジョッキを空にし、店員におかわりを注文した。

「あたしのことを殴りたいんなら殴ってええよ」由実子がぽつりといった。

「誰もそんなことしたかねえよ」

「あたしはただ、お兄さんの気持ちもわかってあげるべきやと思うだけ。直貴君はお兄さんのことを犯罪者やと思ってるみたいやけど、それは違う。今は刑に服してるわけやから、犯罪者だったのは過去の話や」

「世間の奴らはそうは見ないよ」

「世間が何やの？　いいたい奴らにはいわせとけばええやないの」

「それじゃあ通用しないんだよ。たとえば今度の就職にしたってそうさ。兄貴は外国に行ってるって嘘をついて、ようやく採用通知を手に入れたんだ。刑務所に入ってるなんていってみろ、即刻パーさ」

店員が新しいジョッキを持ってきた。直貴はそれを手にするなり、一気に半分ほど喉に流し込んだ。

「だからといってお兄さんとの連絡を絶つなんて、そんなのおかしいわ。それやったら、直貴君も世間の連中と一緒やということになるやないの」

「仕方ないんだよ」直貴は吐息をついた。「連絡を取り合ってたら、いずれは兄貴のことがばれちまうんだ。今まで、ずっとそうだった。兄貴からの手紙は、いつも俺の足を引っ張るんだよ」

様々な出来事が直貴の頭を駆け巡った。彼はそれを払うためにかぶりを振った。

「でも、どうせ今でも手紙は来てるんでしょ」

「来年になったら引っ越すつもりだ」

「また？ この前引っ越したばかりやないの。そんなお金あるの？」

「何とかする。夜は『ＢＪ』の仕事があるけど、昼間に日雇いのバイトをこれから二、三か月やれば、敷金や礼金ぐらいは貯まるだろ」

「そこまでしてお兄さんから逃げたいの？」由実子は悲しげな目をした。

「俺はね、もう嫌なんだよ」泡のこびりついたジョッキを見つめて直貴はいった。「兄貴のことがばれるたびに道を狂わされる。そんなことを繰り返してるうちに、いつかきっと俺は兄貴のことを恨むようになる。そんなふうになるのが怖いんだ」

でも、といったきり由実子は黙り込んだ。

それから少しして、直貴は実際に道路工事のバイトを始めた。大学には殆ど行かなくなった。卒業に必要な単位はすべて取得してある。卒業論文を書くのは日曜だけと決めた。

昼も夜も働き、肉体の疲労は限界に近かった。それでも自分の人生のためだと思うとがんばれた。一か月に一度、律儀に送られてくる剛志からの手紙は、彼のやる気を一層喚起した。この手紙が送られてこないところに行くのだ、と自らにいいきかせた。

その手紙を彼は読まなくなっていた。封筒の表書きを一瞥すると、即座にゴミ箱に捨てた。中を読むと情に流されそうになる自分の弱さを知っていた。

そんなふうにして三月を迎えた。懸命にバイトに励んだわりに、貯金はさほど貯まっていなかった。就職に備え、スーツや靴など買い揃えておかねばならないものがたくさんあったからだ。引っ越しは当分無理かもしれないと覚悟した。就職すれば、当然バイトはできなくなる。

大学の卒業式の日、それを知っていたかのように剛志からの手紙が届いた。バイトのない日だったので、彼は部屋で寝ていた。卒業式に出る気はなかった。

いつもなら開封せぬまま捨てるところだった。この時にかぎって封を切ったのは、ほんの気紛れにすぎなかった。どうせ大したことは書いてないだろうと思っていた。

だが中の便箋に書かれた文章を読み、直貴は布団から飛び起きた。

『前略　元気ですか。そろそろ卒業じゃないのかな。直貴が大学生になれた時には本当にうれしかったけど、無事に卒業できるなんて、まるで夢みたいだ。天国にいるお袋におまえの晴れ姿を見せてやりたいよ。いやもちろん、俺だって見たいわけだけどさ。

しかも来月からは会社員だもんな。まったく大したもんだよ。新星電機って会社のことをおれはよく知らないけど――』

直貴は手紙を持ったまま由実子に電話をかけた。だが留守番電話のメッセージが流れてくるだけだった。彼は今日が平日だということを思い出した。由実子は会社に出ている。

夜まで待ちきれなかった。彼は時計を見て、部屋を飛び出した。

直貴の向かった先は東西自動車の本社工場だった。かつて彼も働いていた場所だ。もっとも彼はこの会社の社員ではなかった。

見覚えのある門から敷地内に入った。堂々としていれば守衛に呼び止められることもないことを彼は知っていた。

ちょうど昼休みになっていた。作業服を着た作業員たちがのんびりと歩いている。彼は自分が働いていた廃棄処理場に向かった。

処理場では二人の男が鉄屑の山の横で弁当を食べていた。どちらも三十代に見えた。立野の姿はない。直貴はほっとして、建物の陰に身を隠した。すぐそばの工場の入り口が眺められる場所だ。

やがて従業員たちが戻ってきた。そろそろ昼休みが終わりらしい。直貴は視線を走らせた。由実子が他の女性従業員と談笑しながら歩いている。直貴は小走りで近づいた。

声をかける前に彼女のほうが気づいた。息を呑んだような顔で立ち止まった。

「どうしたの？」一緒にいた友人が訊いた。

「何でもない。先に行ってて」

その友人は直貴を不審そうに見ながら通り過ぎていった。その間、由実子は顎を引いて彼を見つめていた。

「ちょっとこっちへ来いよ」直貴は彼女の腕を摑んだ。

工場の角を曲がったところで彼は手を離した。ポケットから手紙を出し、由実子の顔の前に突きつけた。「どういうことだよ、これ」

「何が？」由実子は摑まれていた手首を擦った。

「何が、じゃないだろ。兄貴の手紙だよ。俺が就職したことを知ってる。就職先までだ。おまえが教えたんだろ」

由実子は答えない。彼から目をそらした。

「おまえしかいないんだよ。俺は誰にもいってない。兄貴に知らせるとしたら、おまえだけなんだ。正直にいえよ」

由実子はふっと息を吐いた。彼を上目遣いで睨んできた。

「あたしが知らせたんよ。悪い？」

「当たり前だろうが。おまえ、この間の俺の話を忘れたのかよ。俺は兄貴には連絡しないっていっただろうが」

「だから代わりにあたしがした。別にかまへんでしょ。あたしが誰に手紙を書こうと、あたしの自由でしょ」

「おまえなあ」

直貴は顔を歪めた。手を出しそうになった。それを寸前でこらえたのは、由実子の視線が彼の背後に向けられたからだ。振り返ると工場の班長らしき男が駆け寄ってくるところだった。さっきの友人が知らせたのだろう。

「早く行って」由実子が直貴の耳元でいった。

「なんだ、君は。白石さんに何か用か」班長の眉間には皺が刻まれていた。

「この人、あたしの親戚です。うちのことで、あの、知らせに来てくれたことがあって」由実子が懸命に取り繕った。

「何かあったのか」

「ええ、ちょっと。でも、大丈夫ですから」彼女は直貴を見上げた。「ありがとう。後で連絡するから。叔母さんによろしくね」

早く行ってくれと彼女の目は懇願していた。

ここで騒ぎを起こすわけにはいかなかった。直貴は納得できない思いのまま踵《きびす》を返した。まだ胡散《うさん》臭そうに見ている班長に会釈し、その場を離れた。

門に向かう時、廃棄処理場の前を通った。さっきまで弁当を食べていた二人が、むっつりとした顔つきのまま、鉄屑を整理していた。かつての彼自身の姿がそこにはあった。もうあそこには戻りたくない、と思った。

いらいらした気分のまま、部屋で無意味な時間を過ごした。夜七時を過ぎた頃、ドアホンが鳴った。開けてみると由実子が立っていた。

「ごめんなさい、電話するより来ちゃったほうが早いと思って」

「よくここがわかったな」

「うん、途中、交番で訊いた。……入ってもええ？」

「ああ」

今の部屋に由実子が来るのは初めてだった。彼女は室内を見回しながら床に座った。

「やっぱり、引っ越すの？」

「金が貯まったらな」

「お兄さんと連絡を取り合う気は本当にないの？」

「しつこいぜ」

由実子はしばらく黙った後、ゆっくりと頷いた。傍らのバッグから封筒を取り出し、直貴の前に置いた。「これ、使って」

「何だよ」

「見たらわかる」

直貴は封筒の中を覗いた。一万円札が三十枚ほど入っていた。

「それだけあったら引っ越せる?」由実子は訊いた。

「どういうつもりだ」

「どうもこうもないよ。引っ越したいけど、お金がないからでけへんのでしょう?　だったらあたしが貸したげるというてんの」

「前は反対してたじゃないか」

「前はね。でも、今はちょっと違う。そのほうが直貴君のためにいいのかなと思った。もしかしたらお兄さんのためにも……」そういって俯いた。

直貴は封筒と由実子とを見比べた。できれば入社までには引っ越したいと思っていた。急いで部屋を探せば、今ならまだ間に合うかもしれない。

「勤め先、西葛西になりそうなんだ」彼はいった。「一昨日《おととい》、通知が来た。入社式は営業所ごとにするらしい」

「西葛西……ここからだと結構遠いね」

「うん、だからその理由もあって引っ越したかった」

「じゃあ、このお金、役に立つかな」

直貴は小さく頷き、できるだけ早く返すよ、といった。

「直貴君、本当にもうお兄さんとは連絡を取れへんの？」

「そのつもりだ。俺はもう兄貴とは無関係の人間になるんだ」

由実子はため息をつき、そう、と呟いた。

翌日、彼は早速江戸川区に出向き、不動産業者を二軒当たった。二軒目で手頃な物件が見つかった。会社までなら自転車で通える場所だ。保証人を立てないかわりに敷金を余分に取られることになったが、由実子から借りた金で十分に賄えた。

四月になり、入居したばかりの部屋から入社したばかりの会社に向かった。直貴は身も心も生まれ変わった気分だった。今度こそ人並みの生活を、後ろ指を指されたり不当な差別を受けない生活を手に入れてみせると自分に誓った。

一か月間の研修を受けた後、正式な配属が決まった。パソコン売場だった。最も忙しく大変だと聞かされていただけに緊張もしたが、やる気も出た。

店のロゴが入ったジャンパーを着て、入れ替わり立ち替わりやってくる客の相手をする日々が始まった。置いてある商品のことはもちろん、扱ってない製品、これから発売される予定の製品についても熟知しておかねばならず、アパートに戻ってからも勉強を欠かせなかった。直貴は資料にはすべて目を通し、休日には書店や図書館に行って、パソコン関係の知識を増やした。もちろん、知識があるだけでは店員は勤まらない。客扱いのうまい先輩社員のやり方を観察しては、そのテクニックを盗んだ。パソコン雑誌を読むついでに、正しい敬語の使い方といった本にも目を通した。武島直貴という人物が一人の社会人として通用するということを、周りの人間すべてに認めさせたかった。

その甲斐あって、三か月も経つ頃には、武島は使えるやつだという評価を受けるようになった。彼は満足だった。このまま何事もなく上昇気流に乗っていければいいと願った。

剛志からの手紙は届かなくなっていた。会社以外には新住所を知らせていなかったから当然のことだ。そしてさらに数か月が過ぎた。

2

その朝直貴がいつものように自転車で出勤すると、店の前にパトカーが二台並んでいた。警官の姿もある。彼が建物に入ろうとすると、従業員証の提示を求められた。

「何かあったんですか」

従業員証を見せながら訊いたが、制服を着た若い警官は答えてくれなかった。面倒だからではなく、答えていいものかどうか判断できないように見えた。

直貴が働いているパソコン売場は二階にある。売場の奥に小さな更衣室があって、そこで着替えるのが習慣になっている。タイムレコーダもそこにある。ところが階段の前にも警官がいて、彼の前に立ちはだかった。

「売場には行けません」仏頂面をした警官が、ぶっきらぼうな口調でいった。「エレベータで五階に行ってください」

五階には事務所がある。

「何かあったんですか」直貴はここでもう一度尋ねた。

「説明は後であると思うから」警官は面倒臭そうに手を振った。

他の従業員たちも続々と出勤してきた。彼等も直貴と同じ扱いを受けていた。朝の挨拶もそこそこに、何があったんだろうと話し合った。

「倉庫のほうにも警官がいっぱいいたぜ」オーディオ売場にいる先輩が小声でいった。

倉庫は店の裏にある。道路を挟んで反対側だ。在庫品などは殆どがそこに置いてある。

五階に行くと、売場に行けない従業員がすでに何人も待っていた。人数分の席はないので、多くの者は通路で立ったまま話をしている。

盗難にあったらしい、ということが次第に明らかになってきた。今日発売を予定しているゲーム機七十台をはじめ、ゲームソフト、パソコンソフト、パソコン本体などが売場からごっそり盗み出されたという。倉庫のほうには被害は出ていない。

「えーと、ちょっと聞いてください」白髪頭の支店長が声を上げた。

途端に全員が口を閉じ、支店長に注目した。

「聞いている人もいると思いますが、昨夜……ええと、もしかしたら今朝早くかもしれんのですが、ここに泥棒が入りました。被害についてはまだはっきりしませんが、ゲーム売場、パソコン売場を中心に荒らされた模様です。それで少なくとも午前中は売場には立ち入れません。売場以外のところでも、立ち入れないところはいくつかあります。えー、それで今のところ、本日は臨時休業にする方向ですが、皆さんには警察の捜査にぜひ協力していただきたいので、今後は警察の人の指示にしたがってください」

支店長の口調はゆったりとしたものだったが、その顔つきには緊張感が溢れていた。何度も唇を舐めているのが、かなり離れている直貴からでもわかった。

続いて、見たことのない男が前に出てきた。支店長が頭を下げているので、どうやら警察の責任者らしいと直貴は察した。背広を着ているが、その目つきにはサラリーマンにはない鋭さと陰湿さが宿っていた。

男は名乗りもせず、それぞれの部署に分かれて待機していること、勝手にどこかへ行ったりはしないこと、行く時には近くの警官に声をかけていくこと、などを早口でしゃべった。おまえたちのために自分らが捜査をしてやるのだから、何でもいうことをきくのは当然だ、という態度があからさまに出ていて、直貴の周囲からも不満の声が漏れた。

「なんだ、あのおやじ、何の説明もなしかよ」

「待機してろって、どこで待機してりゃいいのよねえ。あたしたち、売場以外に行くところなんてないのに」

「大体、いつまで待ってりゃいいんだ」

結局、事務所でそのまま部署ごとにひとかたまりになって待つことになった。椅子が足りないので、机に腰掛けたり床に座り込む者が続出したが、注意されることはなかった。

「よりによって今日盗まれるなんてさ、うちもついてないよな」野田という男がいった。直貴よりも二歳上だ。「あれが発売される日だろ。相当売上を見込んでたと思うもんな」

あれ、とは何を指すのかはその場にいる全員が理解した。新発売のゲーム機のことだ。

「予約はどうなるんでしょう」直貴は訊いてみた。人気ゲーム機ということで、発売前からかなり予約を受け付けている。

「あーあ、もうすぐ開店時間だ。急に休んだりして、こりゃ客からの抗議の電話が殺到するぜ、きっと」

「でもパトカーが来てるのはわかるわけだから、抗議ってことにはならないんじゃないですか。何か事件があったんだろうって察してくれますよ」

「ばーか。客ってのはそんなに物わかりがよくねえんだよ」

野田の予言は的中した。開店まであと数分という頃から、事務所の電話がたて続けに鳴り始めたのだ。直貴も対応に追われることになった。電話の内容はほぼ同じで、盗まれたゲーム機が次に入荷するのはいつか、という問い合わせだった。事件のことを知っているということは、それらの客は開店前から来ているのである。そのぐらい熱心なわけだから、現場で拘束されている従業員の立場など考えている余裕はなく、ただひたすら欲しいゲーム機のことで頭がいっぱいという感じだった。事件直後でまだ入荷の見通しはない、などと答えたら、逆上されるのは目に見えていた。ただ今調査中ですが、一刻も早く入荷できるよう努力しています、と答えるのが精一杯だった。そんな返答で相手が納得するはずもなく、一本の電話に十分以上を要したりもした。

「泥棒も時期を考えてやれっていいたいよな。ほかの日だったら、俺たちがこんなことをしなくても済んだのにさ」電話応対が一段落したところで野田がいった。

「でもほかの日なら、意味がなかったんじゃないですか」直貴はいった。

「なんでだよ」

「だって犯人の主な狙いは新発売のゲーム機だったと思いますから」

「あっ、それもそうか」野田は顎を撫でた。

昨日、ゲーム売場の担当者が、二人がかりでゲーム機を運んでいたのを直貴は目撃していた。明日は賑やかになりそうだと思ったものだ。

パソコン売場の責任者である河村が近づいてきた。神妙な顔をしている。パソコン売場は河村と野田、そして直貴の三人が担当している。

「おい、二人とも来てくれ」河村が小声でいった。まだ三十代前半だが、頭部が薄いので、もう少し年上に見える。

「また苦情係ですか」野田がうんざりしたようにいう。

「いや、指紋を採らせてくれということだ」

「指紋？」直貴は河村の顔を見返した。「どうして僕たちの指紋を？」

「俺たちが疑われてるんすか」野田が、まさかそうではないだろうが、という口調で訊いた。

「連中にいわせると消去法らしい」河村が歩きながら小声でいった。「現場から採取された指紋の中から、従業員のものだけを取り除く。残った指紋の中に犯人のものがある、というわけだ」

「えー、犯人が指紋なんか残してるかなあ」野田が口元を歪めた。

「それに現場といったって、売場でしょ。お客さんの指紋がいたるところについてますよ。どうやって犯人のものと見分けるんです」

河村は立ち止まった。周りに人がいないことをたしかめてから、直貴たちに顔を近づけてきた。

「ここだけの話だけど、警察は内部に犯人がいると睨んでるみたいなんだ」

えー、と野田がのけぞった。河村は顔をしかめ、人差し指を唇に当てた。

「ゲーム機が犯人の狙いだったことは明らかだ。でもどうして今日売場にあることを知ってたのか――警察はその点にこだわってる」

「今日あのゲームが発売になるってことは誰でも知ってますよ」野田が軽くいった。

しかし河村は表情を緩めなかった。

「警察にいわせれば、ふつうならば倉庫を狙うというんだ。倉庫に侵入しようとした形跡はないから、最初から売場に置いてあると知っていたとしか思えないということらしい」

「だから内部に……」

直貴の反論を待たずに河村はいった。

「あのゲームを売場に運んだのは、昨日店を閉めてからだからな」

指紋を採られることになったのは、直貴たちだけではなかった。彼等の後、他の売場の人間も、警察の鑑識が待機している部屋に連れていかれた。

指紋採取の後は、各売場ごとに事情聴取を受けることになった。直貴たちに話を訊きに来たのは、古川という刑事だった。三十代半ばに見えた。体格がよく、頭髪を短く刈り揃えている。

質問の内容は予想されたものだった。新発売のゲーム機が売場に移されていたことを知っていたかどうか、知っていたならそのことを部外者に話さなかったかどうか、というものだ。

知っていたが誰にも話していない、と直貴は答えた。野田や河村の答えも同様だった。

「では、最近何か変わったことはなかったですか」古川が質問の内容を変えた。

「変わったこと？」河村が鸚鵡《おうむ》返しした。

「どんなことでもいいです。不審な人物を見たとか、おかしな客が来たとか」

直貴たちは顔を見合わせた。野田も河村も当惑していた。自分も同じ表情をしているだろうと直貴は思った。

「いかがですか」古川がじれったそうに催促した。

「いや、そういわれても……なあ」河村が頭を掻きながら直貴たちを見た。

「何もありませんか」

「ないというか……」河村はためらいがちにいった。「こういう量販店ですから、一日のうちにいろいろなお客さんが来るわけですよ。実際に買う人よりも、ちょっと眺めていくっていう人のほうが圧倒的に多いわけです。そういう人のことをいちいち覚えてないし、中にはそりゃあ、少し様子が変だなって人もいますけど、そんな人を気にしてたら仕事にならないし」

先輩の言葉に直貴や野田も頷いた。河村は他の二人の気持ちも代弁してくれていた。刑事は不満そうだったが、それ以上は問い質してはこなかった。

この日、直貴たちは結局いつもの終業時刻あたりまで拘束された。家に帰る途中に寄った定食屋のテレビで、事件がニュースとして報道されているのを見た。長々と足止めをくったわりには何の情報も得られなかったのだが、そのニュース番組で直貴は事件の概要を知った。それによれば店のシャッターは力任せにこじ開けられたようだが、出入り口の鍵には壊された形跡がないらしい。また、防犯カメラはケーブルが切断されていて作動しなかったという。盗み出したものがかなり嵩張《かさば》ることなどを考えても、犯人は複数、しかもかなり手慣れたグループではないかと見られているようだ。

直貴が部屋に帰ると、すぐに電話が鳴りだした。出てみると由実子からだった。彼女は事件のことを知っていた。

「大変だったね。直貴君の売場でも被害はあったの？」

「パソコンソフトとかやられたよ。今日はそれで伝票の整理とかで大変だった。刑事からいろいろと訊かれるし、指紋は採られるし、最悪な一日だった」

「指紋？　どうして直貴君の指紋が採られるの」

「消去法だってさ。でも警察は内部犯を疑ってるってことだった」彼は河村から聞いた話をした。

「えー、それどういうこと？　直貴君がそんなことするわけないのに」

「警察には警察の手順ってものがあるんだろ。それにテレビを見てわかったんだけど、内部に犯人がいると疑ってる根拠は、ゲーム機のことだけじゃないな、たぶん」

「ほかに何かあるの？」

「防犯カメラが動かなくなってたとか、ドアの鍵は壊されてなかったとか、店の人間が手引きした形跡がいろいろあるみたいなんだ」

「ふーん……えっ、じゃあ本当に店の中に犯人がいるってこと？」

「まさかとは思うけどさ」

「……直貴君、明日は仕事行くの？」

「行くよ。そのために今日も準備がいろいろと大変だったんだ。イメージが悪くならないように、明日はいつも以上に声を出して愛想よく頼むってはっぱをかけられちゃったよ」

「えー、大丈夫？」

「何が？」

「だって」由実子は少し沈黙してからぼそりといった。「犯人が店にいるかもしれへんのでしょ」

直貴は受話器を持ったまま笑った。「だから何だよ」

「だからその、危なくないのかなと思って。なんかすごい組織ぐるみの犯行だってテレビではいってたよ」

「組織ぐるみかもしれないけど、ギャングに襲われたわけじゃねえよ。ただの泥棒だよ」

「そお？」しかしまだ彼女は心配そうだった。

「おかしな想像して、余計な心配するなよ。それより例の金だけど、今度のボーナスで残りの分は返すから」

由実子から借りた金のことだ。夏のボーナスが出た時、一部は返した。

「別にいつでもええんやけど」

「そんなわけにはいかないよ」

その後少し話をして電話を切った。彼女は最近、剛志のことを口にしなくなった。直貴が不機嫌になることを知っているからだろう。

事件から五日目のことだ。直貴が売場で女性客相手にパソコンの説明をしていると、河村がそばに寄ってきて耳打ちした。「ここは俺がやるから、五階に行ってくれ」

直貴は驚いて先輩の顔を見返した。「今すぐですか」

うん、と河村は頷いた。「よくわからないけど、武島君を呼んでくれって」

「はあ……」わけがわからなかった。首を捻《ひね》りながら従業員用のエレベータに向かった。

五階のオフィスでは、従業員たちがそれぞれの机に向かって忙しそうに働いていた。盗難事件の影響は小さくないはずだが、すでに通常通りの風景に戻っているようだ。

彼がぼんやり立っていると、武島君、と横から声をかけられた。頭の禿げた総務課長が歩み寄ってきた。「仕事中、悪いね」

「あ、いえ」

「ちょっとこっちへ来てくれないか」そういって総務課長は直貴の背中を押した。

オフィスの隅にカーテンで仕切られたスペースがある。その中に連れていかれた。会議用の机があり、二人の男が座っていた。一方の男には見覚えがあった。古川刑事だ。つまりもう一人も刑事なのだろう。

古川が、仕事中に呼び出したことを詫びた。もっとも口調は事務的なものだった。

「ちょっと確かめておきたいことがあってね」古川はいった。

「何ですか」

「これは気を悪くしないで聞いてもらいたいんだがね、今回の事件では警察としては、あらゆる方向から捜査をしていかねばならないと考えているんだ。はっきりいってしまえば、共犯者が内部にいることも考えている。そこで我々は、従業員全員について、ある程度人間関係を把握しておきたいわけなんだ。プライバシーに立ち入ろうというわけではないんだが、たとえば暴力団関係者と繋がりがないかどうかとか、大きな借金を抱えてないかとか、家族にどういう人間がいるかとか、まあそういうことを明らかにしておきたいんだよ」

刑事のいっている意味はよくわかった。なるほどそういうことも必要だろうと直貴は思った。同時に彼は、なぜ自分が呼ばれたのか想像がついた。その想像が外れていることを祈った。

だがその祈りは届かなかった。古川が出してきたものは直貴の履歴書だった。

「君にはお兄さんがいるね」そういって刑事は直貴を見つめた。

3

直貴は総務課長を見た。刑事たちはどの程度の疑問を会社側に伝えているのだろうか。単に家族の有無について調べているだけなのか。

「ええ、兄がいます」とりあえず彼は刑事に向かって頷いた。履歴書に書いてあることなので、ここで嘘をつくわけにはいかない。

「会社への説明によれば、アメリカのほうに行っておられるそうだね。音楽の勉強のため……とか」

「ええ、まあ」全身が熱くなるのを直貴は感じていた。心臓の鼓動も速まりだした。

「アメリカのどこなのかな」

「ニューヨークのあたり……です。あの、僕はよく知らないんです。全然連絡をとってないし」

直貴の言葉を、古川は胡散臭げな表情で聞いていた。さらに履歴書を机に置くと、両手の指を組み、少し身を乗り出してきた。

「それ、本当のことかい」

「えっ、何がですか」

「お兄さんがアメリカに行っているという話だよ。本当にそうなのかな」

からみつくような視線を刑事は直貴に向けてきた。直貴は口元を手の甲でぬぐった。

「お兄さんは就労ビザを取得されているのかな。それとも留学という形なのかな」

直貴は俯《うつむ》いたまま首を振った。「よく知りません」

「どっちにしても、向こうに行ったきりというわけにはいかないはずだよね。一番最近はいつ日本に帰ってこられたのかな」

直貴は答えられなかった。迂闊に何かいえば、すぐに矛盾をついてこられそうだった。ちらりと総務課長を見た。課長は腕組みをし、苦々しい顔つきをしていた。

「何か答えにくい事情でもあるのかな」刑事が訊いてきた。

「いや、あの……兄のことは僕もよく知らなくて」

「でも兄弟なんだから、何かわかってることがあるはずじゃないかな。もし本当に行方がわからないということであれば、こっちで本格的に調べることになるけど」

「事件とうちの兄と、どういう関係があるんですか」

「それはわからないよ。だから調べる。我々としても、君の話を鵜呑《うの》みにするわけにはいかないからね。信用しないというんじゃない。これは必要な手続きなんだ」

刑事のいっていることは直貴にもよくわかった。しかしここで剛志のことをしゃべりたくはなかった。

すると刑事がいった。

「それとも、総務課長さんがいらっしゃるといいにくいことなのかな。もしそうであれば、課長さんには席を外してもらうけど」

あっ、と直貴は声を漏らしていた。心中の葛藤を見透かされたような気がした。

「外そうか」総務課長が腰を浮かせた。「私は構わないけど」

直貴は小さく首を縦に動かした。そうしながら、もうこの会社にはいられないだろうと覚悟を決めていた。

総務課長が出ていった。刑事が吐息をひとつついた。

「こういう仕事を長らく続けているとね、独特の勘というものが養われるんだよ。非科学的と思うかもしれないけど、事実なんだな。で、君の履歴書を目にした時、何となくぴんとくるものがあった。お兄さんに関する記述に引っかかるものを覚えたんだ。これは何かを隠してるんじゃないか、とね。それで君に会ってみようと思った。どうやら勘は当たっていたようだね」

直貴が黙っていると刑事は改めて尋ねてきた。「お兄さんはどこにいるんだい」

直貴は唇を舐め、前髪をかきあげた。「刑務所です」

「ははあ」

古川は驚かなかった。ある程度予想していた答えなのかもしれなかった。

「罪状は？」

「いわなきゃだめですか」

「いいたくないならいわなくてもいいけど、どうせわかることだよ。簡単に調べられるからね。その後、もう一度確認のために訊かれるのも、気分のいいものじゃないだろ」

刑事は話の持っていき方がうまかった。直貴は仕方なく頷いた。

「お兄さんは何をやったのかな」古川は同じことを改めて訊いてきた。

刑事の顔を真っ直ぐに見つめ、直貴は答えた。「強盗殺人罪です」

これはさすがに予想を裏切ったらしく、古川の目が一瞬見開かれた。

「いつ頃の話？」

「約六年前……になるかな」

「ふうん、なるほどねえ。それで外国に行っていることにしたわけか。まあ、わからんでもないよ。今は就職が厳しいからねえ」

古川は机の上に両肘をつき、組んだ掌の上に顎を載せた。そうしてしばらく目を閉じていた。

「このこと、我々から会社側に漏らすことはないから」目を開けてから古川はいった。

もう遅いだろう、と思いながら直貴は頷いた。

だが直貴の兄の犯罪歴を、警察が会社に伝えてないことは事実のようだった。その証拠に会社側が何とかしてそれを探ろうとしている気配があった。たとえば同じ職場の野田や河村は、総務課長に呼ばれ、武島君のお兄さんについて何か知っていることはないか、という質問を受けたらしい。もちろん二人とも何も知らないと答えた。

しかし剛志のことが知れるのは時間の問題に違いなかった。会社がその気になれば簡単に調べられるはずだった。調査会社に依頼すれば済むことだ。

そしてとうとうその日は来た。盗難事件から約一か月が経っていた。直貴は再び総務課長に呼ばれた。この日は刑事の姿はなかった。代わりに人事部長が待っていた。

総務課長が話しだした。会社としても従業員の家庭環境について正確に把握しておく必要があると思われたし、入社試験の際に話していた内容について虚偽があるとすれば、ほうっておくわけにもいかない、したがって君のお兄さんについて各方面に問い合わせを行ったのだ、という意味のことを棒読みで述べた。

続いて総務課長は、剛志が犯した罪の内容、裁判がどのように行われ、いつどういった形で判決が下り、現在はどこの刑務所にいるかなど、直貴でさえもうまく整理できないようなことを、すらすらと語った。調査報告書に基づいてしゃべっているのかもしれなかった。

「以上の内容に間違いはないかね」禿げ頭の総務課長が尋ねてきた。

「間違いないです」直貴は抑揚のない口調でいった。

「刑事さんに指摘されたのも、このことだったわけだ」

「はい」

うん、と頷いてから総務課長は隣の人事部長を見た。髪をオールバックにし、金縁眼鏡をかけた人事部長は苦り切っていた。

「どうしてアメリカに行ってるなんて嘘をついたんだ。まあ、そのほうが就職で不利にならないと思ったんだろうが、それにしてもこんな大事なことを隠しているなんて、ちょっと悪質だと思わんかね」

直貴は顔を上げた。人事部長と目を合わせた。「悪質ですか」

「違うかね」

「わかりません」直貴は首を振り、俯いた。

なぜ悪質なんだ、と抗議したい気持ちでいっぱいだった。雇ってもらうのは自分なのだ。兄ではない。それなのに、兄のことで嘘をつくことは、そんなに悪いことだろうか。

誰にも迷惑をかけてないじゃないか——。

剛志のことを訊かれたが、今後については特に何もいわれなかった。もしかしたら今すぐ辞表を出せといわれることさえ直貴は覚悟していたが、そういうこともなかった。

しかしその日を境に、彼を取り巻く環境は確実に変わっていった。彼の兄がどういう人間であるかを従業員全員が知るのに、それほど長い時間はかからなかったようだ。同じ職場の野田や河村のよそよそしい態度を見れば、そのことは明らかだった。

とはいえ特に不当な扱いを受けるということは皆無だった。むしろ野田にしろ河村にしろ、今までよりも気を遣ってくれているように見えた。直貴が手当てのつかない残業をしていたりすると、あんまり無理しなくていいと声をかけてくれたりするのだ。無論だからといって、直貴が居心地の良さを感じられるわけはなかった。

盗難事件の犯人は、事件発生からちょうど二か月目に捕まった。外国人を含むグループで、その中には、一年前まで新星電機西葛西店で働いていた人間がいた。その人間が店内の構造や盗難防止装置について情報を流していたのだ。新発売のゲーム機が販売前日には店内に移されていることなども、その男の知識だった。

この事件を機に、社内の安全管理体制が大きく見直されることになった。単純に盗難防止システムを充実させるといった問題ではなく、従業員たちの人間関係まで踏み込んだ内容だった。事件に関与した元従業員が多額の借金を抱えており、それを返済するために犯罪に加担したということが明らかになったせいでもある。

全従業員が改めて、家族構成や趣味嗜好、特技、賞罰の有無といった内容を書いて会社に提出することになった。ローン残高まで書く欄がある。一応、書きたくないところは空欄でも可となっているが、変に勘繰られるよりはましと、殆どの者はできるかぎり書き込んでいるようだ。

「こんなものを書かせて、何かの足しになるとでも思ってるのかねえ。都合の悪いことは書かなきゃ済むことじゃんか」野田がボールペン片手に不満を漏らした。

「元従業員が関わってたってことで、会社側としても何か対策らしいことをしなきゃなんないんだよ。これを書かせることを提案したやつだって、何の役にも立たないことはわかってるんだ」

河村が宥《なだ》めるようにいう。

直貴は二人とは違う感想を抱いていた。もしかしたらこれを書かせることを思いついたのは、あの総務課長ではないかという気がした。直貴のケースを見て、従業員の中にはとんでもない秘密を抱えている者がいることに気づいたのだ。そこでこの機会に、そうした秘密をできるかぎり把握しておこうと思ったのではないか。

直貴は家族の欄に剛志の名前を書き、その隣に、千葉刑務所にて服役中と記した。

それからしばらくは何事もなく過ぎた。直貴は毎日決まった時刻に出社すると、制服に着替えて店頭に出た。不景気でもパソコン売場は忙しかった。新製品について尋ねてくる客、マニュアルには載っていないことを質問してくる客、そして買ったパソコンが思うように動かないと苦情をいってくる客、店に来る客は千差万別だった。どのような客に対しても直貴はそつなく応対した。質問に対して答えられないことは殆どなかったし、客の無理な注文にも極力応えられるよう努力した。事実、野田や河村よりもたくさん売っているという自信があった。

このままいけるかもしれないな、そんなふうに思い始めた頃だった。突然、人事異動があった。人事部長に呼び出され、直《じか》に命じられたのだ。彼に与えられた新しい職場は、物流部だった。

「あっちで若い人がほしいというのでね、君はまだうちに来て日が浅いから、移ってもさほど支障がないだろうということで、そう決まった」人事部長は淡々とそういった。

直貴は納得できなかった。出された辞令に手を伸ばせなかった。

何か、というように人事部長が直貴を見つめた。その目を彼は見返した。

「やっぱりあれが問題なんですか」

「あれ、とは？」

「兄貴のことです。兄が刑務所に入ってるから、俺が職場を変わらなきゃいけないんですか」

人事部長は一旦大きく身体をのけぞらせ、それから机に身を乗り出してきた。

「そう思うかね」

「思います」きっぱりと答えた。

「なるほどね。まあ、君がどのように思おうと、それは君の自由だよ。ただ覚えておいてもらいたいのは、サラリーマンにとって配置転換は避けて通れない道だということだ。不本意な人事をされたと不満を持つ人間は多い。それは君だけじゃない」

「不満とかそういうことじゃなく、理由を知りたいだけです」

「だから理由はただ一つだよ。君がサラリーマンだからだ」それだけいうと、もう話すことは何もないとばかりに人事部長は立ち上がった。直貴はその後ろ姿を見ているしかなかった。

「何よ、それ。絶対に抗議したほうがええよ。そんなのおかしいよ」生ビールのジョッキを片手に、由実子は唇を尖らせた。

錦糸町の居酒屋に二人はいた。直貴が彼女を呼び出したのだ。愚痴をこぼすためだったが、彼女は誘われたことで喜んでいるようだった。

「どう抗議すりゃいいんだ。人事異動はサラリーマンの宿命だっていわれりゃ、返す言葉がないよ」

「だって、そんなのおかしいよ。直貴君、店での成績だっていいんでしょ」

「そんなこと、たぶんあんまり関係ないんだよ」

「あたし、手紙書く。新星電機の社長に抗議する」

由実子の言葉に直貴はビールを吹きそうになった。

「やめてくれよ。そんなことされたら、かえって目立っちまう。もういいよ」

「何がいいの」

「クビにならなかっただけましだとも思うんだ。今までは兄貴のことがばれたら、それでもうおしまいだったもんな。バイトだってそうだし、バンドでデビューしようって時もそうだった。何もかも取り上げられてたんだ」

「恋人も……ね」由実子が上目遣いをした。

直貴は吐息をつき、横を向いた。そのままビールを飲んだ。

「クビにならなかっただけましだ。俺はもう見切りをつけた」

「見切りって？」

「俺自身の人生に、だ。俺はもう一生、表舞台には立てない。バンドでステージに立てないのとおんなじで、電器屋に勤めたって店には出ちゃいけないんだ」

「直貴君……」

「もういいんだよ。もう諦めた」そういってジョッキに残っていたビールを飲み干した。

新しい仕事は、早くいえば倉庫番だった。梱包《こんぽう》された製品を搬入したり、店頭に移したり、在庫を管理したりするのだ。制服はカラフルなジャンパーから、グレーの作業着に変わった。作業帽までかぶることになった。段ボール箱をハンドリフトや台車で運びながら、結局俺は兄貴と同じことをしていると直貴は思った。剛志は引っ越し屋だった。しかし腰を痛めて働けなくなり、思い余って他人の家に侵入したのだ。

俺はどうだろう、と直貴は思った。もし自分が身体を痛めたらどうなるだろう。会社が別の仕事をあてがってくれればいい。だがもしそうならなかったら？　会社を辞めるしかないのか。そうして金に困り、挙げ句の果てに他人のものを盗もうと考えるのだろうか。まさかそんなことはない、と今は思える。しかし剛志だって、自分が泥棒に入り、衝動的に老婆を殺してしまうことなど、想像さえしていなかっただろう。自分にはそんな兄と同じ血が流れている。そして世間の人間が恐れるのは、まさにその血のことなのだ。

4

直貴が倉庫で商品の在庫をチェックしている時だった。背後に人の気配を感じた。振り返ると小柄な人物が笑いながら立っていた。茶色の背広を着て、同系色のネクタイを締めている。年齢は六十歳以上に見えた。額は禿げ上がり、残っている髪は真っ白だった。

何か、と直貴は訊いた。部外者ではないだろうと思った。品物を搬入する時以外は大扉は閉じられているし、倉庫の入り口には受付がある。受付係はアルバイトの中年女性だが、部外者を無警戒に通すほど無責任ではない。

「いや、気にしなくていいんだ。仕事を続けてくれればいい」その人物はいった。口調にゆとりと威厳が滲《にじ》んでいる。

はあ、といって直貴は手元の伝票に目を落としたが、その人物のことが気になってなかなか作業に集中できなかった。

すると謎の男性はいった。「ここの仕事には慣れたかい」

直貴は男性を見た。相手は微笑んだままだった。ええまあ、と直貴は答えた。

「そうか。うちは流通システムが生命線だからね、倉庫の仕事は重要なんだ。よろしく頼むよ」

はあ、と頷いてから、直貴は改めて男性の笑顔を見た。「あのう……」

うん、と相手の男性は顎を少し上げた。

「本社の方ですか」

彼の質問に、相手はさらに相好《そうごう》を崩した。ポケットに両手を突っ込み、直貴に近づいてきた。

「まあねえ、ビルの三階にいるよ」

「三階……ですか」そういわれてもぴんとこなかった。本社に行ったのは、面接を受けた時だけだ。

遠回しな言い方が通じなかったことを悟ったか、相手の男性は鼻の下をこすり、「三階には役員の部屋がある。その中でも一番奥が私の部屋だ」といった。

「役員室の一番奥……」そう呟いた数秒後、直貴は口と目を同時に大きく開いた。「えっ、じゃあ、あの」唇を舐め、唾を飲んだ。「社長さん……ですか」

「うん、平野だよ」

直貴は直立不動の姿勢をとった。平野というのが社長の名字だということぐらいは知っていた。背筋をぴんと伸ばしながら、どうしてこんなところに社長がいるんだと思った。

「武島君、だったね」

「あ、はい」相手が自分の名を知っていたことに彼は驚いた。

「今回の人事異動は不当だと思うかね」

突然の質問に直貴は絶句した。頭の中が真っ白になっていた。そのことがわかったのだろう、平野社長は苦笑し、頷きながら彼の肩を叩いた。

「急にこんなことを社長から訊かれて、はいそう思います、ともいえんかな。まあそう硬くならず、知り合いのおじさんが来たようなつもりでいなさい」平野社長はそういうと、そばの段ボールに腰を下ろした。テレビが入っている箱だった。「君も座ったらどうだ」

「いえ、あの……」頭を掻いた。

社長はふっふっふと笑った。

「商品の上には絶対に座ったりするな、そういわれてるんだろうねえ。全社的にそういうきまりになっておるようだ。私はそんなことを命じた覚えはないんだが。まあいいじゃないか。誰も見てないことだし」

「はあ」そういわれても、やはり座るわけにはいかなかった。直貴は身体の後ろで手を組み、所謂《いわゆる》休めの姿勢をとった。

社長は足を組んだ。直貴を上から下までじろじろと眺めた。

「ここでの人事は、ここの人事部に任せてある。だから君が配置転換されたことについては、私は関与していない。その経緯についても、ついさっき確認したばかりだ」

直貴は俯いた。社長が何をいいだすつもりなのか、まるで見当がつかなかった。

「しかしね、人事部の処置は間違ってないと私は思う。当然のことをしただけだ」

直貴は俯いたまま、鼻で大きく呼吸をした。息を吐く音は社長の耳にも届いたはずだ。

「君はこう思っているだろうね。差別されている、と。刑務所に入ったのは自分じゃないのに、どうして自分がこんな扱いを受けなきゃならないんだ、と」

直貴は顔を上げた。平野社長の声に、先程までの笑いは含まれていなかったからだ。事実社長は笑っていなかった。真剣な眼差しを、入社したての倉庫係に向けていた。

「これまでにも、こんなことはあったんじゃないか。不当な扱いを受けたことが」

直貴はゆっくりと頷いた。「ありました。いろいろと」

「だろうね。そのたびに君は苦しんだだろう。差別に対して怒りもしたはずだ」

肯定するかわりに直貴は口を閉ざし、瞬《まばた》きをした。

「差別はね、当然なんだよ」平野社長は静かにいった。

直貴は目を見張った。差別はしていないという意味のことをいわれると思ったからだ。

「当然……ですか」

「当然だよ」社長はいった。「大抵の人間は、犯罪からは遠いところに身を置いておきたいものだ。犯罪者、特に強盗殺人などという凶悪犯罪を犯した人間とは、間接的にせよ関わり合いにはなりたくないものだ。ちょっとした関係から、おかしなことに巻き込まれないともかぎらないからね。犯罪者やそれに近い人間を排除するというのは、しごくまっとうな行為なんだ。自己防衛本能とでもいえばいいかな」

「じゃあ、僕みたいに身内に犯罪者が出た者の場合は、どうすればいいんですか」

「どうしようもない、としかいいようがないかな」

社長の言葉に直貴は怒りを覚えた。そんなことを宣告するために、わざわざこんなところまで来たというのだろうか。

「だから」彼の内心を見透かしたように社長は続けた。「犯罪者はそのことも覚悟しなきゃならんのだよ。自分が刑務所に入れば済むという問題じゃない。罰を受けるのは自分だけではないということを認識しなきゃならんのだ。君は自殺については容認派かね」

「自殺?」突然話題が変わったようなので直貴はうろたえた。

「死ぬ権利があると思うか、と尋ねているんだよ」

「それは」少し考えてから彼は答えた。「権利はあると思います。自分の命なんだから、どう扱うかは自分の自由じゃないでしょうか」

「なるほど、今時の若者らしい意見だ」平野社長は頷いた。「じゃあ、人殺しについてはどうかね。容認派かい」

「まさか」

「だろうね。では、殺人はなぜ許せないのかな。殺された人間には意識も何もないのだから、もっと生きたかったという欲求も、命を奪われたという悔しさもないのだが」

「だってそんな……人を殺してもいいってことになったら、自分だって殺されるおそれがあるわけだし、そんなのはやっぱりよくないですよ」

「その理由は、死ぬ覚悟が出来ている人間には通じないね。自分だって殺されてもかまわないと思っているわけなんだから。そんな人間には、何といって説得する？」

「その場合には……」直貴はまた唇を舐めた。「相手には家族や愛する人がいるかもしれないし、そういう人が悲しむだろうからやめろと」

「そうだね」社長は満足そうに頬を緩めた。「まさにそれだよ。人には繋がりがある。愛だったり、友情だったりするわけだ。それを無断で断ち切ることなど誰もしてはならない。だから殺人は絶対にしてはならないのだ。そういう意味では自殺もまた悪なんだ。自殺とは、自分を殺すことなんだ。たとえ自分がそれでいいと思っても、周りの者もそれを望んでいるとはかぎらない。君のお兄さんはいわば自殺をしたようなものだよ。社会的な死を選んだわけだ。しかしそれによって残された君がどんなに苦しむかを考えなかった。衝動的では済まされない。君が今受けている苦難もひっくるめて、君のお兄さんが犯した罪の刑なんだ」

「差別されて腹を立てるなら兄を憎め、とおっしゃりたいのですね」

「君が兄さんのことを憎むかどうかは自由だよ。ただ我々のことを憎むのは筋違いだといっているだけだ。もう少し踏み込んだ言い方をすれば、我々は君のことを差別しなきゃならないんだ。自分が罪を犯せば家族をも苦しめることになる――すべての犯罪者にそう思い知らせるためにもね」

淡々と語る平野の顔を、直貴は見返した。これまでにも不当な扱いを受けてきたが、そのことを正当化する意見を聞くのはこれが初めてだった。

「もっとも、小学校などではこんなふうには教えないだろうがね。犯罪者の家族もまた被害者なんだから広い心で受け入れてやらねばならない、そんなふうに教えるんじゃないのかな。学校だけじゃない。世間の人々の認識もそうだ。君の兄さんのことは職場でも噂になったと思うが、そのことで嫌がらせのようなことをされたかね」

「いいえ」直貴は首を振った。「むしろ、以前よりも皆さんが気遣ってくれます」

「そうだろうね。その理由はわかるかい？　君がかわいそうだから親切にしてやらねば、と皆が思ったのだろうか」

「違うと思います」

「なぜそう思う？」

「なぜって……理由はうまくいえませんけど、みんなの雰囲気からそう感じるんです」

直貴の答えに満足したように社長は頷いた。

「君に対してどう接すればいいのか、皆が困ったのだよ。本当は関わり合いになりたくない。しかし露骨にそれを態度に示すのは道徳に反することだと思っている。だから必要以上に気を遣って接することになる。逆差別という言葉があるが、まさにそれだ」

社長の言葉に直貴は反論できなかった。前の職場にいた時に抱いた不自然な違和感は、それだったといえた。

「人事部の処置が間違っていないといったのは、そういう状況を踏まえてのことだよ。差別にしろ逆差別にしろ、他の従業員が仕事以外のことで神経を使わねばならないようでは、お客さんに対して正常なサービスなどできないからね。そして差別や逆差別といったものがなくならない以上、君を別の職場に移すしかない。そういったことによる悪影響がなるべく出ない職場にだ」

それがこの薄暗い倉庫というわけか、と直貴は足元に目を落とした。

「誤解してもらっては困るんだが、君という人間が信用できないといってるんじゃない。犯罪者の弟だから同じ血が通っている、だから同じように悪事を働くおそれがある、なんて非科学的なことは考えていない。もし君を信用していないなら、この職場にだって置いていない。ただね、会社にとって重要なのは、その人物の人間性ではなく社会性なんだ。今の君は大きなものを失った状態だ」

君のお兄さんはいわば自殺をしたようなものだ、社会的な死を選んだわけだ――先程平野がいった言葉を直貴は噛みしめていた。剛志が選んだのは自らの社会的死だけではなかったということか。

「しかしね、本当の死と違って、社会的な死からは生還できる」平野はいった。「その方法は一つしかない。こつこつと少しずつ社会性を取り戻していくんだ。他の人間との繋がりの糸を、一本ずつ増やしていくしかない。君を中心にした蜘蛛《くも》の巣のような繋がりが出来れば、誰も君を無視できなくなる。その第一歩を刻む場所がここだ」そういって足元を指差した。

「ここから始めろと……」

「不満かね」

「いえ」彼は即座に首を振った。「社長のおっしゃってる意味はよくわかりました。でも、自分にできるだろうかと」

するど平野は口元をにっと横に伸ばして笑顔を作った。

「君ならできるさ」

「そうでしょうか。社長は俺のことなんか何も御存じないから」

思わず自分のことを「俺」といってしまったことに直貴は気づいた。いい直そうと思って顔を上げると、平野が懐から何か出してくるところだった。

「たしかに私は君のことを殆ど知らない。しかしね、君に人の心を摑む力があることだけは知っている。それがなければ、こんなものが私の元に届いたりしない」

平野が差し出したのは一通の手紙だった。直貴が受け取ろうと手を出すと、平野はさっとそれを引いた。

「残念ながら君に見せるわけにはいかない。この手紙の差出人は、自分がこんなものを書いて出したことは、決して君にはいわないでくれと頼んでいる。自分が勝手にしたことだから、これを読んで不愉快になったとしても、君を責めないでくれと書いてもいる」

この言葉に直貴は事情を察知した。手紙を書いた人間は一人しかいない。

「差出人が誰かは見当がついたようだね」平野はいった。「ならば、どんな内容かも察しがつくだろう。君が今までどれほど苦労してきたか、今もまたどんなに悩んでいるか、そうして君が人間的にいかに素晴らしいものを持っているかを、この手紙の主は切々と語っているんだよ。そのうえで、どうか君を助けてやってほしいと頼んでいる。上手い文章ではないが、私は胸を打たれたよ」

「あいつが……」直貴は両手を握りしめていた。

「さっき私は第一歩を刻む場所がここだといった。しかし訂正したほうがいいかもしれないな。なぜなら君はすでに一本目の糸は手にしているからだ。少なくともこの手紙の主とは心が繋がっている。あとはそれを二本三本と増やしていけばいいだけのことだ」

平野は手紙を懐に戻し、じっと直貴の目を見つめてきた。この手紙の主の期待に背いているようでは未来はないぞと断言している視線だった。

直貴は深く呼吸してからいった。「がんばってみます」

「期待しているよ」平野は手紙の入ったポケットのあたりを二度叩き、直貴に背を向けた。小柄で痩せた社長の背中は、直貴には大きく見えた。

この日仕事を終えた直貴は、真っ直ぐ家には帰らず、電車に乗った。行き先は当然、手紙の差出人のところだった。吊革に摑まって身体を揺らしながら、彼は社長の言葉の一言一言を反芻《はんすう》していた。

そうかもしれないな、と思った。自分の現在の苦境は、剛志が犯した罪に対する刑の一部なのだ。犯罪者は自分の家族の社会性をも殺す覚悟を持たねばならない。そのことを示すためにも差別は必要なのだ。未だかつて直貴は、そんな考えに触れたことさえなかった。自分が白い目で見られるのは、周りの人間が未熟なせいだと決めてかかっていた。これは理不尽なことなのだと運命を呪い続けていた。

それは甘えだったのかもしれない。差別はなくならない。問題はそこからなのだ。そこからの努力を自分はしてきただろうかと考え、直貴は心の中で首を振った。いつも自分は諦めてきた。諦め、悲劇の主人公を気取っていただけだ。

由実子のアパートに着くと、彼は部屋のドアホンを鳴らした。だが応答はなかった。郵便受けにも郵便物が挟まったままだ。まだ帰ってないらしい。来る前に電話をかけなかったことを後悔した。

どこかで時間を潰すか、このままドアの前で待つかどうかを直貴は迷った。由実子にだって都合はある。時には職場の人間に誘われて、飲みに行くことだってあるだろう。

喫茶店にでも行って、少ししてから電話をかけてみようか——そう思いながら何気なく郵便受けを見た時だった。そこに挟まっている封筒の一つが彼の目に留まった。正確にいえば、封筒の裏に書かれている郵便番号の数字が気になったのだ。その数字には、ある特徴があった。

まさか、と思いながら彼はその封筒を抜き取った。

表書きを見た瞬間、全身に鳥肌が立った。信じられないものを目にした思いだった。武島直貴様——飽きるほどに見慣れた筆跡で、そう書かれていた。

5

『前略　元気ですか。早いもので、今年もあっという間に終わっちゃいそうだな。直貴にとって今年はどんな年だった？　おれのほうは、まあいつも通りってところかな。知り合いが何人か出所していったけど、そのかわりに新しい顔ぶれも入ってきた。そういえば先週は面白いやつが入ってきた。タレントの志村けんに似たやつだ。みんなで志村けんのモノマネをやらせようとしている。本人は一応いやがってるけど、まんざらでもなさそうなんだよ。そんなやつだけど、ここへ入ってきた理由を聞くと、ちょっとびっくりなんだよな。人は見かけによらないっていうけど、ほんとだよ。くわしく説明してやりたいけど、そういうことは書いちゃいけないんで、ここを出る時がきたら話すよ。なんか最近、ここを出たらって話が多いな。直貴が、そういうことを書いてくれるからだ。そういえば先月の手紙には、おれがここを出たら、一緒にまずおふくろの墓参りに行こうって書いてあったな。そういってくれて、すごくうれしいよ。おれだって、もちろんおふくろの墓参りには行くつもりだ。でもやっぱり真っ先に行かなきゃならないのは緒方さんのお墓だ。緒方さんの墓前で改めて謝って、それからようやく次のところへ行けるんだと思う。

なあんてな、また出所してからのことを書いちまったよ。まだまだあと何年もあるってのにさ。おれ、なるべくそういうことは考えないようにしてるんだ。とにかくがんばって一日一日を過ごすだけだよ。でも直貴がおれの出所後のことまで考えてくれてるってのは、すごくありがたいよ。やっぱり兄弟ってのはいいものだな。おれに弟を作ってくれたおふくろに改めて感謝したいよ。

今年になって、毎月きちんと返事を書いてくれるようになって喜んでる。正直、前はちょっとさびしかったもんな。でもあんまり無理しないでくれよ。電器屋の仕事、大変なんだろ。身体を大事にしてくれよ。おれへの返事なんて、気が向いた時だけ書いてくれりゃいいんだからさ。

これから寒くなると思うけど、風邪ひかないようにな。また手紙書くよ。じゃあな。

剛志』

武島直貴様

うんざりするほど見慣れた文字を見て、直貴の便箋を持つ手は震えた。頭の中では多くの疑問が渦巻いている。なぜここにこんなものが届いているのか。剛志は一体何のことをいっているのか。先月の手紙とは何か。

だが封筒の宛名部分を見れば、それらの答えは容易に想像がついた。そこに書かれている住所は、由実子のアパートになっていた。住所に続いて、白石方となっている。つまり剛志は、ここが直貴の新しい住居だと思って手紙を出してきているのだ。なぜ彼がそう思い込んでいるのかという疑問に対する答えは一つしかない。

その時だった。階段を上がる足音が聞こえてきた。直貴はそちらに顔を向けた。由実子が上がってくるところだった。彼女は彼を見て、ぱっと表情を明るくした。

「直貴君、来てたの」駆け寄ってきた。「どうしたの？」

「これ、何だよ」直貴は持っていた封筒と便箋を彼女の顔の前に出した。

由実子の表情が途端に曇った。俯き、瞬きを繰り返した。

「これは何だって訊いてるんだ。答えろよ」

「説明するから、とりあえず中に入って」彼女はそういって部屋の鍵を外した。

「こんな勝手なこと、一体どういうつもりで――」

「お願いだから」由実子は振り向き、懇願する目で彼を見た。「中に入って」

直貴は吐息をひとつつき、彼女に続いて部屋に入った。

由実子は白いコートを脱ぐと、小さな流し台の前に立った。

「直貴君、コーヒーでいいよね」

「早く説明しろよ。どういうことなんだ」直貴は便箋と封筒を床に投げ捨てた。

由実子は薬缶《やかん》を火にかけると、黙って便箋と封筒を拾い上げた。便箋を丁寧に折り畳んで封筒に収め、電話台の横の壁にかけてある状差しに入れた。そこには同じ封筒が何通か差し込まれていた。いずれも直貴のよく知っている筆跡で、彼への宛名が書かれているのだろう。

「ごめんなさい」床に正座し、彼女は頭を下げた。

「何だよ、それ。くそ丁寧に謝って、嫌味かよ」

由実子はふっと吐息をついた。

「勝手なことをしたと思ってる。でも、自分では間違ったことだとは思ってない」

「俺に無断で兄貴に手紙を出したんだろ。俺がここに引っ越したみたいに書いて、兄貴がここへ手紙を書いて寄越すように仕組んだんだろ。それが間違ったことじゃないのかよ」

「法律的にいえば、間違ったことやろね」俯いたまま彼女はいった。

でたわけだろ」

「人間的にも間違ってるだろ。俺の名前で手紙を出して、勝手に兄貴からの手紙を読ん

「それは」由実子は唾を飲み込んだようだ。「お兄さんの手紙を開けるのは、いつも気が咎めた。でも、お兄さんが書いてきはったことを読まないと、その返事を書けないから」

「だからどうしてそんなことをするんだ。由実子が俺の名前で兄貴と文通して、一体何になるっていうんだよ」

「だって」由実子がわずかに顔を上げた。だが直貴の顔を見ようとしない。それでも彼女の睫《まつげ》の濡れているのが、彼にもわかった。「直貴君、もうお兄さんには手紙を書かないっていったから。新しい住所も教えないっていったから」

「それが由実子とどういう関係があるんだ」

「関係はないけど……そんなの、寂しいやないの。兄弟やのに、この世でたった二人の肉親やのに、もう連絡を取れへんなんて」

「だから前にもいっただろ。俺は兄貴とは縁を切るんだよ。兄貴からの手紙が来ないところで、兄貴とは関係のない世界で生きていきたいんだ」

「そんなことして、何の意味があるの？」

「意味なんか知らない。ただ世間から変な目で見られるのはもうこりごりなんだ。差別

されたくないんだよ」

そこまで喚《わめ》いたところで、はっとした。自分が口にした差別という言葉が、彼の胸に棘《とげ》のように突き刺さったのだ。同時に、ほんの数時間前、社長の平野からいわれた言葉を思い出した。

由実子がゆっくりと彼を見上げた。両方の頰に涙が伝っていた。

「隠したって、現実は変われへんよ。直貴君がどんなに逃げようとあがいても無駄や。それやったら、立ち向かっていったらええのと違うの？」

彼女の言葉が直貴の心にさらに追い打ちをかけた。そうなのだ。これまでの自分は甘えてきた。差別からは逃れられないという前提で、どう生きていくかを模索し、努力しなければならないと決意したばかりなのだ。

直貴は唇を真一文字に結び、由実子の前で膝をついた。彼女の肩にそっと手を載せた。彼女は意外そうに目を見張った。

「ごめん」彼は短く呟いた。

えっ、という形に由実子の唇が開いた。

「俺、今日はこんなことをいうつもりじゃなかったんだ。俺、由実子にお礼をいいたかったんだ」

「お礼って？」

「社長への手紙だよ。あれ書いてくれたの、由実子だろ」

「ああ……」事情を理解したらしく、彼女は小さく頷いた。「あれも、余計なお節介やったかもしれんけど……」

直貴は首を振った。

「社長が俺に会いに来てくれた。それで、いろいろと話してくれた。俺、勉強になったよ。今までの自分の甘さがよくわかった」

「そしたら、社長さんに手紙を書いたことは怒ってない？」

「うん。それから……」直貴は状差しに目を向けた。「兄貴への手紙も、怒るのは筋違いかもしれないな。刑務所にいる兄貴を慰められるのは、俺の手紙だけなのかもしれない」黙って頷く由実子を見て、彼はさらに訊いた。

「でも、俺の筆跡じゃないってこと、兄貴はわからないのかな」

すると彼女はにっこり笑い、机の上を指差した。

そこには安物のワープロが置いてあった。

6

『前略　元気ですか。また引っ越したんだな。そんなに引っ越しばかりやって、敷金とかれいきんとかが大変なんじゃないか。まあ、仕事上の都合っていうんなら仕方ないかもしれないけどさ。
新しい住所には白石方って書いてあるな。これは、白石さんって人の家で下宿してるっていうことなのか。下宿なら食事の世話とかもしてくれるのかな。もしそうだったらいいいな。就職したばっかりで、たぶんいろいろと大変だろうと思うからさ。(後略)』
——四月二十日消印。

『前略　元気ですか。こんなに早く返事をもらえるなんて思ってなかったから、正直いってびっくりしたよ。手紙を書いてる暇なんてあるのかい。いや、もちろん、おれはうれしいよ。おまえがすぐに返事を書いてくれることなんて、まるで期待してなかったからさ。ところで先月の手紙で書き忘れたんだけど、ワープロを使ってるんだな。直貴の手書きを見られないのはちょっとさびしいけど、たぶんワープロを使ったほうが楽なんだろうな。何しろ電器屋だもんな。ワープロぐらい使いこなせなきゃおかしいよな。今じゃここに入ってくるやつの中にも、パソコンを使えるってのがいっぱいいる。パソコンを使って悪いことをして、それで捕まったってやつもいるんだ。どんな悪いことかは書くわけにいかないけどさ。(後略)』——五月二十三日消印。

『前略　そろそろ蒸し暑い日が続くようになってきたな。雨も多いから、あちこちカビ臭くってまいってしまう。好きな時に洗濯できるわけじゃないからたいへんだ。汗をかかないようにはできないので、せめて服が汗でぬれないようにしている。つまり、たいていの場合は裸ってことだ。そんなふうにしてるやつが多いから、部屋の中はいつも風呂屋みたいなんだぜ。

仕事、なかなかたいへんそうだな。覚えることが多すぎると前の手紙には書いてあったけど、頭のいいおまえがそんなことをいうぐらいなんだから、よっぽどむずかしいんだろうな。毎日自宅に資料を持ち帰って勉強してるのか。すごいよなあ。おれなんか、逆立ちしたってそんなことできそうにないよ。（後略）』――六月二十日消印。

『前略　元気ですか。手紙読みました。いいなあ、ボーナスか。そういう言葉、おれも一度使ってみたかったよ。ボーナスが出たよってな。いくらぐらい出たのか気になるところだけど、まあおまえが内緒だっていうんなら仕方ないな。それにしてもボーナスと聞いて、あらためて、ああ直貴は会社員になったんだなあって思ったよ。よくそこまでがんばったよなあ。おまえは本当に出来がいいよ。働きながら大学に通って、立派に就職したんだものなあ。おまえはおれの弟だって、みんなに自慢したい。いや、事実、同じ房のやつらには、自慢してるんだけどさ。おれの弟はこんなにすごいんだぞってさ。

（後略）』――七月二十二日消印。

剛志からの手紙を読むうちに、直貴は目の奥が熱くなってきた。剛志は自分の手紙が白石由実子という全く知らない女性に読まれているということを知らず、そしてその女性から直貴の名で返事が送られてきていることを知らず、嬉々《きき》として文章を綴《つづ》っている。おそらく剛志は、弟からの返事を最大の励みにしていることだろう。直貴は今まで自分の手紙にそれほどの力があることなど想像したことさえなかった。

直貴は手紙の束から顔を上げ、横で項垂《うなだ》れている由実子を見た。

「由実子が俺に、会社のこととか、いろいろと話をさせた理由がよくわかったよ。兄貴に書く手紙のネタにしようと思ったんだな」

彼女は微笑んだ。

「それだけやないよ。あたしも直貴君の話が聞きたかったから」

「でも兄貴のやつ、書き手が代わってることに気づかないのかな」

「そこは、いろいろと気をつけて書いてるから」

「なるほどね」彼は元の場所に戻って胡座《あぐら》をかいた。「それにしても……なんでなんだ？」

「何が」

「前から訊こうと思ってたんだ。どうして俺のためにこんなことまでしてくれるんだ」

「そんなの……」由実子はちょっと拗《す》ねたような顔をして俯いた。

「考えてみたんだ。俺は今まで、兄貴のことを話したら、誰も彼も自分から離れていくと思ってた。でもそうじゃなかった。一人だけ、離れない者がいた。それが由実子なんだ。どうしてなんだ」

「離れてほしいの？」

「そうじゃないってことはわかってるだろ」

由実子は少し頬を緩め、何か考え込んでいた。しばらくそうした後、俯いたまま口を開いた。

「あたしも一緒やから」

「一緒？」

「あたしのお父さんね、自己破産したんよ」そういって彼女は顔を上げた。「あほみたいな話よ。お父さん、賭け麻雀にハマってね、ものすごい借金を作ってしもうたの。たぶん、悪いやつらに、ええようにカモにされたんやと思う」

「その麻雀の負けを払えなくて破産？」

由実子はかぶりを振った。

「その負けた金を返すために、あちこちから借金をしたんよ。カード会社にサラ金に……思い出しただけでも鳥肌が立つ。毎日毎日、督促されて……」彼女は作り笑いをして続けた。「あたしをソープで働かせろっていうてきたやつもおるわ」

それを聞き、直貴も肌が粟立《あわだ》った。

「ある程度は親戚が助けてくれたけど、焼け石に水やった。結局、夜逃げ同然みたいにして家を出て、その後は自己破産が認められるまで息をひそめてた。あたしは親戚の家に預けられて、どうにかこうにか高校を卒業したけど、今の会社に入るのに、いろいろと苦労したんよ。父親のことが会社にばれたら、たぶん就職でけへんかったやろうからね」

「今、お父さんは？」

「ビルの清掃会社で働いてる。おかあさんもパートに出てる。けど、もう何年も会《お》うてへんの。お父さん、あたしらに合わせる顔がないと思てるみたい」由実子は直貴を見て、にっこりした。「あほみたいな話でしょ」

直貴は返すべき言葉が思いつかなかった。彼女にそんな辛い過去があることなど想像さえしなかった。いつも自分を励ましてくれる彼女は、おそらく恵まれた環境で育ってきたのだろうと勝手に決めつけていた。

「あたしら親子は逃げ回って生活してたから、もう逃げるのは嫌なんよ。誰かが逃げるのを見るのも嫌。だから直貴君にも逃げてほしくなかった。ただ、それだけ」

彼女の目から涙が一滴こぼれた。直貴は手を伸ばし、指先でそれをぬぐった。彼女は彼の手を、自分の両方の掌で包んだ。

第五章

1

『前略　直貴様。元気ですか。こっちはこのところ、蒸し暑かったり、かと思えば急に冷え込んだり、という感じです。少しずつ夏に向かっているのかな、と思います。今年の梅雨はカラ梅雨かもしれないな。また水不足にならないかと少し心配です。水が不足すると、刑務所の中でも節水しろといわれます。

ところで実紀ちゃんは元気かな。この間送ってもらった写真、毎日眺めています。生まれて間もない頃は、直貴によく似ていると思ったけど、最近の写真を見ると、やっぱり由実子さんに似ているのかなと思った。まあ、両方に似ているのは当たり前のことなんだけどな。仲間にきくと、父親に似る時期と母親に似る時期があって、それが交代にくるんだそうだ。で、最終的にどっちで終わるかってことは、運なんだそうだ。小さい頃は不細工だったのに大人になったら美人になったとか、その反対のことがおきたりするのは、そのせいなんだってさ。まあ、どこまで本当の話かはわからないけどな。どっちにしても、おまえのところは美男美女のカップルなんだから、実紀ちゃんが美人になるのは間違いないよ。というより、三歳にしてもう立派に美人で通るんじゃないか。あんなにかわいいんだから、きっと近所でも評判だろう。だけど気をつけろよ。世の中にはよからぬことを考えるやつがいるからな。誘拐されないように、ちゃんと見張ってろよ。目を離すんじゃないぞ。おどかすつもりはないんだけど、実紀ちゃんのこととなると、必要以上に心配しちまうんだよな。会ったこともないんだけど、夢にだって出てくるぐらいなんだ。それにしても三歳といえば、かわいいさかりだよなあ。そろそろ手もかからなくなってきてるんじゃないか。

思ったんだけど、実紀ちゃんが一人っ子ってのはかわいそうなんじゃないか。そろそろもう一人、なんて話は出てこないのかな。もちろん金はかかるだろうけど、きょうだいってのはいいもんだぜ。まあ、そんなことをおまえにいっても笑われるかもしれないな。馬鹿な兄貴は、何の役にも立ってないからな。

余計なことを書いちまったかもしれない。気を悪くしないでくれよな。ではまた来月。

武島直貴様　　剛志

追伸　実紀ちゃんの写真、できればもっと送ってほしいです。』

社宅であるサンハイツ葛西まで帰ってくると、前田という家の主婦が植木に水を撒《ま》いているところだった。一階に住んでおり、由実子とも親しくしている。夫は新星電機西葛西店の家電売場の担当だった。

サンハイツ葛西は二棟からなっていて、それぞれに八つの部屋がある。そのうちの一棟を新星電機が社宅として確保していた。

「こんばんは」

直貴が声をかけると、前田夫人は振り向き、すぐに笑顔を作った。

「あら、お帰りなさい。今日は早いんですね」

「ものが売れなきゃ、配送の仕事もありませんから」

「ほんとにねえ、うちの人も、前は値下げすれば売れたのに、今じゃいくら下げても客が来ないって嘆いてましたよ」

「全く参ります」頭を一つ下げ、直貴は階段を上がっていった。前田家の真上が、直貴たちの部屋だった。

自宅のドアを開けると、カツオだしの匂いがした。由実子がキッチンで、何かの味見をしている。その手を止め、口元を緩めた。

「お帰り。早かったね」

「下の奥さんからも同じことをいわれたよ」

ダイニングキッチンの奥に二部屋ある。一方は寝室で、もう一方を居間として使っている。直貴は上着を脱ぎながら居間を覗いた。実紀がカーペットの上で眠っていた。タオルケットをかけたのは由実子だろう。実紀の傍らには、お気に入りの犬のぬいぐるみが転がっていた。

「さっき、ちょっと早めに御飯食べさせたの。そうしたら、すぐ眠っちゃった。今日は公園に行ったから、疲れたみたい。実紀ったら、すっかりテンションが上がっちゃって」

「公園には慣れたのか」着替えながら直貴は訊いた。

「慣れたなんてもんじゃないよ。毎日行きたがって困るもん。やっぱり子供は外で遊ぶのが好きなんだね」

「そりゃあそうさ」

着替えを終え、手を洗うと、直貴はダイニングテーブルについた。由実子が手早く料理を並べていく。

「友達は出来たのかい」直貴は訊いた。

「うん。最初に会ったエミちゃんとセリナちゃんが一番の仲良しかな。でもタッちゃんという男の子とも遊ぶようになった。タッちゃんってのは、実紀よりも二か月後なのに、ずいぶん身体が大きいの。びっくりしちゃった」

「乱暴なことされないだろうな」

「大丈夫よ。あたしたちが見てるし、タッちゃんは優しい子だから」

由実子の口振りを聞き、直貴はほっとした。一人娘もそうだが、由実子が無事に公園デビューなるものを果たし終えたらしいと思ったからだ。

由実子の手料理を口に運びながら、彼は実紀の寝顔を眺めた。こんなに穏やかで落ち着いた時間を過ごせる日など、自分には来ないと思っていた。しかし、これは現実にほかならなかった。何もない平凡な毎日だが、彼にとっては宝物だった。

由実子と同棲を始めて間もなく、彼女が妊娠した。じつは直貴は悩んだが、由実子はそんな気配をまるで見せなかった。何しろ妊娠を告げる時の台詞が、「おめでとう、今日からパパと呼ばせてもらうで」だったのだ。

入籍しただけで、結婚式は挙げなかった。それでも教会の見える公園で、彼は安物の指輪を由実子にプレゼントした。二人にとっての儀式だった。

子供が出来るとなると、由実子の部屋に居座っているわけにはいかない。直貴は社宅を申し込んでみた。かなり高い倍率だったが、直貴は当たりくじを引き当てた。

「直貴君は父親としての最初の務めを果たしたわけやね」由実子はそういって笑った。

くじ運は悪いほうなんだけどなと彼がいうと、彼女は少し真顔になって頷いた。

「今までが悪すぎたんよ。これからは何もかもうまくいくよ」

そうだといいなと彼も頷いた。

引っ越し、由実子の退職、出産準備、そして出産と、次から次へと状況が変化していった。直貴は今すぐにやらねばならないことに取り組むだけで精一杯だった。由実子のほうが落ち着いていた。めまぐるしく事態が移り変わっていく中で、彼女がいつも彼にいったことがある。それは剛志への手紙についてだ。

「このこと、早くお兄さんに知らせないとね。びっくりするよ、きっと。でも喜んでくれるんじゃないかな」

同棲を始めた後も結婚した後も、彼女は常に剛志への手紙のことを考えていたようだ。忙しかったり、気が乗らなかったりで、直貴が手紙を書かずにいると、決まって彼女が催促するのだった。

「実紀が歩けるようになったこと、お兄さんに知らせた？　えっ、まだ書いてないの？　どうしてよ。早く書かないと、お兄さんからの次の手紙が来ちゃうじゃない。先々月もそうだったでしょ。実紀のこと書きなさいよ。今月のビッグニュースは、やっぱりあれが一番だと思うよ。ああそうだ、写真も入れてあげたらどう？」

こんなふうにいってくれることに直貴は感謝していた。だがその一方で一抹《いちまつ》の不安もあった。剛志の手紙を、やや意識しすぎているように感じるからだ。

自分に引け目を感じさせないため、無理しているのではないか——そう思うことが時々あった。

夕食を終えた頃、玄関のドアホンが鳴らされた。直貴はドアの内側に立ち、スコープを覗いてみた。髪の長い女性が立っている。すぐそばにも誰かいるようだ。

「はい、何でしょうか」ドアを開ける前に尋ねてみた。

「夜分に申し訳ありません。明日、こちらに引っ越してくる者ですが、一応御挨拶をと思いまして」女性の声がそういった。

直貴はドアを開けた。外にはやはり二人立っていた。女性の後ろに男性がいる。こちらはどこかで見た顔だったが、すぐには思い出せない。

「こんな時間に申し訳ありません」女性はもう一度謝り、頭を下げた。夫らしき男性もそれに倣った。「マチヤといいます。明日、202号室に越してくる予定なんですけど、いろいろと御迷惑をおかけすることになると思いましたので、先に御挨拶に伺いました」

はきはきとしたしゃべり方だった。たぶんしっかりした性格なのだろう。夫のほうは黙って従っているという印象だ。

「それはどうも御丁寧に」直貴も笑顔で応じた。「何かお手伝いできることがあれば、遠慮なくおっしゃってください。明日は僕も家にいますから」

明日は定休日だ。無論、だからこそ彼等も引っ越しの日に充《あ》てたのだろう。

「ありがとうございます。あの、これはつまらないものですけど、どうかお納めくださいませ」彼女は小さな紙包みを差し出してきた。町谷、と書いた紙が貼ってある。

「あ、これはどうも」包みを受け取ってから、後ろを振り返った。由実子がすぐそばに来ていた。「202号室に越してこられるそうだ」

由実子も顔を崩した。

「何かわからないことがあったら、いってくださいね」

ありがとうございます、と彼女は頭を下げ、立ち去る気配を見せた。だが夫のほうは、なぜかじっと直貴の顔を見ている。やがて彼は口を開いた。

「ええと、パソコン売場にいた武島君だよね。新入社員の頃」

「あ、はあ……」

ずいぶん昔のことをいわれたので面食らった。それで相手の顔を改めて見返すと、不意に記憶が呼び覚まされた。

「たしか、以前経理課にいらっしゃった……」

「うん、町谷。今度、こっちのほうに戻ってきたんだ。今までは亀戸《かめいど》のほうにいたんだけど」呟くように、ぼそぼそと町谷はいった。

「そうだったんですか」

直貴がまだパソコン売場にいた頃、二、三度顔を合わせたことがある。直貴よりは一年先輩のはずだった。

「この社宅に君がいるとは知らなかったな」町谷は直貴から視線をそらし、指先で頬を掻いた。

「お知り合いだったの？」彼の妻が訊いた。

「いや、知り合いっていうほどでもない」町谷は言い訳するように答えると、直貴と由実子を見比べた。「じゃあ、明日はそういうことなので」

「わかりました」

ドアを閉めると同時に由実子がいった。「なんか、いやな感じ」

「どうして？」

「だって、なんだかじろじろ見られたもん。奥さんは敬語を使ってたのに、旦那のほうは直貴君が後輩とわかった途端にぞんざいな言葉遣いになったし」

「縦社会ってのはそういうものだよ」鍵をかけながら、直貴は強いて明るい口調でいった。じつは内心では不吉な予感を抱いていた。パソコン売場にいた時期はそれほど長くはない。だがその短い期間で、剛志のことがばれてしまい、職場でも色眼鏡で見られるようになったのだ。そして町谷はその頃のことを知っている。

まさか——直貴は小さく首を振った。だいぶ前のことだ。町谷にしても忘れているに違いない。

実紀が目を覚ましたらしく、しきりに由実子に甘え始めた。

翌日の午前十時頃、アパートのそばに家具業者の大型トラックが止まった。制服を着た数人の作業員が、きびきびした動きで荷物を202号室に運び込むのを、直貴は部屋の窓から眺めた。運ばれる家具はどれもこれも新品で、ぴかぴかに光っていた。自分たちの引っ越しでは、新しく買ったのはテーブルだけだったのを、直貴は思い出していた。

あの時は、若い夫婦が業者にも頼まず自分たちで悪戦苦闘しながら荷物を運んでいるのを見かねたのか、階下の前田夫妻をはじめ、近所の先輩たちが手伝ってくれた。それをきっかけに親しくなったともいえる。

町谷夫妻の引っ越しは午後三時頃には終わった。結局、直貴が手伝いに行く局面は訪れなかった。

「町谷さんの奥さん、すごいお金持ちのお嬢様らしいよ」買い物から帰ってきた由実子が、冷蔵庫に食べ物を収めながらいった。「実家は世田谷で、お父さんはどこかの会社の役員なんだって」

「誰から聞いてきたんだ」

「前田さん。スーパーで会ったの」

早速新参者の噂話に花を咲かせていたらしい。自分たちの時も、きっとあれこれいわれていたのかもしれないと直貴は思った。だが幸いにも、剛志のことは知れ渡っていなかったようだ。

その日の深夜だった。身体を揺すられて直貴は目を覚ました。由実子が彼の顔を覗き込んでいた。

「どうした？」寝ぼけ眼《まなこ》で彼は訊いた。

「裏で変な音がするんだけど」

「変な音？　アパートの裏で？」

うん、と彼女は頷いた。アパートの裏には人が辛《かろ》うじて通れる程度のスペースがある。

「野良猫じゃないのか」

「そんなんじゃない。窓から見たんだけど、暗くてよくわからないの」

直貴は布団から這い出て、裏に面している窓を開けた。たしかに暗くて何も見えない。

「何も聞こえないけどな」

「さっきは聞こえたのよ。いやだな。放火魔とかだったらどうしよう」

「まさか」直貴は笑ってみせたが、そういわれると不安になってきた。彼はパジャマを脱いだ。「わかった。ちょっと見てくるよ」

手早く着替え、懐中電灯を持って外に出た。どこの部屋の明かりも消えている。

アパートの裏に回り、懐中電灯のスイッチを入れた。照らし出されたのは、夥《おびただ》しい数の段ボールだった。折り畳まれたものが、ぎっしりと立てられている。引っ越し業者のロゴが見えた。

直貴は懐中電灯を消し、引き返した。階段を上がろうとした時、反対側から人影が現れた。町谷だった。手に束ねた段ボールを提げている。

「あっと……」彼はばつの悪そうな顔をした。

「引っ越しすると、段ボール箱の処置に困りますよね」直貴は穏やかにいった。

「置いておくところがないんだよな」町谷は独り言のようにいった。

「でも、この裏に置くのはまずいですよ。防火上の理由とかで、禁止されてるんです」

「ほんの二、三日だよ。すぐに捨てるから」

「でも段ボール箱となると、出せる日が決まってるし。ここの人はみんなルールには厳しくて――」

「うるさいな。わかったよ」直貴の言葉を遮ると、町谷は舌打ちし、引き返した。

2

しばらくは何事もない日々が続いた。変わったことといえば、町谷の妻の妊娠が発覚したことぐらいだ。新居に越してきてから二か月もしないうちに、腹の膨らみが目立つようになった。

「できちゃった結婚ってやつだね、あれは」妊娠の噂を仕入れてきた由実子が、夕食の支度をしながら面白そうにいった。「お腹が目立つ前にってことで、きっとあわてて式を挙げたんだよ」

「じゃあ、俺たちと一緒じゃないか」

「そう。だからあたしたちのほうが先輩なわけ。今度、何かお祝いを持っていかなきゃ」

直貴は笑って頷いたが、胸に少し引っかかりを覚えていた。町谷とはごくたまに会社で顔を合わせることがあるが、いつも妙によそよそしい態度をとられてしまうのだ。挨拶をしても、仕方なしといった感じで応じてくるだけだ。

あの夜のことをまだ根に持っているのかなと思ってしまう。町谷が、規則を無視して段ボール箱をアパートの裏に捨てていた一件だ。直貴としては親切心から注意したにすぎないのだが、町谷としてはプライドを傷つけられた思いだったのかもしれない。だけど、まさか、とも思う。あの程度のことにいつまでもこだわる人間がいるとは思えなかった。

その三日後のことだ。直貴が会社から帰ると、玄関に大きな紙袋が置いてあった。中を覗いてみると新品の紙おむつだった。どうしたのかと由実子に尋ねると、彼女は冴えない顔をしてため息をついた。

「薬屋でもらったの。ポイントを集めたら、商品と交換してくれるのよ」

「なんでまた紙おむつなんかと交換したんだ。実紀はもういらないだろ」

「ほかに大した商品がなかったのよ。それなら町谷さんにあげられると思って」

「ああ、なるほど」直貴は頷いた。「じゃあ、明日にでも持っていってやれよ。ちょっと気が早いかもしれないけど、喜ばれるんじゃないか」

するると由実子は肩をすくめ、下唇を突き出した。

「ところがそうじゃなかったの」

「そうじゃないって、どういうこと？」

「さっき持っていったのよ。でも、いらないっていわれちゃったの」

「えっ、まさか。いらないって、はっきりいわれたのか」

「そりゃあ言い方は丁寧だったよ。うちじゃあ紙おむつは使わないつもりなので、せっかくですけれど、これはほかのお宅に差し上げてください――まあ、そんな感じかな」

「紙おむつ、使わないのか」

「そういう主義の奥さんがいるのは事実なのよ。紙おむつを使ってると、結果的におむつの取れるのが遅くなるからって。赤ちゃんにとって快適すぎるのがよくないのよね。うちだって、実紀にはなるべく紙おむつは使わないようにしてたでしょ」

「でも外出する時には便利だったぜ」

「そういったんだけど」由実子は首を振った。「とにかくいらないって。そういわれちゃったら、無理矢理押しつけて帰るわけにもいかないでしょ」

「それで持って帰ってきたってわけか」直貴は紙袋を眺め、首を傾げた。育児についてはそれぞれの親にこだわりがあっていいと思うが、せっかく他人が親切で持ってきてくれたものを受け取らないということがあるだろうか。使うか使わないかは、受け取ってから考えればいいのではないか。少なくとも自分には、そんなふうに相手を追い返すことなどできないと直貴は思った。

「こんなことなら紙おむつなんかやめて、やっぱり簡易救急セットにしとくんだった」

由実子はつまらなそうにいった。

町谷夫妻に関する話題が上ったのは、それから約一か月後のことだ。土曜日の夕方、実紀を連れて買い物に出かけていた由実子が、帰ってくるなり直貴にこんな報告をした。

「町谷さんの奥さん、今日公園デビューしてたわよ」

「公園デビュー？　でもまだ子供は生まれてないだろ」

「子供を産む前からデビューする人だっているのよ。出産を控えて、いろいろな人のアドバイスを聞いておいたほうがいいし、子供が生まれた後も、すんなりとみんなの輪に入っていけるから」

「じゃあ、由実子も何かアドバイスしてやったのか」

「あたしはあまり話さなかった。おかあさんグループの中じゃ、まだ新米のほうだからね。出しゃばらないようにしてる」

「難しいんだな」

　この時の会話はこれで終わった。だから直貴も、特には気に留めなかったし、由実子にしても重大な意味を持つとは思わなかったはずだ。何もない当たり前の毎日が、この先もずっと続くと信じていた。

　ちょうどその頃から、直貴の仕事が忙しくなった。といっても会社の業績が伸びているわけではなく、むしろその逆で、大量に人員整理されたため、結果的に一人一人にかかる負担が大きくなったのだ。手当てのつかない残業で帰りが遅くなる日が続いた。帰宅するとすでに愛娘は寝ており、由実子の話を聞きながら一人で夕食をとるというのが日課になった。その由実子の話にしても、とりたてて興味深いものではなく、どこそこで安売りをしていたのでまとめ買いをしたとか、テレビで面白い番組をやっていたとかいったものばかりだ。結婚すると話題が乏しくなってしまうものなのだなと漠然と考え、直貴は適当に相槌《あいづち》を打っていた。

　彼が異変に気づいたのは、ある休日の午後だった。新聞を読んでいると、実紀が彼の服の袖を引っ張った。

「公園？　ああ、そうだな」直貴は窓の外を見た。雲は少なく雨の降る心配はなさそうだ。

「ねえ、コーエンいこ」


するとと洗濯物を干していた由実子がいった。

「お父さんは疲れてるの。後でおかあさんが連れてったげるから」

「いいよ、公園ぐらい。俺だってたまには実紀を連れて散歩したいし」

「だったら、もっとほかのところに行こうよ。三人でちょっと遠出とかしない？」

「いいよ。どこがいい？」直貴は娘の顔を見た。「遊園地にでも行くか。それとも動物園がいいか？」

しかし実紀はかぶりを振った。

「実紀、コーエンに行きたい。エミちゃんとかセリナちゃんと遊びたい」

「こういってるぜ」直貴は妻を見上げた。

由実子は実紀の前で腰を屈《かが》めた。

「じゃあ、後でおかあさんと一緒に行こ。それまでちょっと待ってて」

「やだ。あのコーエン行きたくない」

「あの公園？」直貴は妻と娘の顔を交互に見た。「なんだ。ほかにも公園があるのか」

由実子は答えず、目を伏せた。唾を飲む気配もあった。

すると実紀がいった。

「あのコーエン、セリナちゃんいないもん。エミちゃんもいないもん」

「いない？　どうして？　どこに連れていってるんだ」直貴は由実子に訊いた。

彼女は諦めたようにため息をついた。「このところ、別の公園に行ってるの」

「別の？　なんで？」

「なんでって……買い物に便利だから。そっちのほうが車の交通量も少ないし」

「なんだ、それ。そんな理由で子供の楽しみを奪うなよ。かわいそうじゃないか」

だって、といったきり由実子は口をつぐんだ。

「わかった。よし、実紀、じゃあお父さんと行こう。お父さんが、いつもの公園に連れてってやるぞ」

やったあ、といって実紀が両手を上げた。

「待って。それならあたしが連れていく。あなたは休んでて」由実子がいった。

「なんだよ、急に。いいよ、俺が連れていくから」

「あなたは家にいて。今日、アパートの管理会社から電話がかかってくるかもしれないの。御主人にいてもらってくださいといわれてるから」

「そんな話、今初めて聞いたぜ」

「忘れてたのよ。――実紀、じゃあちょっとだけよ」そういって由実子は出かける支度を始めた。

妻と娘が出かけていった後、直貴は部屋で寝転んでテレビを見始めた。だが生憎《あいにく》彼が楽しめる番組はなく、たちまち退屈してきた。彼は電話に目を向けた。管理会社から電話がかかってくるといっていたが、一体どういう用件だろう。いつかかってくるかわからない電話を待つために一日中家にいなければならないというのも馬鹿げた話だ。

彼は自分から管理会社に電話してみることにした。だが呼び出し音が数回鳴った後に聞こえてきたのは、留守番電話のメッセージだった。管理会社も今日は休みなのだ。緊急の連絡がある方は次の番号におかけ直しください、というメッセージも流れてきたが、その番号を聞く前に彼は電話を切った。

なんだ由実子のやつ、何を勘違いしてるんだ——。

直貴は財布と鍵を手にした。自分も娘が公園で遊ぶのを眺めたいと思ったのだ。

実紀が行く公園は、アパートから徒歩で五分ほどのところにある。歩きながら、彼は小さく首を傾げた。由実子は買い物に便利だからという理由で、最近は別の公園に実紀を連れていくことが多いらしいが、こちらの公園にしても不便だとはとても思えなかった。交通量にしても大したことはない。

公園が見えてきた。直貴の中で悪戯心《いたずらごころ》が芽生えた。こっそり近づき、二人を驚かせてやろうと思った。

公園の周囲には植え込みがある。それに身を隠しながら彼は移動した。砂場とブランコのある場所に二人はいるに違いなかった。その二つが実紀のお気に入りだと聞いていた。

公園の中央では小学生らしき少年数人がサッカーの真似事をして遊んでいる。バドミントンをしているカップルの姿も見えた。

やがて砂場の近くまで来た。彼は茂みから首を出した。すぐに実紀が見つかった。砂場で何か作っている。由実子もそばにしゃがんでいた。

ほかに小さな子供はいないようだ。せっかく来たのに、実紀はセリナちゃんやエミちゃんに会っていないらしい。特に皆の集まる時間が決まっているわけではないのだなと直貴は解釈した。

そろそろ声をかけようかと思った時だ。実紀が突然立ち上がった。直貴のいる方向とは反対側を向いている。

そちらを見ると、実紀と同じぐらいの年頃の女の子が、母親らしき女性に手を引かれて歩いていた。女の子は小さなバケツを提げていた。砂場で遊ぶための道具らしい。ようやく友達が現れたらしいと直貴はほっとした。

ところがその母親らしき女性は由実子に向かって一礼すると、女の子の手を引っ張って反対側に歩き始めた。女の子が不満そうにしているのが直貴にもわかった。実紀はそんな二人を立ったまま見送っている。そして由実子は娘の関心を彼女らから砂場に移そうと、スコップを実紀に差し出していた。

その光景から直貴は事情を察知した。由実子が実紀をこの公園に連れてこなくなった理由も理解した。さらに、そのことを夫に話さなかった気持ちも——。

直貴は足を踏み出した。無言で妻と娘に近づいていった。

最初に彼に気づいたのは由実子だった。しかし彼女は声を発しなかった。彼を見て、ただ目を大きく開いただけだ。夫の顔つきから、彼が事情を呑み込んでいるのだと悟ったようだ。

「おとうさんっ」次に実紀が気づいた。彼女は喜びを溢れさせながら駆け寄ってきた。途中、砂場で転んだが、すぐに立ち上がった。笑顔は消えていなかった。

直貴は腰を屈め、娘と目線の高さを合わせた。「砂場で遊んでるのか」

「うん。でもね、セリナちゃんいないの。エミちゃん、行っちゃったし」

先程去っていったのはエミちゃんのほうらしい。

「そうか」直貴は娘の頭を撫でた後、立ち上がって妻を見た。由実子は俯いていた。

「こういうことだったのか」

「見てたの?」

うん、と彼は頷いた。「俺に気を遣って話せなかったんだな」

「いいにくくて……」

そうだろうな、と直貴は思った。これまでに何度となく繰り返されてきた出来事を思い出すと、水臭いなどという言葉は出てこない。

ベンチに腰かけ、一人娘が砂場で遊ぶのを眺めながら、直貴は由実子から事情を聞いた。といっても彼女にしても、本当にはどんなことがあったのか把握しているわけではなかった。彼女の言葉を借りれば、「ある日突然みんなの態度が変わった」ということらしい。

「特に何かをいわれたとか、露骨に嫌がらせをされたってことはないんだけど、何となく変なんだよね。よそよそしいっていうのかな。挨拶をしたら応えてはくれるんだけど、前みたいに立ち話が始まるってことはなくなった。買い物先でたまたま会っても、すっといなくなっちゃうとか。それで公園よ」

「実紀が仲間はずれにされたのか」

「だからそこまではされないんだって。ただ、あたしたちが現れると、みんなそそくさと帰っちゃう。あたしたちが先にいると、誰も寄ってこない。さっきみたいにね」

「それで別の公園に行くことにしたのか」

まあね、と由実子はいった。

「あたしたちがいると、ほかの子供たちがここで遊ばせてもらえない。それじゃあかわいそうだと思ったわけ。子供たちがね」彼女はふっと吐息をついた。「もちろん、嫌な思いをしたくないっていうのもあるけど……」

直貴は腕組みをした。「どうしてそんなことになったのかな」

しかし由実子は答えない。彼女にもわからないのではなく、わかっていて口に出せずにいるのだ。直貴にしても、その原因に心当たりがないわけではない。

町谷夫妻が原因なのだろう、と彼は見当をつけていた。直貴の兄が服役中だと知っているのは町谷だけだ。そして由実子の話によれば、周りの雰囲気が変わり始めたのは、彼等が越してきてからだ。

町谷の妻が公園デビューしたという話を直貴は思い出した。間違いなく、彼女が公園にいる母親たちに武島家の秘密をしゃべったのだろう。いつだったか、由実子が紙おむつを持っていった時に受け取りを拒否されたというのも、今になってみれば合点がいく。段ボールかな、と直貴は回想した。あの夜のことを根に持って、町谷はそんなことを広めたのだろうか。

「引っ越すしかないかな」彼はぽつりと呟いた。

えっ、と由実子が彼のほうを向いた。その顔を見つめて直貴は続けた。

「仕方ないだろう。俺は我慢できるけど、由実子や実紀に嫌な思いはさせたくない。どこか別の場所に移ろう」

由実子は眉をひそめた。「直貴君、何をいうてるの？」

「えっ？」

「えっ、やないでしょ」由実子は久しぶりに関西弁に戻っていた。「結婚する時に約束したことを忘れたの？　どんなことがあっても、これからはもう逃げないで生きていこうって決めたやないの。近所の人間からシカトされるぐらいのことが何やの。大したことやないわ。少なくとも、直貴君がこれまでに被《こうむ》ってきたことに比べたら何でもない。大丈夫、あたしは耐えられる。耐えてみせる」

「でも、実紀もいるし……」

直貴がいうと、さすがに由実子も一旦は目を伏せた。しかしすぐに顔を上げた。

「実紀のことはあたしが守る。あの子には絶対に嫌な思いはさせへん。それともう一つ、あの子にはコンプレックスを持たせたくない。親が逃げ回ってたら、子供まで卑屈になってしまう。そう思わへん？」

由実子の真摯《しんし》な目を直貴は見つめていた。彼は微笑んだ。

「そうだな。恥ずかしいところは見せられないな」

「がんばろうよ、お父さん」由実子が彼の背中を軽く叩いた。

3

『前略　元気ですか。おれはこのところちょっとカゼ気味で、しょっちゅうくしゃみばかりしてる。ところが同じ房のやつらは、カゼじゃなくて花粉症だろうっていうんだ。花粉症ってのは春にしか出ないと思ってたんだけど、そんなことないのかい？　そいつは秋だって出るっていうんだけどさ。まあとりあえずおれはカゼの薬を飲んでるよ。別に大したことはない。すぐになおるだろう。

ところで実紀ちゃんはどうだい。保育園には慣れたのかな。この前の由実子さんからの手紙じゃ、まだまだ赤ちゃんみたいで頼りないって書いてあったぞ。まあ母親ってのは厳しいからな。それに由実子さんはふつうの女より、うんとしっかりしてるからな。実紀ちゃんがふつうじゃものたりないんじゃないのかな。

それで前にもちょっと書いたことだけど、実紀ちゃんも手がかからなくなったみたいだし、そろそろ二人目を考えたらどうだ。実紀ちゃんだって一人っ子じゃさびしいだろ。そのことについては由実子さんも何も書いてくれないんだよなあ。やっぱりはずかしいのかもしれないな。

たまには直貴からの返事も読んでみたいな。はがきでいいからさ、送ってくれよ。

じゃあまた来月。

剛志』

武島直貴様

剛志からの手紙を読み返し、直貴はため息をついた。相変わらず、のんびりしたことを書いている。検閲があるから過激なことは書けないのだろうが、手紙を読んでいると、刑務所の中には悪意などは存在していないような気がする。

返事を書くのは、このところずっと由実子に任せている。直貴は元々そういうことが得意ではないし、書いている時間もないからだ。しかしたまには自分も書いたほうがいいかもしれないとは思う。

それにしても、何を書けばいいんだ——。

今の心境をそのまま書けば、剛志に対して愚痴や不平を並べてしまいそうだった。そんな本音を隠して、受刑者を慰める言葉だけを紡いでいくようなことはとてもできない。それを毎月きちんとこなしている由実子のことを、改めて見直してしまう。

時計を見た。午後二時を過ぎている。保育園に迎えに行った由実子はまだ帰ってこない。遅くなっている理由はわかっている。しかし、だからこそ落ち着かなかった。

それから数分して表で物音がした。ドアが開き、二人が帰ってきた。

「ただいま」由実子が彼を見て笑みを作った。そして娘に注意。「うがいするのよ。それから手を洗って」

実紀は返事せず、洗面所に駆け込んでいく。命じられたことを急いで済ませ、テレビの前に座り込みたいのだろう。彼女は最近、お気に入りのビデオアニメを見ることで殆どの時間を過ごしている。

「どうだった」直貴は妻に訊いた。

由実子は浮かない顔で彼の向かい側に座った。

「とりあえず気をつけるようにはするけど、子供のことだから、具体的な解決策はないっていわれた」

「園長がそういったのか」

うん、と彼女は頷いた。

「じゃあどうしろっていうんだ。今の状態を我慢しろっていうのか」

「あたしに怒らないでよ」

直貴は吐息をついた。

実紀が洗面所から出てきて、予想通りテレビのスイッチを入れた。慣れた手つきでビデオテープをセットし、いつもの決まった場所に座り込む。この態勢が出来上がると、話しかけても返事をしないし、ほうっておくと食事さえもろくに取らない。

「遠回しにだけど、保育園を移るっていう手もあるっていわれた」由実子がいった。

「厄介払いしたいってことか」

「そうじゃないの」

直貴は舌打ちし、そばにあった湯飲み茶碗を握りしめた。中身は空だ。それを見て由実子が急須を洗い始めた。

お子さんのことでお話ししたいことがある、と保育園から電話がかかってきたのは昨日のことだ。直貴は自分も行くといったが、由実子がその必要はないといい張った。

「何をいわれるかは大体わかってるの。前にもちらっと話があったから」

「実紀がどうかしたのか」

「実紀がっていうか、ほかの子がちょっとね」

「ほかの子? どういうことだ」

言葉を濁す由実子を問い詰めるうちに事情が呑み込めてきた。要するに例の「差別」が、実紀の身の上にも起こり始めているということだ。

保育園でのことを、直貴は由実子の報告でしか知り得なかった。だから彼女が彼に聞かせたくない内容は、耳に入ってこなかったのだ。実際にはかなり早い時期から問題は生じていたらしい。具体的には、他の子供たちがまるで実紀に近づこうとしないのだという。保母がそれを注意すると、どの子供も同じことをいうのだ。つまり、実紀ちゃんとは遊んじゃいけないっていわれてるんだもん、だ。

保育園側では何人かの保護者に対し、そのことについて質した。どの保護者も、武島実紀ちゃんを仲間はずれにしろとは指示していないと答えた。しかし、出来れば自分の子供はあまり近づけたくないと本音を述べたという。

そのことについての話し合いが、今日行われたというわけだ。

「園長先生によれば、妙な噂も流れてるみたい。妙っていったら悪いかもしれないけど」

「どんな噂だ」

「直貴君のお兄さんがそろそろ出所するっていう噂よ。で、刑務所を出たら、弟さんのところに転がり込んでくる、とか」

「何だよ、それ」直貴は眉をひそめた。だが寝耳に水の話でもなかった。じつは似たような話を彼も聞いていた。最近、会社の総務部の人間からいわれたのだ。君の兄さんが近々釈放されるというのは本当か、と。

そんな話は全く聞いていないと直貴が答えると、相手の男は疑いをこめた目でいった。

「もしそういうことなら、早めに連絡してもらわないとね。それから、万一そうなった時だけど、お兄さんを今の社宅に呼び寄せるようなことは遠慮してもらいたい。社宅の規則でも、両親、配偶者、子供以外は同居できないと決まっているから」

そんな予定はないし、今後もそのつもりはないと直貴ははっきりと答えたが、相手はあまり納得している様子ではなかった。

直貴は実紀を見た。一人娘は依然としてビデオに見入っている。彼女の様子がおかしいことに気づかなかった自分の愚かさを彼は呪った。彼女は保育園に行っても、話をする相手も、遊ぶ相手もいないのだ。そんな孤独感に耐えるため、アニメに没頭するのだろう。小さな胸でどれだけの痛みを抱えているのかを思うと、直貴は涙が出そうになった。

「保育園、移ったほうがいいかな」彼はぽつりといった。

新しい茶を入れていた由実子が、驚いたように目を見張った。

「仕方ないだろ。たしかに逃げないで生きていこうって決めたけど、実紀を守ってやるってことが大前提だったんだぜ」

「でも……」由実子は後の言葉が出ない様子だった。

彼女の悔しい胸の内が直貴にはよくわかった。剛志のことが近所で知れるようになってからも、彼女は決して弱音を吐かなかった。無視しようとする相手にも積極的に挨拶し、町内の活動にも率先して出ていった。武島家が今までこの社宅に居続けられたのは、彼女の力があったからこそなのだ。

だがそんな彼女の力も、保育園の中までは及ばない。保育園だけではない。今後の実紀の将来には、どんな障壁が待ち受けているか予想できないのだ。

「お兄さんの手紙、読んでたの？」由実子がテーブルの上を見た。

「うん。こっちの気も知らないで、呑気なもんだ」

「返事、書いてあげなきゃね」彼女はそれに手を伸ばした。「お兄さん、風邪、治ったかな」

微笑みさえ浮かべる妻を見て、直貴は黙って小さく首を振った。

4

直貴が平野と再会する機会を得たのは、それから間もなくのことだった。視察のために店を訪れるという話を、彼は同僚から聞いた。平野は倉庫にもやってくるということだった。

その日の午後、物流課長に案内されながら、平野は倉庫に姿を見せた。ほかに二人の人間がついていた。直貴は積み上げられた段ボール箱の傍らで、直立不動の姿勢をとっていた。もし何か質問されるようなことがあれば君が答えるように、と物流課長から予めいわれていた。

平野は前に会った時より、幾分痩せたように見えた。しかしぴんと背筋を伸ばし、悠然と歩く姿勢は全く変わっていなかった。物流課長の説明に頷きながら、時折周囲に目を配っていた。

平野たちが直貴のそばにやってきた。直貴は唇を舐め、呼吸を整えた。きっと何か声をかけてもらえるという確信が彼にはあった。小柄な社長の目が自分に向けられるのを彼は待った。

だが平野の歩調は全く変わらなかった。彼の視線が直貴に向けられることもなかった。それまでと同じリズムで歩き、部下の説明に頷いていた。数秒後には直貴は平野の痩せた後ろ姿を見送っていた。

そりゃあそうだよな、と直貴は落胆しながらも思った。平野にしてみれば、大勢いる社員の一人にすぎないのだ。数年前に受刑者の弟と話したことは覚えているだろうが、その顔など記憶にないに違いない。忘れるなというほうが無理なのだ。また仮に覚えていたところで、今さらもう一度話す必要などない。

とんだ片思いだったなと直貴は自嘲気味に一人寂しく笑った。

社長の視察が終わって小一時間が経った頃だった。物流課長が直貴のところにやってきた。大至急、店の五階にある会議室に、いくつかの商品を運んでほしいという。その商品の品番を課長は直貴に渡した。

「何ですか、これ」渡されたメモを見て直貴は訊いた。

「だからそれを運んでもらいたいんだ。とにかく急いで」

「それはいいですけど」

「たぶん抜き打ちチェックだ」課長はいった。「梱包の具合とかを調べるんじゃないかな。だから、その、落ち度のないように頼むよ」

「わかりました」

不可解だったが直貴は作業にとりかかった。こんなことは今までに一度もなかった。指示された製品を台車に載せ、彼は倉庫を出た。向かい側の店に入ると業務用エレベータで五階に上がった。

会議室のドアをノックしたが返事がない。変だなと思いながら彼はドアを開けた。ところが会議机がコの字形に並べてあるだけで誰もいなかった。会議室はほかにはない。とりあえずここに商品を置いて帰ろうと思い、段ボール箱を運び始めた時、ドアの開く音がした。

「商品はここでいいんですよね……」そこまでいったところで絶句した。平野がにやにやして立っていた。一人だった。「あ、社長……」

「そこに置いてくれればいい」平野は靴音を鳴らしながら窓に近づいた。そこから外を眺めた後、直貴のほうを振り返った。「久しぶりだね。元気でやってるか」

「まあ何とか」直貴は抱えていた段ボール箱を床に置き、帽子を脱いだ。

「課長から聞いたよ。結婚したそうだね。祝電も打たなくて申し訳なかった」

「いえ、式もまともに挙げてないですから」

「そうか。まあ、式なんかはどうでもいい。とにかくおめでとう、だ。聞くところによるとお子さんもいるそうじゃないか。万事うまくいっている、と考えていいのかな」

「はあ、それは……」直貴は笑みを浮かべていた。自分でも、どうして笑っているのかわからなかった。頬が少しひきつっていた。

「うん、なんだ。今ひとつ表情が冴えないな。何かいいたいことでもあるのかね」

平野の言葉に勇気づけられ、直貴は顔を上げた。社長の目を見つめた。

「もし社長にお会いできれば、是非お尋ねしたいことがあったんです」

「何だね」

「前に社長はこうおっしゃいました。私たち犯罪者の家族が世間から差別されるのは当然なんだと。むしろそれは必要なことで、大事なのは、そこから人の繋がりをいかにして築きあげていくかだって」

「うん。たしかにそういった」

「私はそのお言葉を信じてがんばってきました。がんばってきたつもりです。その結果、うまくいったこともあります。妻はとてもよくやってくれて、とりあえずは平穏な毎日を送ってこられました」

「ました、か。過去形だね」平野は笑みをたたえたまま、近くの椅子を引き、そこに腰かけた。「何かあったようだね」

「私や妻はいいんです。自分の置かれている立場を理解していますし、そこから逃げてはいけないと覚悟もしています。でも娘は……」

平野の顔から笑みが消えた。「娘さんがどうかしたかね」

直貴は目を伏せた。そして訥々《とつとつ》と現在の状況を語った。娘には嫌な思いはさせたくないという心情を吐露した。

彼の話を聞き終えると、平野は首を縦に何度か振った。意外な話を聞いたという表情ではなかった。

「君はたしかにあの時に私がいったことを理解し、実生活に反映させようとしたようだね。いい奥さんにも巡り会えたらしい。その点はよかった。ただ今の話を聞いていて、残念だと思う部分もある。それは、君はまだ完全には私のいったことをわかっていないようだということだ」

「何か誤解していますか」

「誤解といっては、君に対して酷すぎるかな。しかし、若干はき違えているという印象は否めないな。厳しい言い方をすれば、君はまだ甘えている。君も、君の奥さんもね」

直貴は顔を上げた。奥歯を嚙みしめていた。自分のことはともかく、あの由実子のことをいわれたのは少し気に障った。

「娘が周りから差別されるのも、やっぱり受け入れなきゃいけないというんですか」

これにはさすがの平野も肯定はすまいと思ったが、返ってきた答えは直貴の予想を裏切るものだった。

「その状況ならばそうだろうね」平野は平然といった。「考えてもみなさい。強盗殺人犯だ。そんな人物とお近づきになりたいと誰が思うかね。前にもいったと思うが」

「それはわかっていますが……」

「逃げずに正直に生きていれば、差別されながらも道は拓《ひら》けてくる――君たち夫婦はそう考えたんだろうね。若者らしい考え方だ。しかしそれはやはり甘えだ。自分たちのすべてをさらけだして、その上で周りから受け入れてもらおうと思っているわけだろう？仮に、それで無事に人と人との付き合いが生じたとしよう。心理的に負担が大きいのはどちらだと思うかね。君たちのほうか、周りの人間か」

「それは……」答えられなかった。答えが見つからなかったのではない。平野のいっていることはわかった。「じゃあ、一体どうしろというんですか。やっぱり差別に耐え続けるしかないということですか。あの小さな娘に、そんなことを要求しなきゃならないんですか」この相手に当たっても仕方がないとわかっていながら、直貴は声が尖《とが》るのを抑えられなかった。

平野はゆったりと椅子にもたれ、直貴を見上げた。

「正々堂々、というのが君たち夫婦のキーワードのようだから敢えていわせてもらうよ。その、いついかなる時も正々堂々としているというのは、君たちにとって本当に苦渋の選択だろうか。私にはそうは思えないな。わかりやすく、非常に選びやすい道を進んでいるとしか思えないが」

「正々堂々としてちゃいけないんですか」

直貴の問いに平野は答えなかった。口元を緩めると、咳払いをしてから時計を見た。

「そろそろ次の予定がある。御苦労様」そういうと腰を上げた。

「待ってください。答えを教えてください」

「答えなんかはないよ。いってるだろう。これは、何をどう選択するか、なんだ。君が自分で選ばなくては意味がない」

御苦労様、と平野はもう一度いった。目の光が厳しくなっていた。

直貴は会釈をして部屋を出た。

5

社長は一体何がいいたいんだろう——。

エレベータに乗っている間も、直貴はそのことを考えていた。正々堂々と生きることの何が悪いのだろう。選びやすい道を進んでいると平野はいったが、彼にはそうは思えなかった。これまでの出来事を思い返してみても、決して楽ではなかったのだ。由実子にも大変な苦労をかけてきた。何もかも、正々堂々と生きるため、逃げないで生きていくためにしてきたことだ。それが間違いだとでもいうのだろうか。

社長は何もわかっちゃいないんだ――直貴の結論は、そういうところに落ち着かせるしかなかった。所詮、あの人だって傍から見ているだけのことだ。しかも自分たちのことなど何ひとつ知らないのだ。そんな人に教えを乞うたことが間違いだった。

そんなことを考えながら倉庫に戻ると、課長が彼の元へ駆け寄ってきた。

「武島君、大変だ。至急、帰りなさい」息をきらして課長はいった。

「何かあったんですか」

「奥さんが怪我をしたらしい。詳しいことはわからないんだけど、この病院に運ばれたということだった」課長はメモを差し出してきた。「警察から連絡があったんだよ」

「警察？」

「何でも、ひったくりに遭ったそうだよ。それで自転車ごとひっくり返ったらしい」

「自転車ごと……」不吉な想像が直貴の頭に浮かんだ。だが彼は今はその考えを頭から追い出した。「すぐに行ってみます」メモを受け取った。

着替えた後、すぐに携帯電話で自宅にかけてみたが、留守番電話に切り替わっただけだった。彼は会社を出ると、タクシーを拾った。

自転車ごとひっくり返った——それを聞いて由実子の怪我のことも無論気になったが、その時実紀はどこにいたのかということも直貴の心に引っかかっていた。由実子は自転車の後部座席に子供用のシートを取り付けている。そこに実紀を乗せて、方々に出かけていくことが多いのだ。

病院に行くと、入り口にパトカーが止まっていた。乗っている者はいない。それを横目で見ながら直貴は正面玄関から駆け込んだ。受付があったので、そこで名前を告げると、係の女性は即座に場所を教えてくれた。

直貴は教わった通りに四階に上がった。そこの待合室に警官のいるのが見えた。彼は近づいていった。待合室の中に由実子の姿があった。彼女は腕に包帯を巻いていた。

「由実子……」待合室の入り口から呼びかけた。

由実子は背広を着た男と話している途中だった。彼女は直貴を見て、安堵の表情を浮かべた。「あ……あなた」それから前にいる男性に説明した。「主人です」

男性は立ち上がり、自己紹介してきた。所轄の警察の安藤という刑事だった。背はさほど高くないが、肩幅の広さがごつい印象を醸し出していた。

「怪我は大丈夫か」直貴は訊いた。

「あたしは平気なの。ちょっとした打撲。それより実紀が……」

「実紀……」やっぱりそうか、と思った。「実紀も自転車に乗ってたのか」

由実子は申し訳なさそうな顔で頷いた。

「転んだ拍子に頭を打って……意識が戻らないの。今、集中治療室にいるんだけど」

「何だって……」直貴は顔を歪めた。

「保育園に迎えに行った帰り、銀行に寄ったのよ。それで、出てきてしばらく走っていたら急に……」彼女は俯いた。その傍らに黒いショルダーバッグが置いてあるのが見えた。彼女がいつも持っているバッグだ。ひったくり犯は、それを奪おうとしたのだろう。

「よくあることなんですよ。ひったくられた時、素直にバッグを離せばいいんですが、咄嗟《とっさ》に摑んでしまったばかりに、引っ張られて転んでしまうということが」安藤刑事が説明した。

「相手も自転車に乗ってたのか」直貴は妻に訊いた。

「向こうはバイクだった。あたしがちょっとスピードを緩めた隙《すき》に突然……。バッグを離せばよかったんだけど」そういって唇を嚙んだ。「どうせ、大した金額なんて入ってなかったのに……」

彼女を責めるのは酷だった。そんな時には、バッグを奪われたくないと反射的に摑んでしまうものだと直貴は思った。

彼は安藤刑事を見た。「犯人はまだ捕まってないんですね」

刑事は眉間に皺を寄せた表情で頷いた。

「このところ、同様のひったくり事件が頻発していましてね、奥さんを襲ったのも同じ人間じゃないかとみています。ただ、今回はたまたま目撃者がいまして、かなり有力な手がかりになるのではないかと期待しています」

安藤によれば、由実子が襲われる直前に、犯人とすれ違った主婦がいたのだという。その主婦が、バイクの色や犯人の服装を覚えていたらしいのだ。

犯人は銀行の近くで見張っていて、適当なターゲットを物色していたのだろう、というのが安藤の説明だった。

「ごめんなさい」由実子が深く首を折った。「あたしがいけなかった。ついつい油断して、自転車の二人乗りなんかをしてたから。もし転んだら実紀はどうなるかってことを考えてたら、絶対にそんなことしなかったのに」

「今さらそんなことといったって……」

由実子が自転車の後部に実紀を乗せていたことは直貴も知っている。知っていて、今まで何もいわなかった。だから自分も同罪なのだと思った。

「怪我したのは頭だけか」彼は妻に訊いた。

「頭と……膝を少し怪我したみたい。でもそっちは大したことないの」

「そうか」

直貴は実紀の顔のことも気にしていた。女の子だから、顔に傷が残ったらかわいそうだと思った。今の由実子の言葉から察すると、その点は心配なさそうだった。無論、それも実紀の意識が無事に戻れればの話だ。

その後、二、三質問して、安藤は部屋を出ていった。こうした事件で被害者からいくら話を聞こうが、捜査の足しにはあまりならないであろうことは、直貴にも見当がついた。

二人きりになった後も、夫婦の間に会話はなかった。由実子はすすり泣きを続けていた。

これまで少々辛いことがあっても決して泣き言をいわなかった妻のそんな様子を見て、直貴は胸が苦しくなった。自分たちがどれほどの苦境に立たされているのかを再認識した。同時に、見知らぬ犯人に対して激しい怒りを覚えていた。その男はなぜよりによって自分の妻子を狙ったのか。刑事の話では銀行の前で獲物を物色していたという。由実子と実紀を狙いやすい獲物と判断したわけだ。

絶対に許せない、と直貴は思った。

それから数十分後、若い看護師が現れた。一通りの処置は終わったという。

「娘の意識はどうですか」直貴は真っ先にそれを訊いた。

「大丈夫ですよ。戻りました。今はお薬で眠っていただいてますけど」

直貴の隣で由実子が大きく吐息をついた。

「娘と会えますか」

「ええ。こちらへどうぞ」

看護師に導かれ、直貴は由実子と共に集中治療室に入っていった。一番端のベッドで実紀は眠らされていた。頭に包帯が巻かれている。その枕元に並んでいる医療機器の数々が、改めて直貴を緊張させた。

主治医だという白衣の男が近づいてきた。四十歳前後に見えた。

「CTもとりましたが、幸い損傷は見られません。脳波も極めて正常です」医師は落ち着いた口調でいった。「呼びかけにも応じましたし」

「よかった」直貴は心の底からいった。「どうもありがとうございました」頭を下げた。

「あの、外傷のほうは……」由実子が訊いた。

「転んだ拍子に額を数か所切ったようです。その傷口から細かい小石などが皮膚に入り込んでしまったので、それを取り去るのに少し手間取りました。若干傷跡は残るかもしれません」

「えっ」医師の言葉に直貴は顔を上げた。「傷が残るんですか」

「前髪を下ろせば目立たない場所です。それに今は形成医療も進歩していますから、レーザーなどである程度は消すことも可能です」

「傷が……」

医師の楽観的な言葉を聞きながらも、直貴は下げた両手をきつく握りしめていた。

6

ひったくり犯が捕まったのは、事件から五日後のことだった。目撃証言からそれらしい人物がまず浮かび上がり、さらに指紋が決め手となった。由実子が奪われそうになったバッグに、容疑者の指紋が残っていたのだ。犯人は隣町に住んでいる、前山繁和という二十一歳の男だった。

逮捕の翌日、由実子が警察に呼ばれて出かけていった。しかし帰宅した彼女は、浮かない表情を直貴に見せた。

「ガラス越しに男の顔を見せられたのよ。それで、あの男に間違いないですかって刑事さんに訊かれたんだけど、よくわからないって答えるしかなかった。だって襲われた時、相手はヘルメットを被ってたんだもの」

「でもそいつは認めてるんだろ。自分がやったって」

由実子は相変わらず冴えない顔つきのまま頷いた。

「指紋も一致してるし、犯人に間違いないだろうって刑事さんが。あたしを呼んだのは、一応確認のためってことだったみたい。あたし、犯人に会わせてもらえるのかなって思ってたんだけど」

「会えなかったのか」

「その必要がある時にはまたお呼びしますだって。なんか拍子抜けだったな」

警察としては強盗傷害罪で起訴する予定だということだった。

「じゃあ、今後はうちはどうすればいいんだ。裁判が始まるのを待つだけなのか」

「さあ」彼女は首を傾げた。「何かあったら連絡しますとだけいわれたけど」

「ふうん」直貴は何となく釈然としなかった。

それから数日が経過したが、捜査がどうなっているのか、直貴たちには全くわからなかった。犯人が相変わらず勾留されたままなのか、拘置所に移されたのかも知らされていなかった。

そんなある夜、直貴たちが夕食をとっていると、ドアホンが鳴らされた。直貴はドアを小さく開けた。外には年輩の男女が立っていた。直貴を見て、二人は頭を下げてきた。

「夜分、申し訳ございません。あの、武島さんですよね」男性が尋ねてきた。

「そうですが」

「突然申し訳ございません。私らは、前山繁和の親です」

「前山……あっ」

二人はまた深々と頭を下げた。その格好のままで男性がいった。

「この度は、うちの息子が大変なことをしでかしてしまい、本当にもうお詫びの言葉もございません。しかし、せめて一言だけでも謝罪せねばと思い、失礼を承知で伺った次第でございます」

彼の横で、彼の妻も苦悶の表情を浮かべていた。直貴は何とも返答のしようがなく、そんな二人を見つめているだけだった。まるで予期していないことだった。

「あなた」後ろから由実子が声をかけてきた。「入っていただいたら？」

「あ……そうだな」直貴は考えがまとまらぬまま、前山夫妻にいった。「とりあえず、どうぞ。狭いところですけど」

ありがとうございます、お邪魔いたします、といって二人は部屋に入ってきた。

居間では実紀がテレビゲームを始めようとしているところだった。それを由実子がやめさせ、隣の部屋に移らせた。その時、彼女の頭にまだ包帯の巻かれているのが、前山夫妻の目に留まったようだ。二人は辛そうに顔を歪めた。

由実子が座布団を二人に勧めたが、彼等はそれを敷こうとはしなかった。夫妻は正座すると、再び頭を下げた。

「お嬢さんを見て、改めてうちの息子のしでかしたことの重大さを思い知りました。私共が頭を下げたところで、武島さんの気が済むはずのないことは十分に承知しております。私でよければ、殴るなり蹴るなり、どうかお好きなようにしてください」そういうと彼は畳に額がつくほどに腰を折った。隣では夫人がすすり泣きを始めた。

「頭を上げてください」由実子が横からいった。「そんなことをされても……ねえ」直貴に同意を求めてくる。彼も頷いた。

「お二人に謝っていただいても、娘の傷は消えませんから」

申し訳ございません、と夫がいい、妻は手で顔を覆った。

「警察の説明によれば、かなり余罪があるそうじゃないですか。お宅のほうでは何も気がつかれなかったんでしょうか」直貴は訊いた。

「それがお恥ずかしいことに、息子のことは全く何も知らなかったんです。高校を出た後に一旦就職したんですが、長続きせずにやめてしまい、それ以後はふらふらと根無し草のような生活をしておりました。注意しても親のいうことなど何も聞きませんし、悪い仲間と付き合ったりもしておったようです。いずれ他人様に御迷惑をおかけするんじゃないかと心配しておったのですが、案の定こんなことに……」彼は頭を振った。「申し訳ない上に、恥ずかしく情けない話です。親の責任だと思っています。あれはどうせ刑務所に入ることになるでしょうが、お嬢さんの治療費をはじめ、出来るかぎりの償いはさせていただきたいと思っております」

年輩の、おそらくそれなりの地位もあるのだろうと思われる人物が、身なりも整え、精一杯誠意を見せようと平身低頭するのを見て、直貴は何といっていいのかわからなくなった。彼等の姿を見ているのが苦痛だった。

「お話はよくわかりました」彼はようやく口を開いた。「それなりの賠償請求は、たぶんさせていただくことになると思います。でも、とにかく今は、あまり冷静な気持ちではそちらのお話を聞くことができなくて……すみません」

「ええ、それはもうわかっております。今日はとにかく、一言だけでもお詫びせねばと思い、やってきたわけです。突然お邪魔して、申し訳ありませんでした」

前山夫妻は何度も頭を下げながら、帰っていった。彼等が押しつけるようにして置いていった箱包みの中身は、某有名フルーツ店の高級果実詰め合わせセットだった。

客が帰ったので、実紀が隣の部屋から戻ってきて、早速ゲームを始めた。その様子を直貴はぼんやりと眺めていた。

「あの二人を見て、俺は二つのことを考えたよ」

「どんなこと？」

「ひとつは」直貴は唇を舐めた。「大したもんだってことだ。息子が逮捕されて、相当混乱してるはずなのに、被害者のところへ詫びに出向くなんて、ふつうなかなかできないんじゃないかな」

「そうね」

「少なくとも、俺にはできない」そういってから直貴は首を振った。「できなかった、というべきだな。俺、結局一度も行かなかった」

「だってそれは……罪の大きさが違うよ。あの人たちだって、もし息子の犯した罪が殺人だったら、遺族の家には行けなかったんじゃないかな。ひったくりで、怪我したのも弾みでだったから、わりと簡単に決心がついたんじゃないかな」

「そうなのかな……」直貴は頬杖をついた。

「もう一つは何？」由実子は訊いてきた。

「うん……」彼は小さく吐息をついた。「あの人たち、いい人だよな。由実子はそういうけど、やっぱり詫びに来たってのはすごいと思う。あの人たちが俺たちの機嫌を取ったって、裁判の結果には何の関係もないもんな。きっと、すごくいい人たちなんだと思うよ。気も弱くて、だから息子のことも注意できずにいたんだ」

「何がいいたいの？」

「あの人たち、いい人だよ。それはすごくよくわかる。だけどさ」直貴は髪に指を突っ込み、頭をばりばりと掻いた。その手を止めてから続けた。「だけど、俺はやっぱりあの人たちを許す気にはなれない。あの人たちが悪いんじゃないってわかってはいるんだけど、実紀や由実子が受けた傷のことを帳消しになんてしてやれない。あの二人が土下座して謝るのを見てて、俺、何だかすごく苦しかった。息が詰まりそうだった。その瞬間、俺はわかったんだ。社長からいわれたことの意味がはっきりと理解できた」

「どういうこと？」

「正々堂々としていればいいなんてのは間違いだってことにさ。それは自分たちを納得させているだけだ。本当は、もっと苦しい道を選ばなきゃいけなかったんだ」

その夜、直貴は手紙を書いた。次のようなものだった。


『前略　お元気ですか。今日もまた工場でがんばっておられることだろうと思います。貴方がそこに入られてから何年経ちましたかね。そろそろ釈放の時期など気にされているのではないでしょうか。

しかし私は貴方に重大な宣告をしなければなりません。結論からいいますと、この手紙は私から貴方に送る最後の書簡です。また今後は、貴方からの郵便物は一切受け取りを拒否いたします。ですから、もう手紙は書かなくて結構です。

いきなり厳しいことを書きました。さぞかし驚いておられることだろうと思います。でもこれは考え抜いた末に出した結論なのです。もちろん苦しみも伴いました。

理由は、家族を守るため、ということになるでしょうか。本音を交えれば、自分自身をも守るため、ということになります。

私はこれまで強盗殺人犯の弟というレッテルを背負って生きてきました。由実子は強盗殺人犯の義妹です。そして実紀は強盗殺人犯の姪《めい》というレッテルを貼られようとしています。そのことを拒むことはできません。何しろ事実なのですから。また世間の人々がそうしたレッテルを貼る行為を責めることもできません。この世は危険に満ちています。いつどんな人間が危害を加えてくるかわからない世の中です。誰もが自分の身は自分で守るほかなく、これといった力のない庶民としては、周りの人間にせめて何らかの目印でもつけておくしかないのです。

レッテルを貼られた人間には、それなりの人生しか待ち受けていません。私は殺人犯の弟だという理由で、音楽という夢を捨てねばなりませんでした。また、愛した女性との結婚も諦めることになりました。就職後も、そのことが発覚するや否や、異動させられることになりました。由実子は近所から白い目で見られ、娘の実紀も仲のよかった友達と接する機会を奪われました。あの子が将来大人になって、たとえば好きな男性ができた時にはどうでしょうか。伯父が殺人犯であったことが発覚しても、相手の両親は彼女たちの結婚を祝福してくれるでしょうか。

これまでこうした内容を手紙に書いたことはありません。貴方に余計な気遣いをさせたくないと思ったからです。しかし今の私の考えは違います。これらのことを、もっと早く貴方に伝えておくべきでした。なぜなら、私たちのこれらの苦しみを知ることも、貴方が受けるべき罰だと思うからです。このことを知らずして、貴方の刑が終わることはないのです。

この手紙をポストに投函した瞬間から、私は貴方の弟であることを捨てるつもりです。今後一切、貴方とは関わりを持たないつもりですし、これまでの貴方との過去もすべて抹消する決意でいます。ですから、貴方のほうも、仮に何年か後に出所が叶った場合でも、私たちと関わろうとはしないでもらいたいのです。この手紙を読み終えたその時から、武島直貴という男と自分とは何の関係もないと思ってください。

兄に送る最後の手紙がこんなものになってしまい、大変残念に思います。どうか身体に気をつけて、立派に更生されることを願います。これは弟としての、最後の願いです。

武島直貴』

武島剛志様

7

書類に目を通した後、人事課長は上目遣いをした。その目には困惑と安堵と、そしてわずかだが同情の色が浮かんでいるように直貴には感じられた。

「本当にいいんだね」人事課長は念を押してきた。

「もう決めたことですから」直貴はきっぱりといいきった。

人事課長は小さく頷き、机の引き出しを開けた。そこから自分の判子を出してくると、書類の一番下に並んでいるいくつかの四角い空欄の一つに、それを押した。

人事課長は書類をもう一度見直し、直貴のほうに差し出した。「会社のことを……」

そういった後、彼は口をつぐんだ。「いや、何でもない」

直貴は俯いた人事課長の顔を見つめた後、ありがとうございました、といってその場を離れた。

人事課長はこう訊きたかったのかもしれない。会社のことを恨んでいるか――。それに対する直貴の答えは決まっていた。恨んでなどいません、むしろ感謝しているぐらいです――その気持ちに嘘はなかった。

この後直貴は総務課と健康保険課に回り、それぞれの所属長から書類に印を貰った。最後に物流課長のところへ行けば、すべての印が揃う。つまり辞職届が完成するわけだ。

物流課長が見当たらないので、直貴は倉庫に行った。といっても、残っている業務はなかった。仕事の引継ぎはほぼ終わっている。正式な退職日は二週間後だが、明日から彼は出社しなくていいことになっていた。二週間分の有給休暇が残っていたからだ。

会社を辞めるつもりだといった時、由実子は反対しなかった。寂しそうに笑い、だったらしばらく大変だね、といっただけだ。実際、これから彼女に苦労をかけることになるだろう。その期間はなるべく短くしなければ、と直貴は思っている。

人の気配がしたので振り返った。平野が上着を脱いだ格好で、倉庫に入ってくるところだった。作業者用の帽子をかぶっていた。

「今日を逃すともう君には会えないと知ったのでね」

「お久しぶりです。いろいろとお世話になりました」直貴は頭を下げた。

「まあそんな挨拶なんかはどうでもいい」社長は近づいてくると、初めて会った時のようにそばの段ボール箱に腰かけた。「兄さんとはその後どうかね」

直貴は一瞬ためらってから答えた。「絶縁しました」

ほう、というように平野は口をすぼめた。「それを本人に告げたのかね」

「手紙に書きました。もうこれっきりだと」

「そうか。犯罪者の兄とは縁を切り、自分たちの過去を知っている人々からは逃げるわけだ」平野は笑みを浮かべていった。「それが君の選んだ道なんだね」

「正しいかどうかはわかりません。家族を守るためです」

平野は吐息をついた。

「君の決断について、もしかしたら人は非難するかもしれないね。世間体を気にして家族の縁を切るとは何事か、刑期を終えた人間が社会復帰する時に頼れるのは家族だけだ、その家族が受刑者を見捨ててもいいのか、と」

「僕が結婚していなければ、そして娘がいなければ、もしかしたら別の道を選んだかもしれません。でも僕には新しい家族がいるんです。罪を犯した兄と何の罪もない妻子、この二つを救おうとしたのが間違いだったと今は思っています」

「君は何も間違ってはいないよ。人間として正しくあろうとしただけだ。でも実際のところ、何が正しいかなんてことは、誰にもいえんのだよ。さっき君がいったようにね。ただ、これだけはいっておこう。君が選んだ道は、簡単な道ではないよ。ある意味では、これまでよりもっと辛いかもしれん。何しろ、正々堂々、といった旗印がない。すべての秘密を君が一人で抱え込み、仮に問題が生じた場合でも、一人で解決しなければならないんだ。まあ、時には奥さんが助太刀してくれるかもしれないが」

「覚悟はしています」直貴は平野の目を見ていった。「妻にも迷惑をかけないつもりです。命にかけても、彼女たちを守ります」

平野は何度か頷いた。

「兄さんのことを恨んでるかね」

「それは」恨んでいる、といおうとした。だがそれを口にすれば何もかもがぶち壊しになるような気がした。直貴は薄く微笑んだ。「縁を切ったのですから、恨むも恨まないもありません。赤の他人の話です」

「そうか。それはそれでいい」平野は段ボール箱から立ち上がると、直貴のほうに歩みよってきた。皺だらけの右手を差し出してきた。「私にとってもいい勉強になった。君に出会えてよかったよ。感謝する」

直貴は何かいわねばと思ったが、適切な言葉が思いつかなかった。無言のまま、社長の痩せた右手を握った。

8

寺尾祐輔から連絡があったのは、ようやく暑さが緩み始めた九月半ばのことだった。電話の声を聞いた時、直貴はすぐに相手が彼だとは思わなかった。久しぶりに聞いたということもあるが、以前よりも声が低くなっていたような気がした。

「ふだん歌ってるとさ、しゃべる時ぐらいは喉を休ませたくなるんだよ。口先だけでぼそぼそっていうふうにさ。いい歳をして、そんなしゃべりかたをしてちゃあ、一人前の男に見てもらえなくてまずいんだけどさ」黒のレザーパンツを穿いた脚を組みかえながら寺尾は笑った。学生時代から細身だったが、さらに痩せたようだ。それに顔色もあまりよくなかった。

池袋駅のそばの喫茶店で二人は向き合っていた。一度会いたいと寺尾がいったからだ。直貴は今、この近くの電器屋で働いている。仕事は八時までだが、午後三時から一時間だけ休憩をとれる。それを利用して、旧友と再会を果たしていた。

「転職に引っ越しと、いろいろ大変だったみたいだな」寺尾はいった。

まあな、といって直貴は頷いた。転居通知はごく限られた人物にしか送っていない。寺尾とは疎遠になっていたが、毎年年賀状をくれるので、リストに加えておいたのだ。

「バンドのほうはどうなんだ。順調にいってるのかい」直貴から訊いてみた。

「苦戦してるよ。テレビなんかでも殆ど取り上げられたことがないから察しがついてると思うけど、会社の連中もそろそろ見切りをつけてるかもしれない。とりあえず次のCDを出す予定はあるけど、なかなか具体的な話が見えてこない。どうなるかわからん」

やっぱりそうなのか、と直貴はコーヒーを口に含みながら思った。音楽番組はよく見るし、その手の情報誌も読むことが多い。無論、寺尾たちのことが気になるからだが、スペシウムというバンド名を最後に目にしたのがいつだったか、もはや思い出せない。

「このところしょっちゅう親から愚痴られてるよ。いい加減、まともに働いたらどうだってな。親の目には、俺たちが働いているようには見えないらしい」寺尾は苦笑した。

「ほかのメンバーはどうなんだ。みんな続けてるのか」

「とりあえず、今まではな」寺尾が一瞬目を伏せた。

「今まではって？」

「コータのこと覚えてるだろ。あいつが辞めたいといってきた」

直貴は驚いて寺尾の顔を見返した。「どうするんだ」

「やめたいといってるのを無理矢理引き留めるわけにはいかんだろ。まああいつが抜ければ、アッシやケンイチもぐらつくだろうけどな」寺尾は笑ったまま吐息をついた。「もはや風前の灯火《ともしび》ってやつかな」

話を聞いていて、直貴は俯いていた。あの時自分も一緒にやっていたらどうだっただろう、という想像が脳裏をかすめた。そうすれば成功したかも、とは思えない。たぶん音楽の世界はもっと厳しいのだ。一緒に続けていれば、今の寺尾と同じ立場になっていた。そう思うと、理不尽な理由ではあったが身を引いて正解だったのかと複雑な気持ちになる。

「おまえのほうはどうなんだ。実紀ちゃんといったっけな。電話でちょっと声が聞こえたけど、楽しそうな雰囲気だったじゃないか」

「まあなんとかやってるよ。安月給だし、女房には苦労をかけっぱなしだけどさ」

「由実子なら大丈夫だろ」寺尾は頷き、ちょっと背筋を伸ばしてから直貴を見た。「兄さんとはどうだ。相変わらず、連絡を取ってるのか」

「兄貴とは」直貴は一呼吸置いてからいった。「縁を切ったよ。今はもう何の繋がりもない。今の住所も教えていない」

「そうか……」寺尾は少し当惑したようだ。

「今の会社の人間は、誰も兄貴のことを知らない。近所の人間にしても、実紀が通う保育園の人間にしても、俺たちが強盗殺人犯の身内だとは夢にも思っていない。だからこそ平穏無事に暮らしていける。実紀が明るくなったのも、今の土地に越してからだ」

「あれからやっぱり、いろいろとあったんだな」

「『イマジン』だよ」

直貴の言葉に、えっと寺尾は目を丸くした。

「差別や偏見のない世界。そんなものは想像の産物でしかない。人間というのは、そういうものとも付き合っていかなきゃならない生き物なんだ」寺尾の目を見据え、自分でも驚くほどの落ち着いた声で直貴は語っていた。目をそらしたのは寺尾のほうだった。

「『イマジン』……か。おまえが俺たちの前で初めて歌った曲だな」

「今でもあの歌は好きだけどさ」直貴は口元を緩めていた。

寺尾は目の前にあるコーヒーカップや水の入ったグラスを脇へ動かし、テーブルに両腕を載せ、身を乗り出してきた。「『イマジン』……もう一度歌ってみないか」

「はあ?」

「俺と一緒にやらないかといってるんだ。音楽が嫌いになったわけじゃないだろ」

「どういう冗談だ、それ」

「冗談でいってるんじゃない。近々コンサートをする予定なんだ。それに出てみないか。ゲスト出演だ。今風の言い方をすればコラボレーションってことになるかな」

直貴はふっと鼻で笑った。「コータやアッシたちが抜けそうだから、俺を入れるのか」

「そんなんじゃない。俺は音楽を続けられるなら、一人でも構わないと思っている。その覚悟だってできている。それでじつは、去年あたりから新しいことに挑戦しているんだ」

「何だい、新しいことって」

「慰問コンサートだ」

「慰問……」

「刑務所に入ってる受刑者を相手に、演奏して、歌う。アツシたちも参加したことはあるが、基本的にはいつも俺一人でやっている」

「どうしてまたそんなことを」

「格好よくいえば模索だよ。音楽ってのは何なのか、音楽にはどんなことができるのか、それをもう一度確認したい。そう思って始めた。知ってるかどうかはわからんが、まるで儲けはない。刑務所から依頼されるわけでもない。完全なボランティアだ」

「ふうん……」

バンドが破綻《はたん》しようとしているのに、この男は変わっていないのだなと直貴は思った。今も夢を追い続けている。その夢とは、単に音楽で売れたいといった種類のものではないのだ。先程、一緒にやらなくてよかったかもしれないなどと考えたことを、直貴は少し恥じた。

「今度の場所は千葉だ」寺尾はそういって直貴を見た。

直貴は顎を引き、上目遣いをした。「それで俺を誘うのか」

「変なふうに誤解しないでくれ。俺は別に世間の話題を集めたくておまえを誘ってるんじゃない。ひとつには、観客と自分とを繋ぐブリッジみたいなものがほしいんだ。今まで何度かやってきたが、どうも観客との距離感が摑めない。受刑者と自分との位置関係を確認しながら、一度演奏してみたいと思っていた」

「俺は橋渡し役か」

「あくまでも俺の心の中で、の話だ。おまえと兄さんのことは絶対に秘密にする」

「もちろん、寺尾が話題作りのためにそんなことをいいだすわけはないと思うけど」

「もう一つの理由は、単なるお節介だ」寺尾はいった。「千葉でやると決めた時、真っ先におまえのことを考えた。まだ兄さんのことで苦しんでいるんじゃないかと思ってね。おまえが何かを吹っ切るきっかけになれば、と思ったんだ。どうせ、面会にも行ってないんだろ？」

直貴は視線を落とし、腕組みをした。唸り声が漏れていた。何年も会っていないのに、この男は親友でいつづけてくれたのだなと思い知った。

「今もいったように、兄貴とは縁を切ったんだ」

「それはよくわかった。間違ったことだとも思わない。でもそれは物理的なことだろ。

精神的にはどうなんだよ。すっきりしているわけじゃないんだろ」

寺尾の言葉は細い針で刺すように直貴の心の中心を刺激した。それでも彼は唇を結んだまま首を振った。

「武島……」

「気持ちに対しては感謝する。でも、もうおしまいにしたいんだ」直貴は伝票を手に立ち上がった。「歌は……好きだけどさ」

出口に向かって歩きだした。寺尾は呼び止めてはこなかった。

寺尾と会ってから五日が経った。由実子が一通の封書を直貴の前に置いた。複雑な表情を浮かべていた。

「何だ、これ」差出人を見て、彼は少し息を呑んだ。前山、とあったからだ。例のひったくり犯の父親からだった。封筒の中には便箋と、東京ディズニーランドのチケットが入っていた。便箋には、自分たちの息子の不始末を詫びる言葉が改めて並んでおり、実紀のその後の経過を尋ねる言葉、自分たちに手伝えることがあればいってほしいという要望が、それに続いていた。

実紀の傷は額にまだ残っている。今は前髪で何とか隠しているが、もう少し大きくなったらレーザー治療を受ければいいだろうと医師からは勧められていた。

「どうしてこういうことをするんだろうな。こっちはもうあのことは忘れたいのに」直貴は便箋とチケットを封筒に戻した。「自己満足だな。こんなふうに贖罪《しょくざい》めいたことでもしていれば、多少自分たちの苦しみが和らぐんだろう」

由実子は同意してこなかった。浮かない顔つきでじっと封筒を見つめている。

「どうしたんだ」

「うん……そうなのかな、と思って」

「どういう意味だ」

「あたしはね、これを見て、ああ忘れてなかったんだ、と思ったわけ。あれから何か月も経つし、きっとあの人たちは息子の将来だけが気がかりで、被害者のことなんか忘れちゃってるだろうと思ってたから。でも忘れてなかったんだ」

「だからって、本当に俺たちに心から詫びてるのかどうかはわからないぜ。俺は、こういうことをして、自分たちは善人なんだって自分に酔ってるんだと思うね」

「そうかもしれないけど、何もしないよりはましだとあたしは思う。葉書一枚でも出してくれれば、少なくともあの人たちはあの事件のことを忘れてないんだと確認できるから。こっちは忘れたくても、実紀の傷を見るたびに思い出すよ。絶対に忘れられない。でも世間の人はどんどん忘れていくのよね。そのことがあたしたちをさらに傷つける。だから、この世には事件を忘れられない人がほかにもいるんだと知れるだけで、少しは気休めになるわけ」

「気休めだよ、本当に」

「でも大きな気休めだよ」

「そうかな。まあ、そうかもしれないけど」直貴はもう一度封筒の中からチケットだけを出した。「じゃあせっかくだから、今度の休みに三人で行ってみるか」

由実子はそれには答えず、「直貴君」と夫を久しぶりに名前で呼んだ。

「あたし、あなたのやり方についていく。お兄さんと縁を切ったことにも、何もいわなかったでしょ。でも、これだけは覚えておかなきゃいけないと思う。お兄さんの事件を忘れられないのは、あなただけじゃないってこと。もっと苦しんだ人がいるってこと。お兄さんのことを世間に隠すことであたしたちは今幸せだけど、隠せない人がこの世にはいるんだってこと。あたしたちは、きちんとけじめをつけるべきだよ」

「何がいいたいんだ」直貴は彼女を睨みつけた。

由実子は黙って目を伏せた。そんなことというまでもないでしょ、と語っているようだ。

「風呂に入る」そういって彼は立ち上がった。

狭い湯船で膝を抱えながら、直貴は妻の言葉を反芻していた。誰も彼も同じことをいう。寺尾にしてもそうだ。おまえが何かを吹っ切るきっかけになれば――そんなふうにいった。由実子は、けじめをつけるべきだという。そして彼等の言葉は決して的はずれではないのだ。

湯船を出て、冷水で顔を洗った。前髪が濡れた顔を鏡で見て、自分自身に向かって彼は呟いた。「行ってみるか……」

9

翌日は土曜日で、店は休みではなかったが、直貴は非番に当たっていた。昼食を済ませた後、彼は行き先を告げずに家を出た。由実子もしつこくは訊いてこなかった。もしかしたら彼の目的を察していたのかもしれない。仕事でもないのにスーツを着ることなど、殆どないからだ。

池袋に出て、デパートで洋菓子の詰め合わせを買った。熨斗《のし》はいかがいたしましょうと尋ねられたが、いらないと答えた。どんな名目にすればいいのかわからなかったからだ。

丸ノ内線、東西線と地下鉄を乗り継ぎ、木場駅に着いた。そこからは徒歩だ。

幹線道路の脇にある歩道を、彼は黙々と歩いた。車がひっきりなしに通り過ぎていく。その中には引っ越し業者のトラックもあった。それを見ると彼は兄のことを思い出さざるをえなかった。弟の学費を稼ぐため、兄は毎日毎日重い荷物を運び続けたのだ。身体を壊した彼は、稼がねばという焦りから、心に魔を侵入させてしまった。その時に、頭に浮かんだのがこの町だったのだ。

計画性は極めて乏しく、殆ど衝動的といっていい犯行――そんなふうにいっていたのは国選弁護人だったか。全くそのとおりだと直貴は思う。何しろ、剛志があの家を狙ったのは、そこの老婦人のことが印象に残っていたからであり、その理由はといえば、優しい言葉をかけられたから、というものだった。

どうせ泥棒に入るなら嫌な客の家を狙えばいいのに、と思うが、そういうことができないのが剛志なのだ。

記憶を辿りながら歩くうちに、突然、緒方商店という文字が目に飛び込んできた。駐車場の看板に書かれていたのだ。直貴はあわてて周囲を見回した。道の反対側に、西洋風の門構えの二階建ての邸宅があった。

その門には見覚えがあった。剛志が事件を起こした直後、ふらふらと立ち寄ったのだ。しかし家の形は変わっていた。平屋だったはずだ。建て直しをしたのだなと察した。

直貴は前にここへやってきた時のことを思い出した。遺族に詫びねばと思いながら、いざ彼等の姿を目にすると、あわてて逃げ出した。

あの時のツケを俺は払わされたのかもしれない――これまでのことを振り返り、直貴は思った。もしもあの時彼等に詫びていたなら、別の道が開けていたかもしれない。少なくとも、今ほど卑屈な人間にはなっていなかったかもしれない。

門柱に近づき、インターホンのボタンに手を伸ばした。この段階になってもなお、相手が留守であってほしいという気持ちがあることを彼は自覚し、自己嫌悪を覚えた。

ボタンを押した。家の中でチャイムが鳴っている。直貴は深呼吸した。

数秒して、はい、という声が聞こえた。男性の声だった。

「突然すみません。武島という者です。御主人は御在宅でしょうか」

少し間があってから、「どちらのタケシマさんですか」と尋ねてきた。

直貴はもう一度深呼吸した。

「武島剛志の弟です」

その名前を彼等が忘れているはずがなかった。直貴は唾を飲み込もうとした。しかし口の中はからからに渇いていた。

不意に玄関のドアが開いた。ポロシャツ姿の男性が現れた。以前見かけた時よりも太ったようだ。白髪も増えているように見えた。

彼は無表情で、じっと直貴を見据えたまま近づいてきた。口は真一文字に閉じられている。

門扉を挟んで二人は対峙《たいじ》した。直貴は会釈した。

「突然すみません。電話番号を存じ上げてなかったものですから」そういってから改めて相手の様子を窺った。男性はやはり無表情だった。

「何の御用ですか」低く落ち着いた声で訊いてきた。

「今頃になって、と思われるでしょうが、線香をあげさせていただきたいと思います。そうしてくれというのが、兄からの願いでした。もっと早くお邪魔すべきでしたが、どうしても勇気が出ず、何年も経ってしまいました」

「では、どうして急に来る気になったんですか」

「それは……」言葉が出なかった。

「あなたの問題ですか」

直貴は俯いていた。何年もほうっておいて、自分の気持ちを整理するために急に訪れる——その行為がひどく自分勝手なことのように思えた。

すると緒方が門扉を開いた。「どうぞ、入ってください」

直貴は驚いて相手の顔を見た。「いいんですか」

「そのために来たんでしょう?」緒方はほんの少しだけ唇を緩めた。「それに、あなたに見せたいものもある」

「見せたいもの?」

「まあいいから」

直貴が通された部屋には茶色の革張りのソファが並んでいた。どうぞ、と勧められ、彼は三人掛けソファの真ん中に腰を下ろした。真正面に大きなワイド画面のテレビがある。剛志が盗みを働いた後もすぐには逃げず、ソファに座ってテレビを見ていたという話を直貴は思い出した。

「生憎、女房は子供を連れて出かけていてね。生憎というより、好都合といったほうがいいかもしれないが」緒方は肘置きのついたシングルソファに座り、テーブルの灰皿と煙草を引き寄せた。

「あの、これはつまらないものですが」直貴はデパートの包みを差し出そうとした。

「いや、それは持ち帰ってください」緒方は彼の顔を見ずにいった。「あなたが来たことは、なるべく女房たちには内緒にしたい。ただでさえ、勝手に人を家に上げると怒る女なのでね。それに、見たところ食べ物のようだ。正直なところ、どういう思いで口にすればいいのか考えるだけで憂鬱になる。嫌な言い方をするようだが」

「あ……わかりました」直貴は包みを自分の傍に戻した。受け取ってもらえないことは、最初から覚悟していた。

気まずい沈黙がしばらく続いた。緒方は煙草の煙を吐きながら、あらぬ方向にじっと目を向けていた。直貴が何かいいだすのを待っているようでもあった。

「建て直し、されたんですか」室内を見回した後、直貴は訊いた。

「三年ほど前にね。我々は別のところに住んでいたんだけど、ここをずっと空き家にしておくわけにもいかなかった。借り手が見つかる見込みもなかったし。それで我々が住むことにしたわけだよ。でも前のままでは嫌だと女房がいってね。私も同じ思いだったから、思い切って建て直したわけだ」

緒方の話には、さりげなく事件の悪影響を仄《ほの》めかす言葉が配されていた。借り手が見つからないのも、妻が嫌がったのも、そこが人殺しのあった家だからだ。

「あの、それで緒方さん」直貴は顔を上げた。「さっきも申し上げましたけど、お線香をあげさせていただきたいのですが」

「それはお断りする」緒方は平坦な声でいった。

言下に拒絶され、直貴は途方に暮れた。視線のやり場がなく、俯いた。

「誤解してもらっては困るんだがね、それは別に君が憎いからじゃない。むしろその逆なんだ。君は事件とは無関係だろ。私の母を殺したのは君じゃない。だから君に焼香してもらう理由がないんだ。君の兄さんにも、そのように伝えたかったんだがね」

「兄に？」

「ちょっと待っていてくれ」緒方は席を立ち、部屋を出ていった。

待っている間、直貴はじっとテーブルの表面を見つめていた。手土産も焼香も断られ、どうしていいかわからなくなっていた。

緒方が戻ってきた。右手に紙袋を提げていた。それをテーブルの上に置いた。紙袋の中身が封筒の束であることを直貴は認めた。

「君の兄さんから送られてくる。刑務所に入って以後、毎月ね。欠かしたことは、たぶんないんじゃないかな」

「兄が緒方さんにも……」

直貴の全く知らないことだった。手紙にそんなことが書かれていた記憶もない。

緒方が一通の封書を出してきた。

「これがたぶん最初の手紙だ。破り捨てようかと思ったが、それでは現実から逃避することになると思い直して、とっておいた。まさかこんなふうに溜まるとは、その時には思いもしなかった」そういってから彼はその手紙を顎で指した。「読んでみなさい」

「いいんですか」

「君が読んだほうが意味がある」緒方はそういって再び立ち上がった。「ほかの手紙も読んでみるといい。私はちょっと外させてもらう」

緒方が出ていった後、直貴は最初の手紙を開いた。便箋にはくしゃくしゃと丸めたような皺がついていた。おそらく緒方がやったのだろう。

直貴は文面に目を走らせた。

『拝啓
失礼だとは思ったのですが、どうしてもおわびしたくてこれを書いています。もしとちゅうではらがたったら、破ってすててください。おわびする資格がないことはわかっています。
本当に本当にもうしわけありませんでした。何千回、いいえ何万回あやまっても許してもらえることとは思いませんが、今の私はあやまることしかできません。私のしたことは人間として最低のことです。いいわけなんて、何もできません。拘置所にいる間も、なんどか死のうと思いました。でもそれではおわびしたことにならないと思いました。私はこれから刑に服しますが、いつかここを出られたら、命がけでつぐないたいと思います。
今の私の最大の願いは、なんとか緒方さんの御仏前であやまりたいということです。そんなことをして何になるといわれそうですが、とにかくそれしか思いつかないのです。でも今はお線香の一本をあげることさえできません。そこで弟に、どうかご焼香してきてくれとたのみました。だからいずれ弟がそちらに行くとおもいます。だけど弟をせめないでください。弟は事件とは関係ありません。全部、私が一人でやったことです。
もしここまで読んでもらえたなら感謝いたします。敬具
武島剛志』
緒方忠夫様
刑務所に入った直後、剛志がしきりに緒方家に行ってくれと手紙で書いていたことを

直貴は思い出した。一方で彼はこんな手紙も出していたのだ。

直貴は別の手紙にも目を通してみた。どの手紙にも書いてあることは大差なかった。申し訳ないことをした、詫びる方法があるならどんなことでもする、毎晩悔いている――そんな悔恨の念が切々と述べられていた。さらにどの手紙でも、何らかの形で直貴に触れていた。弟は苦労しながらも大学に通い始めたようだ、仕事が見つかったようだ、結婚したらしく嬉しく思っている――弟だけが生き甲斐であることを、それらの文面は物語っていた。

いつの間にか緒方が戻っていた。彼は直貴を見下ろして訊いた。「いかがですか」

「兄がこんな手紙を書いてたなんて全然知りませんでした」

「そのようだね」緒方は元の場所に座り直した。「しかし私は、彼が君に手紙を書いていたことは知っているんだ。何しろ彼の手紙には、常に君のことが書いてあるんだからね」

「ほかに……何も書くことがなかったんじゃないかな」

「そうかもしれない。でも正直なところ、私としては不愉快な手紙だったんだよ」

緒方の言葉に、直貴は背中をぴんと伸ばしていた。

「彼が自分の過ちを悔いているのはよくわかる。だけどいくら謝られても、反省の弁を聞かされても、母親を殺された無念さは消えない」緒方は手紙の詰まった紙袋を指で弾《はじ》いた。「弟の近況を伝えてくるのも忌々《いまいま》しかった。刑務所に入ったというのに幸せを満喫しているじゃないか、とさえ思った。何度か、もう手紙を送ってくるなという意味の返事を書こうとしたよ。だけどそれさえも馬鹿馬鹿しかった。そこで徹底的に無視することにした。返事がなければそのうちに届かなくなるだろうと思ったんだ。しかし彼の手紙は届き続けた。やがて気づいた。これは彼にとっての般若心経なのだとね。こちらからストップをかけないかぎり彼は手紙を書き続ける。ではストップをかければいいのか。そこで私の中に迷いが生じた。彼の手紙を止めることは事件の完全な終結を意味する。事件を終わらせていいのか。告白すると、事件の終わりを受け入れる決心がつかなかった」

緒方がポケットから、新たに封筒を取り出してきた。それを直貴の前に置いた。

「そんな時、これが届いた。結論からいうと、彼からの最後の手紙だ」

直貴は驚き、緒方とその封筒を見比べた。

「それを読んで、私は決心したんだよ。もう事件は終わらせよう、とね」

直貴はその封筒に手を伸ばした。「読んでもいいですか」

「彼はそれを望まないだろうが、私は読むべきだと思う。その手紙は君にやるよ」

直貴は封筒を両手で持った。便箋を取り出す勇気が出なかった。

「直貴君、といったね」緒方がいった。「もう、これでいいと思う。これで終わりにしよう、何もかも」

「緒方さん……」

「お互い、長かったたな」そういうと緒方は目を瞬かせ、天井を見上げた。

終章

もう何度も見直したはずの楽譜を改めて眺めては、直貴は深呼吸をした。心臓の鼓動は高まったままで、一向におさまる気配がない。何もかも終わるまでこの状態からは逃れられないのだろうなと、今度はため息をついた。

寺尾がそんな彼を見て苦笑した。

「何をそんなに情けない顔をしてるんだ。日本武道館でライブをやろうってわけじゃないんだぜ。気楽にいこうや。気楽に」

直貴は顔をしかめた。

「それができないから困ってるんだよ。何しろもう何年も人前で歌ってない。カラオケだってやってないし」

「おまえなら大丈夫だよ。それに今日のライブじゃ、うまい歌を聞かせる必要はない。

求められてるのは癒しだ。観客を楽しい気持ちにさせりゃいいんだ」

「うん、それはわかっている」直貴は頷いた。

彼は窓の外に目を向けた。グラウンドに人影はない。あのグラウンドはどんなふうに使われているんだろうと思った。受刑者たちが野球をするという映画を、昔深夜番組で見たことがある。剛志も時には思い切り走り回ることがあるのだろうか。

そしてその先には灰色の壁が見えた。外の世界と遮断している壁だ。その向こうは全く見えない。ただ青空が広がっているだけだ。外に憧れても、ここでは想像するしかない。兄貴はこんな光景を見ながら何年も過ごしてきたんだな——直貴は窓から目をそらした。

寺尾に電話をかけたのは先月のことだ。慰問コンサートに参加したい、と直貴はいった。驚いたらしく、寺尾は少し沈黙した。

「突然こんなことをいいだして自分勝手なことは承知している。だけど、俺、どうしてもやりたくて。というのは——」

そこまでいったところで寺尾は彼の言葉を遮った。

「いいよ、説明なんか。その気になってくれただけで俺は嬉しい。久しぶりのライブだ。がんばろうぜ」すべてを見通しているような台詞だった。

その後も寺尾は何も尋ねてこなかった。直貴は、このコンサートが無事に終われば、帰りにでも話そうと考えている。もったいぶっているわけではない。今はまだうまく伝える自信がないのだ。だがすべてが終わった後なら、自分の気持ちを表現する言葉が出てきそうな気がしていた。

由実子にも話さなければならない。この一か月、彼女は夫の変化に気づきながら、何も詮索してこなかった。慰問コンサートをするといった時にも、「しっかり練習しなきゃね」といって笑っただけだ。

髪をきちんと整えた若い刑務官が控え室に入ってきた。少し緊張した表情だ。

「ええと、『イマジン』さん……でしたっけ。会場の準備が整いました。受刑者たちも座って待っておりますので、いつ始めていただいても結構ですが」

『イマジン』というのが二人のユニット名だった。今日かぎりのユニットだ。

寺尾が直貴を見て立ち上がった。「よし、じゃあ行こうか」

直貴も無言で頷いた。

控え室を出て、会場に向かった。会場は体育館だ。

刑務官の後について歩いているうちに、直貴の心臓はいっそう激しく波打ち始めた。喉がからからに渇いている。こんな状態で歌えるんだろうかと不安になり、緊張はますます増幅していく。逃げ出したいという思いと、逃げてはいけないという思いが激しくぶつかり合っていた。

体育館の裏口から入った。中はしんとしていた。かつて直貴は小さなライブコンサートに何度か参加したが、どんなに客が少なくても、そのざわめきが楽屋に聞こえてきたものだ。ここでの空気の異質さに戸惑った。

「何度もいうようだけど、盛り上げようとするなよ」直貴の心中を察したらしく寺尾が耳元で囁いた。「ある意味、今日の観客は盛り上がりすぎることを禁じられている。とにかく相手の心に届くよう歌うんだ」

わかっている、というふうに直貴は口を動かしたが、うまく声にならなかった。

「では、私が御紹介したら出てくださって結構です」刑務官がいった。

わかりました、と二人は答えた。

臨時に設けられた舞台に、まず刑務官が出ていった。注意事項を述べた後、今日これから歌を披露する二人組シンガーについての説明を行っている。無論、殆どが寺尾についての話だ。直貴のことはその友人ということで片づけられている。

直貴は自分の両手を見た。そこにはびっしょりと汗をかいていた。目を閉じ、深呼吸を繰り返した。俺にできることはこれだけだ、だから精一杯やるしかない、兄貴に弟の姿を見せるのはこれが最後なんだから——自分にそういい聞かせた。

緒方家でのやりとりが蘇った。いや、緒方から貰った手紙が、というべきかもしれない。あの手紙を読んだからこそ、直貴は今日こうしてここにいる。

もう何度読み直したかわからない。今ではすっかり内容を暗記しているほどだ。

剛志から緒方に送られた手紙は、次のようなものだった。

『拝啓
今日は重大なことを打ち明けたく、筆をとらせていただきました。

先日、弟から手紙がきました。受刑者にとって肉親からの便りほど心安らぐものはありません。胸を弾ませて読み始めました。

しかしその手紙を読み、私は驚きました。そこには、もうこれっきり手紙は書かないし、私からの手紙も受け取らないと書かれていたのです。その理由を、家族を守るためだ、と弟は記しておりました。さらにその手紙には、強盗殺人犯の兄を持ったばかりに彼がこれまでどれだけの苦労をしてきたか、その苦労は今も続いており、彼の妻や娘がどんな辛い目に遭っているかが、切々と綴られていました。このままだと、将来は娘の縁談にまで累は及ぶに違いないという暗い予測も添えてありました。

だから兄弟の縁を切る、と弟はいってきたのです。私が出所した後も、連絡をとろうとしないでくれということでした。

この手紙を読んだ時の衝撃をわかっていただけるでしょうか。弟に縁を切られたことがショックだったのではありません。長年にわたって私の存在が彼を苦しめ続けてきた、という事実に震撼したのです。また同時に、当然そういうことが予想できたのに、弟にこんな手紙を書かせるまでまるで気づかなかった自らの阿呆さ加減に、死にたくなるほどの自己嫌悪を覚えました。何のことはありません。私はこんなところにいながら、何ひとつ更生などしていなかったのです。

弟のいうことはもっともです。私は手紙など書くべきではなかったのです。同時に気づきました。緒方さんへの手紙も、おそらく緒方さんにとっては犯人の自己満足にしか見えない不快極まりないものだったに違いないと。そのことをお詫びしたく、このような手紙を書きました。もちろん、これを最後にいたします。どうも申し訳ありませんでした。ご健康とご多幸をお祈り申し上げます。

緒方忠夫様　　　　武島剛志

追伸　弟にも詫びの手紙を書きたいのですが、もはや読んでもらう術がありません。』

あの手紙を読んだ時、涙が止まらなかった。絶縁を告げた手紙は、自分でも冷酷な内容だったと思っている。さぞかし剛志は不満なことだろうと想像していた。だが兄の思いは全く違っていたのだ。

私は手紙など書くべきではなかったのです――。

違うよ兄貴、と思った。あの手紙があったからこそ、今の自分がある。手紙が届かなければ苦しむこともなかっただろうが、道を模索することもなかった。

「では『イマジン』のお二人、どうぞよろしくお願いいたします」

その声に我に返った。直貴は寺尾を見た。彼は黙って大きく頷いた。

二人は舞台に出た。拍手はない。歓声もない。そんな中で直貴はゆっくりと顔を上げた。瞬間、息を呑んだ。坊主頭の、同じ服装をした男たちが、じっとこちらを見ている。期待と好奇心に溢れた目だ。彼等はこんなにも外の人間との接触を望んでいる。さらにその目に羨望というより妬《ねた》みに近い光が含まれていることにも直貴は気づいた。外で住める人間、あの灰色の壁を越えられる人間に対する嫉妬の念だ。

こんにちは、『イマジン』です――寺尾が陽気な口調でしゃべり始めた。何度か経験しているだけあって、こうした雰囲気には慣れているのだろう。適度に冗談を交えながら自己紹介をしていく。少しずつだが観客の表情も和んでいくようだ。

直貴は客席をゆっくり見回した。兄貴はどこにいる？　だが全員が同じ服装、同じ髪型では、見つけだすのは困難だった。

寺尾がいった。「では、僕たちのユニット名の由来でもあるジョン・レノンの『イマジン』を、まず聞いていただきたいと思います」

寺尾は用意されたピアノの前に座り、直貴に頷きかけてきた。直貴も頷き返した。そして改めて観客のほうを向いた。

どこかに兄貴がいる、俺の歌を聞いてくれる、精一杯歌おう、せめて今日だけは――。伴奏が始まった。『イマジン』のイントロが流れる。直貴はマイクに目を落とし、次に観客を見渡した。小さく息を吸い込んだ。

その時だった。直貴の目が、客席の一点を捉えた。後方の、向かって右端。そのあたりだけが突然光って見えた。

その男は深く項垂れていた。直貴の記憶にある姿よりも小さく見えた。

彼の姿勢を見て、直貴は身体の奥から突然熱いものが押し寄せてくるのを感じた。男は胸の前で合掌していたのだ。詫びるように。そして祈るように。さらに彼の細かく震えている気配まで直貴には伝わってきた。

兄貴――直貴は胸の中で呼びかけていた。

兄貴、俺たちはどうして生まれてきたんだろうな――。

兄貴、俺たちでも幸せになれる日が来るんだろうか。俺たちが語り合える日が来るんだろうか。

直貴は一点を見つめたまま、マイクの前で立ち尽くしていた。全身が痺《しび》れたように動かない。息をするのでさえやっとだった。

「おい、武島……」寺尾はイントロの同じ部分を弾き続けている。

直貴はようやく口を開いた。歌おうとした。

だが声が出ない。

どうしても出ない――。

（完）

解説

井上夢人

英国BBCテレビで「A Day In The Life」と題するドラマが製作されたことがある。ずいぶん昔のことだ。主人公は故ジョン・レノン。その重要な主役を決定するオーディションで、主人公役はジョンと風貌が酷似している無名の俳優が選ばれた。

ところが、この決定は、ジョン・レノンの妻ヨーコによって覆された。理由は、主役に選ばれた役者の本名だった。オーディションの時には芸名を使っていたのだが、後になって彼の本名は「マーク・デイヴィッド・チャップマン」だということが明らかになったのだ。それは、ジョン・レノンを殺害した犯人とまったく同じ名前だった。

言うまでもなく、この俳優に落ち度はない。演技がどうしようもなく下手くそだったわけでもない。もちろん、彼自身はジョン・レノン殺害事件となんの関わりもない。ただ、本名がジョンを殺した男と同じだということを、スタッフたちに告げていなかっただけのことだ。俳優が芸名を名乗って悪い理由はない。芸名で仕事がしたいのだから、オーディションも芸名で応募した。いたって自然なことだ。しかし、彼は役を外された。

マーク・チャップマンは、殺害犯とは赤の他人だった。にもかかわらず、彼は職を奪われることになった。彼自身は、その決定をどのように受け止めたのだろう――。

東野圭吾氏の『手紙』を読みながら、僕はこのエピソードを思い出していた。ジョン・レノンの傑作「イマジン」が、小説の全編にわたって重要なキーワードとしてちりばめられていることも、その連想を促したのかもしれない。しかし、それ以上に本書が僕にこのエピソードを想起させたのは、ヨーコ・オノ・レノンが世界に向かって訴えた言葉を読んでいたからだと思う。ジョンが暗殺されてほぼ一カ月後の朝日新聞朝刊に、ヨーコは意見広告を全紙大で載せた。長文の中に、次のような一節がある。

私はジョンを護れなかった自分自身にも怒っています。私は、社会がこれ程までにばらばらに砕けるままにまかせていた自分自身、そして私たちすべてに対しても腹を立てています。もし何か意義のある「仕返し」があるとすれば、それは、愛と信頼に基礎を置く社会に、まだ間に合ううちに方向転換させることだと思います。

毅然としていて、かっこいい。ジョンを失って一カ月しか経っていないのだ。未亡人になったばかりの女性の言葉とは思えないほどかっこいい。

しかし、そのヨーコは、数年後、亡夫役に選ばれた俳優を、本名が「マーク・チャップマン」だというだけのことで馘首《くび》にした。「言ってることと、やってることが違うじゃん」と、つい、ツッコミを入れたくもなる。まあ、「それが『意義のある仕返し』ってワケ?」などと、ヨーコに皮肉を言うつもりはないが。

ただ、ふと考えるのだ。じゃあ、僕だったらどうするのか、と。ヨーコの身になって考えてみれば、チャップマンを馘首にした気持ちがまるで理解できないわけではあるまい。

実は、それが本書『手紙』のテーマである。

同姓同名というだけのことで、チャップマンは理不尽な解雇を言い渡された。しかし、もし彼がジョンを殺害した犯人の身内であったとしたら、事態はどのように変わったのだろうか——それが、作者が本書で投げかけている問いなのだ。

重い話である。

強盗殺人犯を兄に持ったことによって人生を狂わされてしまった弟の、あまりにも苛酷な境遇が、抑制のきいた文章によって綴られていく。

真綿《まわた》で首を絞めるという表現があるが、この小説は読者にそのような迫り方をする。現実を直視せよ、と物語は読者に語りかける。決して脅迫するような調子ではない。物語は、むしろ静かに淡々と語られる。

作者は、最初から最後まで、テーマを一歩も踏み外すことなく筆を進める。繰り返されるテーマの変奏曲が、次第に読者の気持ちを沈めていくのだ。そのテーマを象徴するように、ジョン・レノンの「イマジン」が使われている。

そもそも、この小説の構成は、きわめて音楽のそれに似通っている。深読みのしすぎかもしれないが、作者は意識的にそんな構成を選択したのではないか。

ショッキングではあるけれど、どこか物悲しい主人公の兄による序曲を終えると、重苦しいテーマが静かに流れはじめる。テーマは、少しずつ形を変えながら、繰り返し、繰り返し読者を奈落の底へ誘い続ける。

「イマジン」の中で、ジョン・レノンは《すべての人々が、等分にすべてを分かちあえる世界を思い描いてごらん》と歌う。そして《絵空事だと言われるかもしれないけれど、いつか君も僕たちに加わって、世界が一つになることを願っているんだ》と結ぶ。にもかかわらず、主人公が置かれた境遇は、すべてのものを彼から奪っていく。奪い続ける。そして、それに伴って、「イマジン」というキーワードの持つ意味合いが変化していく。主人公が好きだった「イマジン」を歌うことさえ、彼を取り囲む人間たちは奪い去っていくのだ。

この小説が周到であるのは、告発する相手を我々読者自身に向けていることだ。作者は、物語の至るところに鏡を用意して待っている。読者は、ギクリとしながら、鏡の中で立ちつくしている自分を見せつけられることになる。

ほとんどの人は、自分は差別などとは無縁だと考えている。世の中に存在する差別に対して怒りを覚え、嫌悪を感じることはあっても、自分が差別する側に立つことは断じてないと信じている。

この小説は、そんな我々に問いかける。

では、この鏡に映っているのは、いったい誰なのだ、と。

気がつけば、この小説に描かれている風景は、我々が住んでいるこの街にそっくりだ。我々は日常的に、この小説が持っている不安と隣り合わせている。

有名な女優の息子が麻薬をやっていたことで逮捕されたというニュースを見たとき、無意識のうちに、我々はその女優に同情する。とんだ親不孝者の息子を持ったものだ。彼女はこれから大変だろう。仕事も減らされてしまうかもしれない……そんなことを、当たり前のように考える。しかし、そう考えている自分を差別者だとは思っていないのだ。

若くて食えなかったころ、僕はパチンコ屋でバイトをした。そこのフロアマネージャーが、ある日突然、前日の売上金を持ったまま姿を消してしまった。そのマネージャーは、パチンコ屋の二階の一室を与えられ、妻と幼い息子とともに住んでいた。正社員の連中も、バイトの我々も、残された妻と息子に同情した。妻は夫が盗んだ金を返さなければならないだろうし、挙げ句の果てには部屋からも追い出されるだろう。そんなことを当然のように考えた。その考えが妙だとは、誰も思わなかった。なぜなら、我々は彼女たちに同情したのであって、悪いのは妻と子を置いて逃げたマネージャーだとちゃんとわかっているからだ。しかし僕たちの誰も、彼らには何もしてやれなかった。さらに僕は、彼女と息子がその後、どうなったのかまるで知らない。

東野圭吾は、そんな我々を映す鏡を小説の中に埋め込んだ。

ヨーコ・オノが俳優マーク・チャップマンを馘首にしたことが、本書を読み終えた後は、少し違って感じられる。

重い小説だと思う。

不思議なことがある。実際にジョン・レノンを殺害したほうのマーク・チャップマンは、サリンジャーの『ライ麦畑でつかまえて』を愛読していた。事実、彼はジョンを射殺した後、警官が現場に到着するまで、路上に腰を下ろして『ライ麦畑でつかまえて』を読んでいたのだという。

ジョンの死から四カ月後、当時大統領だったロナルド・レーガンが狙撃されるという事件が起こった。逮捕された二十五歳の青年の愛読書が『ライ麦畑でつかまえて』だったことが明らかにされ、アメリカではその後、この小説が「有害図書」であるという烙印を押されることになったらしい。つまり『ライ麦畑でつかまえて』を愛読している若者を、アメリカ社会は不穏分子として分類するようになったのだ。

同じような不思議なことは、ジョン・レノンの歌でも繰り返される。あの9・11テロが起こった後、アメリカでは「イマジン」が放送自粛の目に遭った。その理由は、驚いたことに「イマジン」が《国なんてないと想像してごらん。そうすれば、ありもしない国のために殺し合うこともないじゃないか》と歌っているからだそうだ。テロへの報復を誓ったアメリカにとっては、戦意を喪失させるおそれをこの歌に感じたということらしい。

アメリカだけに起こっていることではない。僕たちの周りでも、同じようなことがしょっちゅう起こっている。それを見なかったことにしたいだけなのだ。

本書は、それを淡々と語る。良い、悪いではない。その自分の姿を『手紙』は僕たちに見せてくれている。

小説は、最後の最後になって、また「イマジン」を主人公に突きつける。その変奏は、積み重ねられた物語と、現実の我々をジョイントする。

（作家）

初出　毎日新聞日曜版連載
二〇〇一年七月一日〜二〇〇二年十月二十七日
単行本　二〇〇三年三月　毎日新聞社刊

文春文庫

手《て》紙《がみ》

定価はカバーに
表示してあります

2006年10月10日　第1刷
2007年12月10日　第19刷

著　者　東《ひがし》野《の》圭《けい》吾《ご》
発行者　村上和宏
発行所　株式会社 文藝春秋
東京都千代田区紀尾井町 3-23　〒102-8008
TEL 03・3265・1211
文藝春秋ホームページ　http://www.bunshun.co.jp
文春ウェブ文庫　http://www.bunshunplaza.com

落丁、乱丁本は、お手数ですが小社製作部宛お送り下さい。送料小社負担でお取替致します。

印刷・凸版印刷　製本・加藤製本　Printed in Japan
ISBN4-16-711011-3